기출문제로 개념 잡고 내신만점 맞자!

숨마쿰라우데 중학수학

실전문제집

3-상

이룸이앤비
Education&Books

이 책의 구성과 특징

Part 1 5~93쪽

핵심개념 특강편

핵심 개념 정리

교과서 핵심 내용을 이해하는 것이 수학 공부의 첫걸음이지요. 공부할 내용 중 핵심적인 개념을 모아 정리해 두었습니다. 개념을 공부한 다음 문제로 개념을 확인해 보세요~

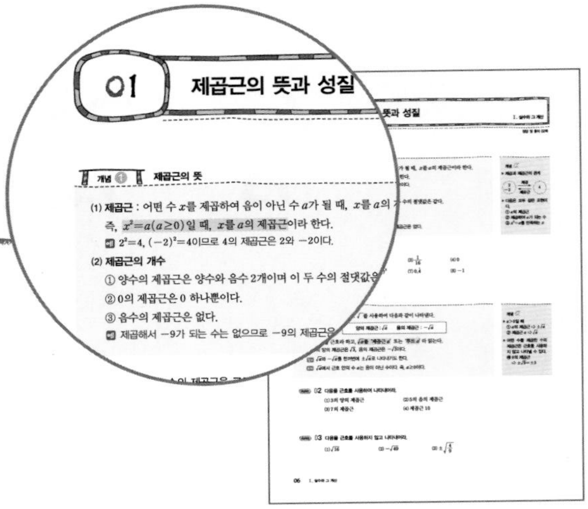
01 제곱근의 뜻과 성질

개념 1 제곱근의 뜻

(1) 제곱근 : 어떤 수 x를 제곱하여 음이 아닌 수 a가 될 때, x를 a의 제곱근이라 한다.

즉, $x^2=a(a\geq0)$일 때, x를 a의 제곱근이라 한다.

예 $2^2=4$, $(-2)^2=4$이므로 4의 제곱근은 2와 -2이다.

(2) 제곱근의 개수

① 양수의 제곱근은 양수와 음수 2개이며 이 두 수의 절댓값은

② 0의 제곱근은 0 하나뿐이다.

③ 음수의 제곱근은 없다.

예 제곱해서 -9가 되는 수는 없으므로 -9의 제곱근은

핵심유형으로 개념 정복하기

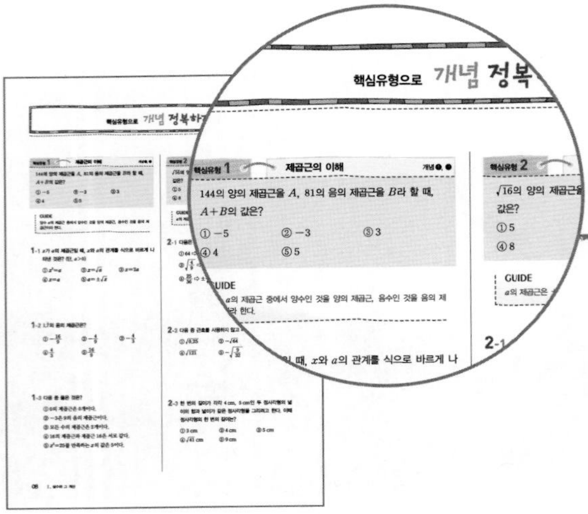
핵심유형으로 개념 정복

핵심유형 1 제곱근의 이해

144의 양의 제곱근을 A, 81의 음의 제곱근을 B라 할 때, $A+B$의 값은?

① -5 ② -3 ③ 3 ④ 4 ⑤ 5

GUIDE

a의 제곱근 중에서 양수인 것을 양의 제곱근, 음수인 것을 음의 제곱근이라 한다.

핵심유형 2

$\sqrt{16}$의 양의 제곱근 값은?

① 5 ④ 8

학교 시험 문제를 철저히 분석하여 자주 출제되는 핵심유형들을 모아 놓았습니다.
관련 개념을 링크해 두었으니 유형에 대한 이해가 필요할 시에는 링크된 개념으로 GoGo하세요~~

기출문제로 실력 대비하기

학교 시험에 출제된 문제들로 구성해 놓았습니다. 앞서 배운 개념 및 핵심유형과 연계하여 문제를 스스로 분석하는 시간을 가져봅시다. 문제의 이해만이 실력을 완성할 수 있는 길이지요^^

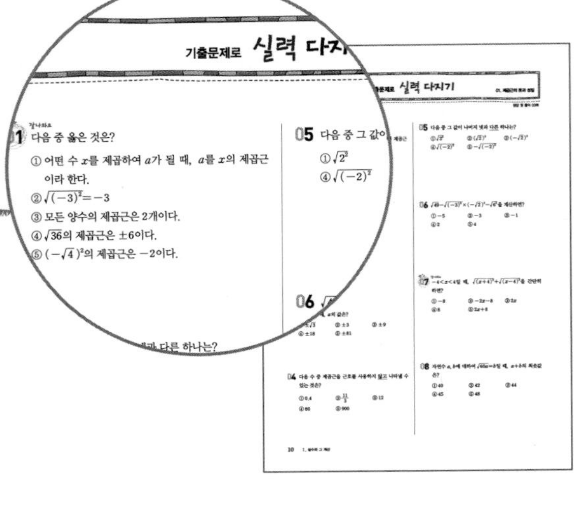
기출문제로 실력 다지기

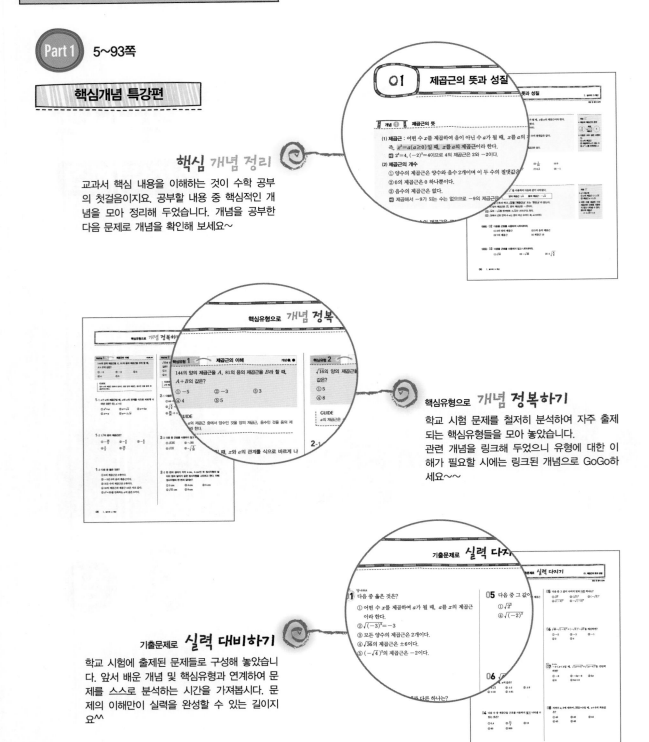

01 다음 중 옳은 것은?

① 어떤 수 x를 제곱하여 a가 될 때, a를 x의 제곱근이라 한다.

② $\sqrt{(-3)^2}=-3$

③ 모든 양수의 제곱근은 2개이다.

④ $\sqrt{36}$의 제곱근은 ±6이다.

⑤ $(-\sqrt{4})^2$의 제곱근은 -2이다.

05 다음 중 그 값이

① $\sqrt{2^2}$ ④ $\sqrt{(-2)^2}$

Part 2 96~143쪽

내신만점 도전편

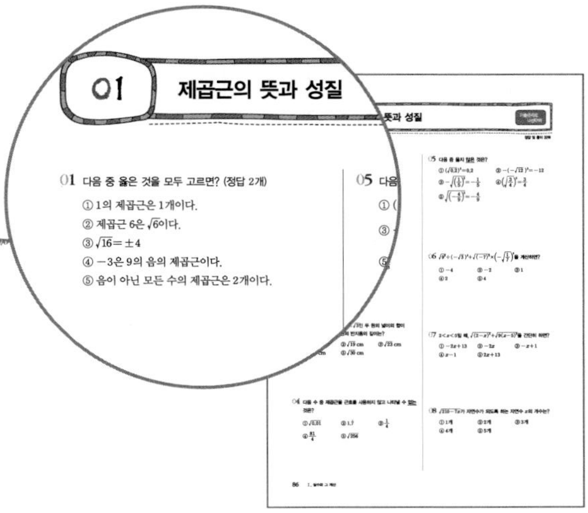

기출문제로 내신대비

특강편에 있는 [기출문제로 실력 다지기]의 유사 문제를 실어 놓았습니다. 문제를 잘 이해했는지 내 실력을 다시 한 번 점검해 보세요.

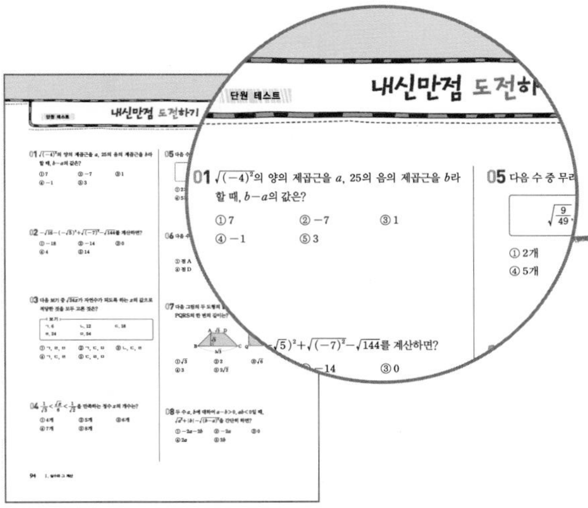

내신만점 도전하기

중간 · 기말고사를 대비할 수 있도록 중단원별 실전대비 문제를 실어 놓았습니다. 서술형 문제와 고난도 문제를 통해 내신만점에 도전해 보세요.

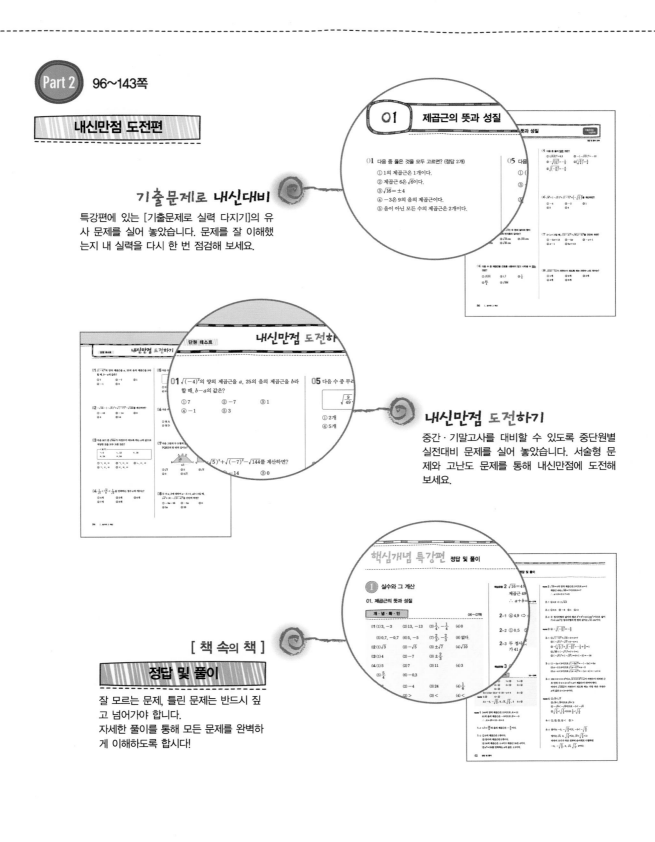

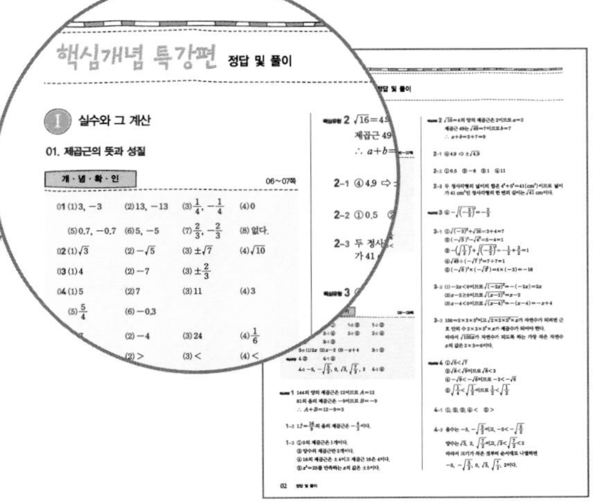

[책 속의 책]

정답 및 풀이

잘 모르는 문제, 틀린 문제는 반드시 짚고 넘어가야 합니다.
자세한 풀이를 통해 모든 문제를 완벽하게 이해하도록 합시다!

이 책의 차례 & 학습플래너

Part 1

핵심개념 특강편

Part 2

내신만점 도전편

숨마쿰라우데® 중학수학 실전문제집

Part 1

핵심개념 특강편

3-상

01 제곱근의 뜻과 성질

정답 및 풀이 02쪽

개념 ① 제곱근의 뜻

(1) **제곱근** : 어떤 수 x를 제곱하여 음이 아닌 수 a가 될 때, x를 a의 제곱근이라 한다.

즉, $x^2=a(a\geq0)$일 때, x를 a의 제곱근이라 한다.

예 $2^2=4$, $(-2)^2=4$이므로 4의 제곱근은 2와 -2이다.

(2) **제곱근의 개수**

① 양수의 제곱근은 양수와 음수 2개이며 이 두 수의 절댓값은 같다.

② 0의 제곱근은 0 하나뿐이다.

③ 음수의 제곱근은 없다.

예 제곱해서 -9가 되는 수는 없으므로 -9의 제곱근은 없다.

개념 α

▶ 제곱과 제곱근의 관계

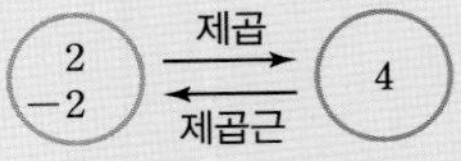

▶ 다음은 모두 같은 표현이다.
① a의 제곱근
② 제곱하여 a가 되는 수
③ $x^2=a$를 만족하는 x

개념확인 **01** 다음 수의 제곱근을 구하여라.

(1) 9　(2) 169　(3) $\frac{1}{16}$　(4) 0

(5) 0.49　(6) $(-5)^2$　(7) $0.\dot{4}$　(8) -1

개념 ② 제곱근의 표현

(1) 양수 a의 제곱근은 기호 $\sqrt{}$를 사용하여 다음과 같이 나타낸다.

양의 제곱근 : $\sqrt{a}$　　음의 제곱근 : $-\sqrt{a}$

(2) 기호 $\sqrt{}$를 근호라 하고, $\sqrt{a}$를 '제곱근 a' 또는 '루트 a'라 읽는다.

예 3의 양의 제곱근은 $\sqrt{3}$, 음의 제곱근은 $-\sqrt{3}$이다.

참고 $\sqrt{a}$와 $-\sqrt{a}$를 한꺼번에 $\pm\sqrt{a}$로 나타내기도 한다.

주의 $\sqrt{a}$에서 근호 안의 수 a는 음이 아닌 수이다. 즉, $a\geq0$이다.

개념 α

▶ $a>0$일 때
① a의 제곱근 ⇨ $\pm\sqrt{a}$
② 제곱근 a ⇨ $\sqrt{a}$

▶ 어떤 수를 제곱한 수의 제곱근은 근호를 사용하지 않고 나타낼 수 있다.
예 9의 제곱근
⇨ $\pm\sqrt{9}=\pm3$

개념확인 **02** 다음을 근호를 사용하여 나타내어라.

(1) 3의 양의 제곱근　(2) 5의 음의 제곱근

(3) 7의 제곱근　(4) 제곱근 10

개념확인 **03** 다음을 근호를 사용하지 않고 나타내어라.

(1) $\sqrt{16}$　(2) $-\sqrt{49}$　(3) $\pm\sqrt{\frac{4}{9}}$

개념 ③ 제곱근의 성질

(1) 제곱근의 성질(1)

$a>0$일 때,

① a의 제곱근을 제곱하면 a가 된다.

$(\sqrt{a})^2=a,\ (-\sqrt{a})^2=a$ 　예 $(\sqrt{3})^2=3,\ (-\sqrt{5})^2=5$

② 근호 안의 수가 어떤 수의 제곱이면 근호를 없앨 수 있다.

$\sqrt{a^2}=a,\ \sqrt{(-a)^2}=a$ 　예 $\sqrt{2^2}=2,\ \sqrt{(-7)^2}=7$

(2) 제곱근의 성질(2)

$$\sqrt{a^2}=|a|=\begin{cases} a & (a\geq 0) \\ -a & (a<0) \end{cases}$$

예 $\sqrt{(x-1)^2}=\begin{cases} x-1 & (x\geq 1) \\ -x+1 & (x<1) \end{cases}$

개념 α

▸ 제곱수 : 1, 4, 9, 16, ⋯ 등과 같이 자연수의 제곱인 수

▸ 제곱근의 성질

그대로

① $\sqrt{(\text{양수})^2}=(\text{양수})$

② $\sqrt{(\text{음수})^2}=-(\text{음수})$

앞에 −를 붙여 준다.

개념확인 **04** 다음 수를 근호를 사용하지 않고 나타내어라.

(1) $(\sqrt{5})^2$ 　(2) $(-\sqrt{7})^2$ 　(3) $\sqrt{11^2}$

(4) $\sqrt{(-3)^2}$ 　(5) $\left(\sqrt{\frac{5}{4}}\right)^2$ 　(6) $-\sqrt{(-0.3)^2}$

개념확인 **05** 다음을 계산하여라.

(1) $(\sqrt{2})^2+(-\sqrt{5})^2$ 　(2) $(\sqrt{3})^2-\sqrt{(-7)^2}$

(3) $\sqrt{8^2}\times(-\sqrt{3})^2$ 　(4) $\left(\sqrt{\frac{3}{4}}\right)^2\div\left(-\sqrt{\frac{9}{2}}\right)^2$

개념 ④ 제곱근의 대소 관계

$a>0,\ b>0$일 때,

① $a<b$이면 $\sqrt{a}<\sqrt{b}$

② $\sqrt{a}<\sqrt{b}$이면 $a<b$

③ $\sqrt{a}<\sqrt{b}$이면 $-\sqrt{a}>-\sqrt{b}$

예 $3<5$이므로 $\sqrt{3}<\sqrt{5}$

$\sqrt{3}<\sqrt{5}$이므로 $-\sqrt{3}>-\sqrt{5}$

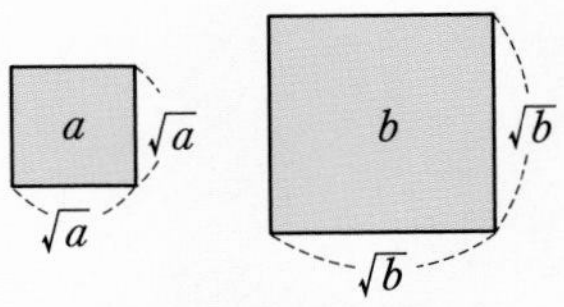

정사각형의 넓이가 넓을수록 한 변의 길이가 길다.

개념 α

▸ $a>0,\ b>0$일 때, a와 $\sqrt{b}$의 대소 비교

$\sqrt{a^2}$과 $\sqrt{b}$를 비교하거나 a^2과 b를 비교한다.

$2<\sqrt{x}<3$

⇨ $\sqrt{4}<\sqrt{x}<\sqrt{9}$

⇨ $4<x<9$

개념확인 **06** 다음 □ 안에 알맞은 부등호를 써넣어라.

(1) $\sqrt{10}$ □ $\sqrt{15}$ 　(2) 5 □ $\sqrt{20}$

(3) 0.2 □ $\sqrt{0.4}$ 　(4) -2 □ $-\sqrt{3}$

핵심유형으로 개념 정복하기

정답 및 풀이 02쪽

핵심유형 1 제곱근의 이해 개념 ❶, ❷

144의 양의 제곱근을 A, 81의 음의 제곱근을 B라 할 때, $A+B$의 값은?

① -5　② -3　③ 3　④ 4　⑤ 5

GUIDE
양수 a의 제곱근 중에서 양수인 것을 양의 제곱근, 음수인 것을 음의 제곱근이라 한다.

1-1 x가 a의 제곱근일 때, x와 a의 관계를 식으로 바르게 나타낸 것은? (단, $a>0$)

① $x^2=a$　② $x=\sqrt{a}$　③ $x=2a$　④ $x=a$　⑤ $a=\pm\sqrt{x}$

1-2 $1.\dot{7}$의 음의 제곱근은?

① $-\frac{16}{9}$　② $-\frac{4}{9}$　③ $-\frac{4}{3}$　④ $\frac{4}{3}$　⑤ $\frac{16}{9}$

1-3 다음 중 옳은 것은?

① 0의 제곱근은 0개이다.
② -3은 9의 음의 제곱근이다.
③ 모든 수의 제곱근은 2개이다.
④ 16의 제곱근과 제곱근 16은 서로 같다.
⑤ $x^2=25$를 만족하는 x의 값은 5이다.

핵심유형 2 제곱근의 표현($\sqrt{\ }$) 개념 ❷

$\sqrt{16}$의 양의 제곱근을 a, 제곱근 49를 b라 할 때, $a+b$의 값은?

① 5　② 6　③ 7　④ 8　⑤ 9

GUIDE
a의 제곱근은 $\pm\sqrt{a}$, 제곱근 a는 $\sqrt{a}$이다.

2-1 다음은 각 수의 제곱근을 구한 것이다. 옳지 않은 것은?

① $64 \Rightarrow \pm 8$
② $(-12)^2 \Rightarrow \pm 12$
③ $\sqrt{\frac{4}{9}} \Rightarrow \pm\sqrt{\frac{2}{3}}$
④ $4.9 \Rightarrow \pm 0.7$
⑤ $\frac{25}{36} \Rightarrow \pm\frac{5}{6}$

2-2 다음 중 근호를 사용하지 않고 나타낼 수 없는 것은?

① $\sqrt{0.25}$　② $-\sqrt{64}$　③ $0.\dot{9}$　④ $\sqrt{121}$　⑤ $-\sqrt{\frac{9}{32}}$

2-3 한 변의 길이가 각각 4 cm, 5 cm인 두 정사각형의 넓이의 합과 넓이가 같은 정사각형을 그리려고 한다. 이때 정사각형의 한 변의 길이는?

① 3 cm　② 4 cm　③ $\sqrt{26}$ cm　④ $\sqrt{41}$ cm　⑤ 9 cm

핵심유형 3 제곱근의 성질 개념 ❸

다음 중 옳지 않은 것은?

① $(\sqrt{7})^2=7$　② $(-\sqrt{4})^2=4$

③ $-\sqrt{\frac{1}{36}}=-\frac{1}{6}$　④ $-\sqrt{\left(-\frac{2}{3}\right)^2}=\frac{2}{3}$

⑤ $\sqrt{(-5)^2}=5$

GUIDE
$a>0$일 때, $(\sqrt{a})^2=a$, $(-\sqrt{a})^2=a$, $\sqrt{a^2}=a$, $\sqrt{(-a)^2}=a$

3-1 다음 중 계산이 옳은 것은?

① $\sqrt{(-3)^2}+\sqrt{16}=1$
② $(-\sqrt{5})^2-\sqrt{4^2}=-1$
③ $-\left(\sqrt{\frac{1}{2}}\right)^2+\sqrt{\left(-\frac{3}{2}\right)^2}=1$
④ $\sqrt{49}\div(-\sqrt{7})^2=-1$
⑤ $(-\sqrt{6})^2\times(-\sqrt{3^2})=18$

3-2 다음 식을 간단히 하여라.

(1) $x>0$일 때, $\sqrt{(-2x)^2}$

(2) $x\geq2$일 때, $\sqrt{(x-2)^2}$

(3) $x<4$일 때, $\sqrt{(x-4)^2}$

3-3 $\sqrt{150x}$ 가 자연수가 되도록 하는 가장 작은 자연수 x의 값은?

① 2　② 3　③ 4
④ 5　⑤ 6

핵심유형 4 제곱근의 대소 관계 개념 ❹

다음 중 두 수의 대소 관계가 옳은 것은?

① $\sqrt{5}>\sqrt{7}$　② $\sqrt{8}>3$

③ $\sqrt{(-4)^2}>\sqrt{(-3)^2}$　④ $-3>-\sqrt{6}$

⑤ $\frac{1}{2}>\sqrt{\frac{1}{2}}$

GUIDE
$a>0$, $b>0$일 때 $a>b$이면 $\sqrt{a}>\sqrt{b}$, $-\sqrt{a}<-\sqrt{b}$

4-1 다음 중 □ 안의 부등호의 방향이 나머지 넷과 다른 하나는?

① $6\,\square\,\sqrt{38}$　② $\frac{1}{4}\,\square\,\sqrt{\frac{1}{10}}$

③ $0.2\,\square\,\sqrt{0.2}$　④ $-2\,\square\,-\sqrt{3}$

⑤ $\sqrt{\frac{1}{3}}\,\square\,\frac{1}{2}$

4-2 다음 수를 크기가 작은 것부터 순서대로 나열하여라.

$-5,\ \sqrt{3},\ 0,\ -\sqrt{\frac{5}{2}},\ 2,\ \sqrt{\frac{7}{2}}$

4-3 부등식 $1\leq\sqrt{x}<3$을 만족하는 자연수 x의 개수는?

① 5개　② 6개　③ 7개
④ 8개　⑤ 9개

정답 및 풀이 03쪽

잘나와요
01 다음 중 옳은 것은?

① 어떤 수 x를 제곱하여 a가 될 때, a를 x의 제곱근이라 한다.
② $\sqrt{(-3)^2}=-3$
③ 모든 양수의 제곱근은 2개이다.
④ $\sqrt{36}$의 제곱근은 ±6이다.
⑤ $(-\sqrt{4})^2$의 제곱근은 -2이다.

02 다음 중 그 값이 나머지 넷과 다른 하나는?

① 7의 제곱근
② 제곱근 7
③ 제곱하여 7이 되는 수
④ $x^2=7$을 만족하는 x의 값
⑤ $\pm\sqrt{7}$

03 $\sqrt{a^2}=9$일 때, a의 값은?

① $\pm\sqrt{3}$ ② ±3 ③ ±9
④ ±18 ⑤ ±81

04 오른쪽 그림과 같이 $\angle B=90°$인 직각삼각형 ABC에서 x의 값은?

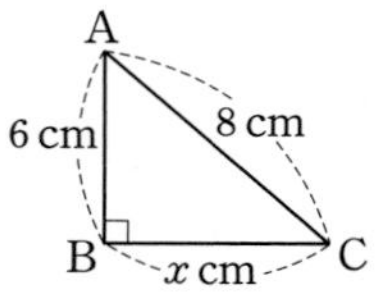

① $2\sqrt{6}$ ② 5
③ $\sqrt{26}$ ④ $3\sqrt{3}$
⑤ $2\sqrt{7}$

05 다음 중 그 값이 나머지 넷과 다른 하나는?

① $\sqrt{2^2}$ ② $(\sqrt{2})^2$ ③ $(-\sqrt{2})^2$
④ $\sqrt{(-2)^2}$ ⑤ $-\sqrt{(-2)^2}$

06 $\sqrt{49}-\sqrt{(-3)^2}\times(-\sqrt{2})^2-\sqrt{6^2}$을 계산하면?

① -5 ② -3 ③ -1
④ 2 ⑤ 4

잘나와요
07 $-4<x<4$일 때, $\sqrt{(x+4)^2}+\sqrt{(x-4)^2}$을 간단히 하면?

① -8 ② $-2x-8$ ③ $2x$
④ 8 ⑤ $2x+8$

08 자연수 a, b에 대하여 $\sqrt{60a}=b$일 때, $a+b$의 최솟값은?

① 40 ② 42 ③ 44
④ 45 ⑤ 48

잘나와요
09 다음 중 두 수의 대소 관계가 옳지 않은 것은?

① $\sqrt{24}<5$　② $0.3<\sqrt{0.3}$

③ $-\sqrt{\frac{1}{2}}<-\sqrt{\frac{1}{3}}$　④ $-\sqrt{5}<-\sqrt{6}$

⑤ $\frac{1}{5}<\sqrt{\frac{1}{10}}$

10 $0<a<1$일 때, 다음 중 그 값이 가장 큰 것은?

① a　② a^2　③ $\frac{1}{\sqrt{a}}$

④ $\sqrt{a}$　⑤ $\frac{1}{a}$

11 $3<\sqrt{x-1}\le 5$를 만족하는 자연수 x 중에서 가장 큰 수를 M, 가장 작은 수를 N이라 할 때, $M-N$의 값은?

① 12　② 13　③ 14

④ 15　⑤ 16

내신 up
12 $\sqrt{(2-\sqrt{3})^2}-\sqrt{(\sqrt{3}-2)^2}$을 간단히 하면?

① -4　② $-2\sqrt{3}$　③ 0

④ $2\sqrt{3}$　⑤ 4

내신 up
13 자연수 x에 대하여 $\sqrt{x}$ 미만의 자연수의 개수를 $f(x)$라 할 때, $f(1)+f(2)+f(3)+\cdots+f(10)$의 값은?

① 15　② 16　③ 17

④ 18　⑤ 19

서·술·형·문·제

풀이 과정을 자세히 쓰시오.

14 두 수 a, b에 대하여 $a<b$, $ab<0$일 때, $\sqrt{a^2}-\sqrt{b^2}+\sqrt{(b-a)^2}-\sqrt{(-3a)^2}$을 간단히 하여라.

[단계] ❶ a, b의 부호 정하기
❷ $b-a$, $-3a$의 부호 정하기
❸ 주어진 식을 간단히 정리하기

답 ____________

15 $\sqrt{\frac{96}{a}}$이 자연수가 되도록 하는 a의 값 중 가장 작은 자연수를 M, $\sqrt{30-b}$가 자연수가 되도록 하는 b의 값 중 가장 작은 자연수를 N이라 할 때, $M+N$의 값을 구하여라.

답 ____________

96쪽 기출문제로 내신대비 로 반복학습하세요!

02 무리수와 실수

정답 및 풀이 03쪽

개념 ① 무리수

(1) **무리수** : 유리수가 아닌 수, 즉 순환하지 않는 무한소수

예 $\sqrt{2}=1.414\cdots$, $\sqrt{3}=1.732\cdots$, $\pi=3.141\cdots$은 무리수이다.

참고 유리수 : 분수 $\frac{a}{b}$(a, b는 정수, $b\neq0$)의 꼴로 나타낼 수 있는 수

(2) **소수의 분류**

- 소수
  - 유한소수 ---- 유리수
  - 무한소수
    - 순환소수 ---- 유리수
    - 순환하지 않는 무한소수 ---- 무리수

개념 α

▸ 근호가 있다고 무리수인 것은 아니다. 근호를 없앨 수 있는 수는 유리수이다.
예 $\sqrt{4}=\sqrt{2^2}=2$(유리수)

▸ 근호가 없다고 유리수인 것은 아니다.
예 $\pi=3.141\cdots$ (무리수)

개념확인 **01** 다음 수를 무리수와 유리수로 구별하여라.

(1) $\sqrt{6}$　　(2) $-\sqrt{9}$　　(3) $\sqrt{12}$

(4) $\frac{7}{3}$　　(5) $\sqrt{0.01}$　　(6) π

개념 ② 실수

(1) **실수** : 유리수와 무리수를 통틀어 실수라고 한다.

(2) **실수의 분류**

- 실수
  - 유리수
    - 정수
      - 양의 정수(자연수) : $1,\ 2,\ 3,\ \cdots$
      - 0
      - 음의 정수 : $-1,\ -2,\ -3,\ \cdots$
    - 정수가 아닌 유리수 : $\frac{1}{3},\ -\frac{3}{4},\ 0.2,\ 3.\dot{5},\ \cdots$
  - 무리수(순환하지 않는 무한소수) : $\sqrt{2},\ -\sqrt{5},\ \pi,\ \cdots$

개념 α

▸ 유리수와 무리수

유리수	무리수
$\frac{(정수)}{(0이\ 아닌\ 정수)}$로 나타낼 수 있는 수	$\frac{(정수)}{(0이\ 아닌\ 정수)}$로 나타낼 수 없는 수
유한소수, 순환소수	순환하지 않는 무한소수
근호가 벗겨지는 수	근호가 벗겨지지 않는 수

개념확인 **02** 다음 중 □ 안의 수에 해당하는 것은?

- 실수
  - 유리수
    - 정수
      - 양의 정수(자연수)
      - 0
      - 음의 정수
    - 정수가 아닌 유리수
  - □

① $\frac{3}{5}$　　② $\sqrt{0.04}$　　③ 0.3

④ $\sqrt{4}+\sqrt{9}$　　⑤ $-2+\sqrt{5}$

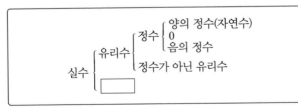

개념 ③ 실수와 수직선

(1) **실수와 수직선**

① 모든 실수는 각각 수직선 위의 한 점에 대응된다.

② 서로 다른 두 실수 사이에는 무수히 많은 실수가 있다.

③ 수직선은 실수에 대응하는 점으로 완전히 메울 수 있다.

(2) **무리수를 수직선 위에 나타내기**

무리수를 수직선 위에 다음과 같이 나타낼 수 있다.

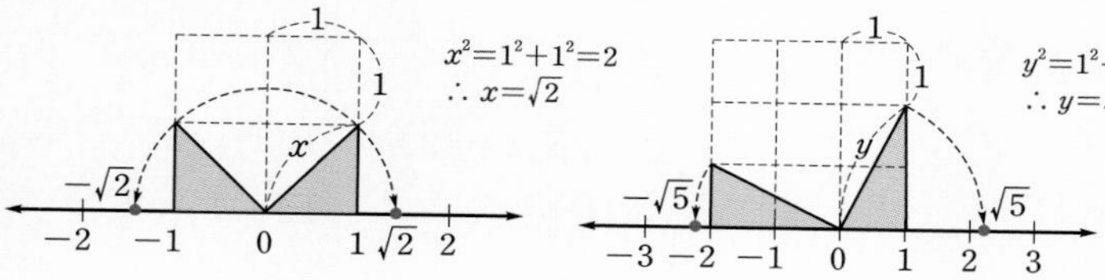

개념 α

▸ 두 유리수 사이에는 무수히 많은 무리수가 존재하고, 두 무리수 사이에는 무수히 많은 유리수가 존재한다.

▸ 기준점 $\mathrm{P}(k)$에 대하여 오른쪽으로 $\sqrt{a}$만큼 떨어져 있는 점 Q의 좌표는
⇨ $\mathrm{Q}(k+\sqrt{a})$
왼쪽으로 $\sqrt{a}$만큼 떨어져 있는 점 Q′의 좌표는
⇨ $\mathrm{Q'}(k-\sqrt{a})$

개념확인 **03** 오른쪽 그림에서 모눈 한 칸은 한 변의 길이가 1인 정사각형이다. 두 점 A, B의 좌표를 각각 구하여라.

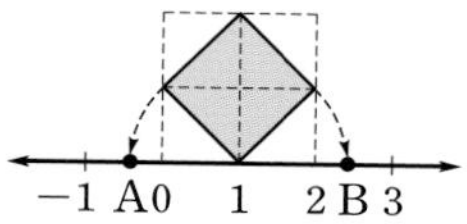

개념확인 **04** 다음 중 옳은 것은 ○표, 틀린 것은 ×표를 하여라.

(1) 서로 다른 두 유리수 사이에는 무수히 많은 실수가 있다. (　　)

(2) 서로 다른 두 무리수 사이에는 무수히 많은 무리수가 있다. (　　)

(3) 유리수와 무리수만으로는 수직선을 완전히 메울 수 없다. (　　)

개념 ④ 실수의 대소 관계

두 실수 a, b의 대소 관계는 $a-b$의 부호로 알 수 있다.

① $a-b>0$이면 $a>b$

② $a-b=0$이면 $a=b$

③ $a-b<0$이면 $a<b$

예 $(6+\sqrt{7})-7=\sqrt{7}-1>0$　　$\therefore 6+\sqrt{7}>7$

개념 α

▸ 세 실수의 대소 관계
세 실수 a, b, c에 대하여 $a<b$이고 $b<c$이면 $a<b<c$이다.

개념확인 **05** 다음 두 실수의 대소를 비교하여 □ 안에 알맞은 부등호를 써넣어라.

(1) $2+\sqrt{5}$ □ $3+\sqrt{5}$　　(2) $3-\sqrt{2}$ □ $\sqrt{7}-\sqrt{2}$

(3) 4 □ $\sqrt{3}+2$　　(4) $\sqrt{6}-2$ □ 1

핵심유형으로 개념 정복하기

02. 무리수와 실수

정답 및 풀이 04쪽

핵심유형 1 무리수 개념❶

다음 중 무리수를 모두 고르면? (정답 2개)

① -3 ② $\sqrt{5}-1$ ③ $2+\sqrt{4}$

④ $\frac{1}{2}$ ⑤ $-\frac{\sqrt{12}}{3}$

GUIDE
무리수는 유리수가 아닌 수, 즉 순환하지 않는 무한소수이다.

1-1 다음 중 순환하지 않는 무한소수로 나타내어지는 것은?

① $0.\dot{4}$ ② $\sqrt{121}$ ③ $\frac{3}{4}$

④ $\sqrt{\frac{14}{9}}$ ⑤ 제곱근 0.81

1-2 다음 중 양의 제곱근이 무리수인 것은?

① 1 ② $\frac{1}{4}$ ③ $\sqrt{16}$

④ 1.44 ⑤ $\sqrt{25}$

1-3 다음 중 옳은 것을 모두 고르면? (정답 2개)

① 근호로 나타내어진 수는 모두 무리수이다.
② 순환소수는 유리수이다.
③ 무한소수는 유리수이다.
④ 유리수가 되는 무리수도 있다.
⑤ 순환소수는 무한소수이다.

핵심유형 2 무리수를 수직선 위에 나타내기 개념❷

아래 그림과 같이 수직선 위에 한 변의 길이가 1인 세 정사각형이 있을 때, 다음 중 점의 좌표가 옳지 않은 것은?

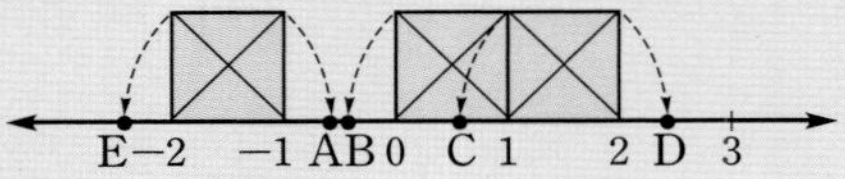

① $A(-2+\sqrt{2})$ ② $B(1-\sqrt{2})$ ③ $C(\sqrt{2})$

④ $D(1+\sqrt{2})$ ⑤ $E(-1-\sqrt{2})$

GUIDE
점 $O(k)$에서 오른쪽으로 $\sqrt{2}$만큼 떨어진 점에 대응하는 수는 $k+\sqrt{2}$, 왼쪽으로 $\sqrt{2}$만큼 떨어진 점에 대응하는 수는 $k-\sqrt{2}$이다.

2-1 오른쪽 그림에서 모눈 한 칸은 한 변의 길이가 1인 정사각형이다. $\overline{AD}=\overline{AP}$, $\overline{AB}=\overline{AQ}$가 되도록 점 P, Q를 잡을 때, 다음 보기에서 옳은 것을 모두 골라라.

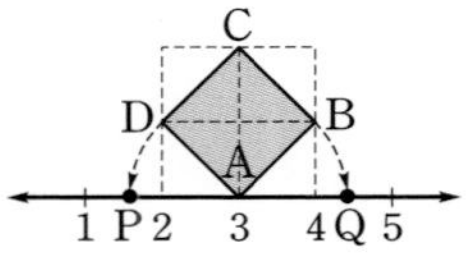

보기

ㄱ. 점 P에 대응하는 수는 $2-\sqrt{2}$이다.
ㄴ. $\overline{AB}=\sqrt{2}$
ㄷ. 점 Q에 대응하는 수는 $3+\sqrt{2}$이다.

2-2 오른쪽 그림에서 모눈 한 칸은 한 변의 길이가 1인 정사각형이다. $\overline{AD}=\overline{AP}$, $\overline{AB}=\overline{AQ}$가 되도록 점 P, Q를 잡을 때, 다음을 구하여라.

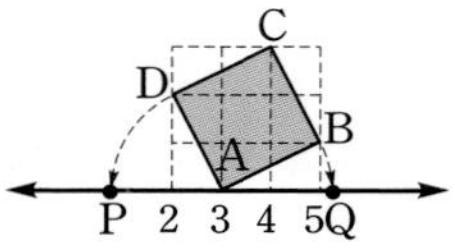

(1) $\overline{AB}$의 길이

(2) 두 점 P, Q의 좌표

핵심유형 3 실수와 수직선

개념 ❸

다음 중 옳지 않은 것은?

① 서로 다른 두 무리수 사이에는 무수히 많은 무리수가 있다.

② 두 자연수 2와 3 사이에는 무수히 많은 유리수가 있다.

③ 두 무리수 $\sqrt{2}$와 $\sqrt{3}$ 사이에는 무수히 많은 유리수가 있다.

④ 서로 다른 두 유리수 사이에는 무수히 많은 무리수가 있다.

⑤ 두 자연수 1과 50 사이에는 무수히 많은 자연수가 있다.

GUIDE

모든 실수는 수직선 위의 한 점에 대응할 수 있고, 서로 다른 두 실수 사이에는 무수히 많은 실수가 존재한다.

3-1 다음 수 중 수직선 위에 나타낼 때, 수직선을 완전히 메울 수 있는 수는?

① 자연수 ② 정수 ③ 실수
④ 무리수 ⑤ 유리수

3-2 다음 중 옳은 것은?

① $-\sqrt{3}$과 5 사이에는 무리수가 없다.

② $\sqrt{2}$와 $\sqrt{3}$ 사이에는 유리수가 없다.

③ $-\sqrt{3}$과 2 사이에는 2개의 정수가 있다.

④ $\sqrt{3}$과 $\sqrt{5}$ 사이에는 무수히 많은 실수가 있다.

⑤ $\sqrt{5}$와 $\sqrt{8}$ 사이에 있는 무리수는 $\sqrt{6}$, $\sqrt{7}$뿐이다.

3-3 수직선 위의 점 A, B, C, D는 다음 중 어느 하나의 수와 각각 대응하고 있다. 이때 각 점에 대응하는 수를 찾아라.

$\sqrt{3}$, $\sqrt{7}$, $-\sqrt{11}$, $-\sqrt{8}$

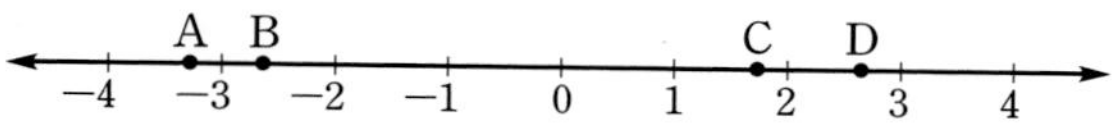

핵심유형 4 실수의 대소 관계

개념 ❹

다음 중 두 실수의 대소 관계가 옳지 않은 것은?

① $\sqrt{3}+\sqrt{6}<\sqrt{6}+\sqrt{5}$ ② $\sqrt{7}+2<\sqrt{7}+\sqrt{5}$
③ $\sqrt{3}-1<1$ ④ $3+\sqrt{7}<\sqrt{5}+3$
⑤ $\sqrt{10}-2>1$

GUIDE

두 실수 a, b에 대하여
① $a-b>0$이면 $a>b$ ② $a-b=0$이면 $a=b$ ③ $a-b<0$이면 $a<b$

4-1 다음 중 □ 안의 부등호의 방향이 나머지 넷과 다른 하나는?

① $\sqrt{3}+1$ □ 4 ② $2-\sqrt{2}$ □ $2-\sqrt{3}$
③ 5 □ $\sqrt{17}+1$ ④ $\sqrt{7}+2$ □ $\sqrt{10}+2$
⑤ $3-\sqrt{5}$ □ $-\sqrt{5}+\sqrt{10}$

4-2 다음 중 세 수 $a=2$, $b=\sqrt{6}-3$, $c=4-\sqrt{3}$의 대소 관계를 옳게 나타낸 것은?

① $a<b<c$ ② $a<c<b$ ③ $b<a<c$
④ $b<c<a$ ⑤ $c<a<b$

4-3 다음 중 $\sqrt{2}$와 $\sqrt{5}$ 사이에 있는 무리수가 아닌 것은?

① $\sqrt{5}-0.1$ ② $\sqrt{5}-0.01$ ③ $\dfrac{\sqrt{2}+\sqrt{5}}{2}$
④ $\sqrt{2}+0.01$ ⑤ $\sqrt{2}-0.1$

기출문제로 실력 다지기

정답 및 풀이 04쪽

01 다음에서 무리수는 모두 몇 개인가?

$-\sqrt{7},\ 0,\ -\dfrac{\sqrt{3}}{2},\ 0.\dot{5},\ \pi,\ \sqrt{64}$

① 1개 ② 2개 ③ 3개
④ 4개 ⑤ 5개

02 다음 중 $\sqrt{5}$에 대한 설명으로 옳은 것은?

① 정수이다.
② 기약분수로 나타낼 수 있다.
③ 순환소수이다.
④ 제곱하면 무리수가 된다.
⑤ 순환하지 않는 무한소수이다.

03 다음 중 옳은 것을 모두 고르면? (정답 2개)

① 순환소수는 무리수이다.
② 유한소수는 유리수이다.
③ 유리수는 순환하지 않는 무한소수이다.
④ 수직선 위에 나타낼 수 없는 실수가 있다.
⑤ 실수 중에서 유리수가 아닌 것은 모두 무리수이다.

04 다음 그림과 같이 수직선 위에 한 변의 길이가 1인 세 정사각형이 있을 때, $2-\sqrt{2}$에 대응하는 점은?

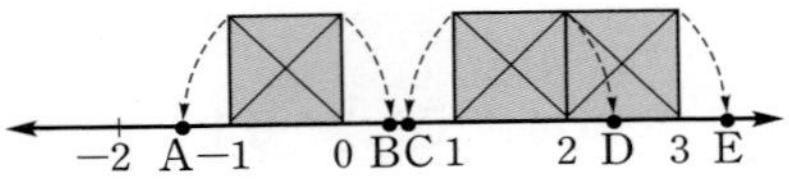

① A ② B ③ C
④ D ⑤ E

내신 up

05 오른쪽 그림과 같이 한 변의 길이가 1인 정사각형 ABCD를 수직선 위에 놓고, $\overline{CA}=\overline{CP}$, $\overline{BD}=\overline{BQ}$가 되도록 두 점 P, Q를 잡았다. 점 P에 대응하는 수가 $3-\sqrt{2}$일 때, 점 Q에 대응하는 수는?

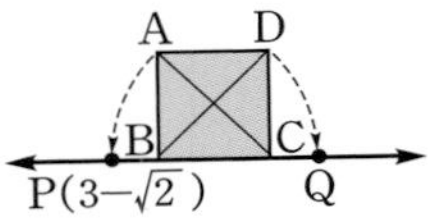

① $2+\sqrt{2}$ ② 3 ③ $2\sqrt{2}+1$
④ 4 ⑤ $3+\sqrt{2}$

잘나와요

06 다음 그림에서 모눈 한 칸은 한 변의 길이가 1인 정사각형이다. 수직선 위의 네 점 A, B, C, D에 대하여 다음 중 옳지 <u>않은</u> 것은?

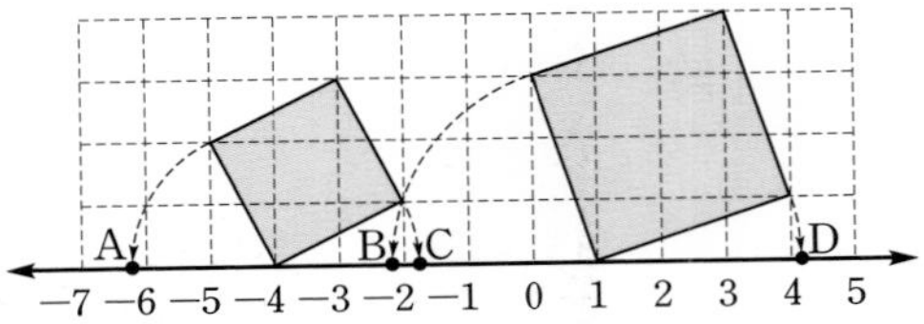

① $A(-4-\sqrt{5})$ ② $B(1-\sqrt{10})$
③ $C(-4+\sqrt{5})$ ④ $D(4+\sqrt{10})$
⑤ $\dfrac{1}{2}\overline{BD}=\sqrt{10}$

07 다음 5명의 학생 중 바르게 말한 학생은?

동현 : 두 실수 2와 $\sqrt{3}$ 사이에는 무리수가 없다.
준수 : 수직선은 유리수와 무리수에 대응하는 점으로 완전히 메워져 있다.
영재 : 실수 중에서 수직선 위의 점에 대응되지 않는 수가 있다.
슬기 : $-\sqrt{2}$와 $\sqrt{2}$ 사이에는 정수가 2개 있다.
성오 : 무리수만으로 수직선을 완전히 메울 수 있다.

① 동현 ② 준수 ③ 영재
④ 슬기 ⑤ 성오

08 다음 중 두 수 $\sqrt{5}$와 $\sqrt{10}$ 사이의 수가 <u>아닌</u> 것은?

① $\sqrt{7}$ ② 3 ③ $\sqrt{10}+0.01$
④ $\sqrt{10}-0.2$ ⑤ $\dfrac{\sqrt{5}+\sqrt{10}}{2}$

잘나와요
09 다음 중 두 실수의 대소 관계가 옳은 것은?

① $3-\sqrt{5}>1$ ② $-3<-2-\sqrt{2}$
③ $4>\sqrt{8}+1$ ④ $1-\sqrt{3}>1-\sqrt{2}$
⑤ $\sqrt{5}+\sqrt{3}>\sqrt{6}+\sqrt{5}$

10 다음 중 수직선에 나타내었을 때, 오른쪽에서 세 번째에 있는 수는?

① $3+\sqrt{3}$ ② $\sqrt{3}-1$ ③ 1
④ $\sqrt{2}-1$ ⑤ $-\sqrt{3}$

내신 up
11 다음 그림과 같이 지름이 $\overline{AB}$이고 반지름의 길이가 1인 반원이 수직선 위의 원점에 놓여 있다. 반원을 오른쪽으로 반 바퀴 굴려 점 A가 수직선 위에 오게 할 때, 점 A에 대응하는 수에 대한 설명으로 옳지 <u>않은</u> 것은?

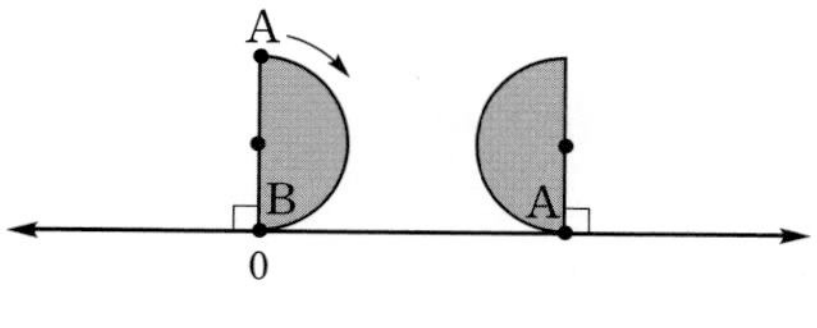

① 무리수이다. ② $\sqrt{9}$보다 큰 수이다.
③ $\sqrt{3}+1$보다 작은 수이다. ④ 분수로 나타낼 수 없다.
⑤ 순환하지 않는 무한소수이다.

12 다음 수직선 위의 점 중에서 $\sqrt{10}-2$에 대응하는 점은?

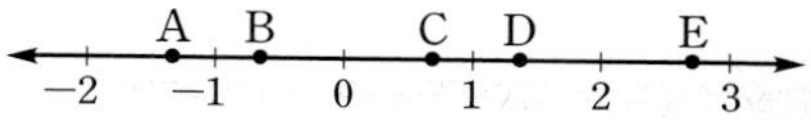

① 점 A ② 점 B ③ 점 C
④ 점 D ⑤ 점 E

서·술·형·문·제

풀이 과정을 자세히 쓰시오.

13 오른쪽 그림에서 □PQRS는 정사각형 CDEF의 네 변의 중점을 이어서 만든 사각형이다. $\overline{PS}=\overline{PA}$, $\overline{PQ}=\overline{PB}$일 때, 점 A, B에 대응하는 수를 각각 구하여라.

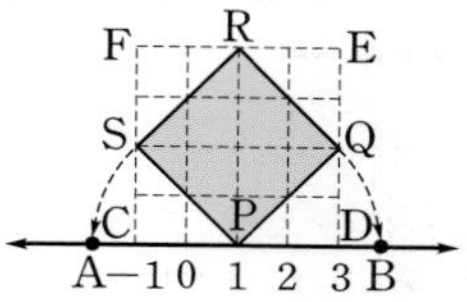

[단계] ❶ $\overline{PS}$, $\overline{PQ}$의 길이 구하기
❷ 점 A, B에 대응하는 수 구하기

답 ____________

14 기호 $<a, b>$는 두 수 a, b 중 큰 수를 나타낸다고 할 때, 다음을 계산하여라.

$$<<1,\ 2-\sqrt{3}>,\ <3-\sqrt{2},\ 3-\sqrt{5}>>$$

답 ____________

98쪽 기출문제로 내신대비로 반복학습하세요!

03 제곱근의 곱셈과 나눗셈

정답 및 풀이 05쪽

개념 ① 제곱근의 곱셈

$a>0$, $b>0$이고, m, n이 유리수일 때,

(1) $\sqrt{a}\sqrt{b}=\sqrt{ab}$ 　 예 $\sqrt{2}\sqrt{3}=\sqrt{2\times3}=\sqrt{6}$

(2) $m\sqrt{a}\times n\sqrt{b}=mn\sqrt{ab}$ 　 예 $4\sqrt{2}\times3\sqrt{3}=12\sqrt{6}$

> **개념 α**
> ▸ $a>0$, $b>0$, $c>0$일 때,
> $\sqrt{a}\sqrt{b}\sqrt{c}=\sqrt{abc}$
> 예 $\sqrt{2}\sqrt{3}\sqrt{5}=\sqrt{2\times3\times5}$
> $=\sqrt{30}$

개념확인 **01** 다음 식을 간단히 하여라.

(1) $\sqrt{3}\sqrt{7}$ 　 (2) $-\sqrt{\frac{10}{9}}\sqrt{\frac{9}{5}}$ 　 (3) $3\sqrt{2}\times2\sqrt{3}$

개념 ② 제곱근의 나눗셈

$a>0$, $b>0$이고, m, n이 유리수일 때,

(1) $\sqrt{a}\div\sqrt{b}=\frac{\sqrt{a}}{\sqrt{b}}=\sqrt{\frac{a}{b}}$ 　 예 $\sqrt{2}\div\sqrt{3}=\frac{\sqrt{2}}{\sqrt{3}}=\sqrt{\frac{2}{3}}$

(2) $m\sqrt{a}\div n\sqrt{b}=\frac{m\sqrt{a}}{n\sqrt{b}}=\frac{m}{n}\sqrt{\frac{a}{b}}$ (단, $n\neq0$) 　 예 $8\sqrt{6}\div2\sqrt{3}=\frac{8\sqrt{6}}{2\sqrt{3}}=4\sqrt{2}$

> **개념 α**
> ▸ 분수가 있는 식의 나눗셈은 역수를 이용하여 곱셈으로 고친다.
> $\sqrt{\frac{b}{a}}$의 역수는 $\sqrt{\frac{a}{b}}$이다.

개념확인 **02** 다음 식을 간단히 하여라.

(1) $\sqrt{14}\div\sqrt{2}$ 　 (2) $15\sqrt{6}\div5\sqrt{3}$ 　 (3) $\frac{\sqrt{12}}{\sqrt{7}}\div\frac{\sqrt{6}}{\sqrt{35}}$

개념 ③ 근호가 있는 식의 변형

(1) 근호 안의 수를 밖으로 꺼내는 방법

$a>0$, $b>0$일 때,

① $\sqrt{a^2b}=\sqrt{a^2\times b}=a\sqrt{b}$ 　 ② $\sqrt{\frac{a}{b^2}}=\frac{\sqrt{a}}{\sqrt{b^2}}=\frac{\sqrt{a}}{b}$

예 $\sqrt{45}=\sqrt{3^2\times5}=3\sqrt{5}$, $\sqrt{\frac{3}{25}}=\frac{\sqrt{3}}{\sqrt{5^2}}=\frac{\sqrt{3}}{5}$

$\sqrt{a^2b}=a\sqrt{b}$ (근호 밖으로) 　 $\sqrt{\frac{a}{b^2}}=\frac{\sqrt{a}}{b}$ (근호 밖으로)

(2) 근호 밖의 수를 안으로 넣는 방법

$a>0$, $b>0$일 때,

① $a\sqrt{b}=\sqrt{a^2}\sqrt{b}=\sqrt{a^2b}$ 　 ② $\frac{\sqrt{a}}{b}=\frac{\sqrt{a}}{\sqrt{b^2}}=\sqrt{\frac{a}{b^2}}$

예 $2\sqrt{5}=\sqrt{2^2}\sqrt{5}=\sqrt{2^2\times5}=\sqrt{20}$, $\frac{\sqrt{5}}{2}=\frac{\sqrt{5}}{\sqrt{2^2}}=\frac{\sqrt{5}}{\sqrt{4}}=\sqrt{\frac{5}{4}}$

$a\sqrt{b}=\sqrt{a^2b}$ (근호 안으로) 　 $\frac{\sqrt{a}}{b}=\sqrt{\frac{a}{b^2}}$ (근호 안으로)

> **개념 α**
> ▸ 근호 안의 수를 소인수분해하여 지수가 짝수인 수는 근호 밖으로 꺼낸다. 이때 근호 안의 수가 가장 작은 자연수가 되도록 한다.
> ▸ 근호 밖의 양수만 근호 안으로 들어갈 수 있다.
> 예 $-2\sqrt{3}=-\sqrt{2^2\times3}$
> $=-\sqrt{12}$

개념확인 **03** 다음을 $a\sqrt{b}$의 꼴로 나타내어라. (단, b는 가장 작은 자연수이다.)

(1) $\sqrt{32}$　(2) $\sqrt{\frac{3}{64}}$　(3) $\sqrt{\frac{12}{25}}$

개념확인 **04** 다음을 $\sqrt{a}$ 또는 $-\sqrt{a}$의 꼴로 나타내어라.

(1) $2\sqrt{7}$　(2) $\frac{\sqrt{7}}{3}$　(3) $-3\sqrt{5}$

개념 4 분모의 유리화

(1) 분모의 유리화 : 분모에 근호가 있는 분수의 분모, 분자에 0이 아닌 같은 수를 각각 곱하여 분모를 유리수로 고치는 것

(2) 분모의 유리화 방법

① $\frac{1}{\sqrt{a}}=\frac{1\times\sqrt{a}}{\sqrt{a}\times\sqrt{a}}=\frac{\sqrt{a}}{a}$　예 $\frac{1}{\sqrt{2}}=\frac{1\times\sqrt{2}}{\sqrt{2}\times\sqrt{2}}=\frac{\sqrt{2}}{2}$

② $\frac{\sqrt{a}}{\sqrt{b}}=\frac{\sqrt{a}\times\sqrt{b}}{\sqrt{b}\times\sqrt{b}}=\frac{\sqrt{ab}}{b}$　예 $\frac{\sqrt{3}}{\sqrt{5}}=\frac{\sqrt{3}\times\sqrt{5}}{\sqrt{5}\times\sqrt{5}}=\frac{\sqrt{15}}{5}$

개념 α

- 분모를 유리화할 때에는 분모의 근호 부분만 분모, 분자에 각각 곱한다.
- 분모의 근호 안에 제곱인 인수가 포함되어 있으면 먼저 $a\sqrt{b}$의 꼴로 고친 후 분모를 유리화한다.

개념확인 **05** 다음 수의 분모를 유리화하여라.

(1) $\frac{\sqrt{3}}{\sqrt{7}}$　(2) $\frac{3}{\sqrt{6}}$　(3) $\frac{\sqrt{2}}{3\sqrt{6}}$

개념 5 제곱근의 곱셈과 나눗셈의 혼합 계산

근호를 포함한 식에서 곱셈과 나눗셈이 섞여 있는 경우

① 유리수에서와 같이 앞에서부터 순서대로 계산한다.

② 나눗셈은 역수의 곱셈으로 고친 후 계산한다.

③ 제곱근의 성질과 분모의 유리화를 이용한다.

개념 α

- 계산 결과가 $\sqrt{a^2b}$ $(a>0)$의 꼴이면 $a\sqrt{b}$의 꼴로 나타낸다.

개념확인 **06** 다음 식을 간단히 하여라.

(1) $3\sqrt{2}\times\sqrt{6}\div\sqrt{3}$　(2) $-4\sqrt{3}\div2\sqrt{6}\times3\sqrt{3}$

정답 및 풀이 06쪽

핵심유형 1 제곱근의 곱셈과 나눗셈 개념 ❶, ❷

다음 중 옳지 않은 것은?

① $\sqrt{2}\sqrt{11}=\sqrt{22}$ ② $\sqrt{24}\div\sqrt{4}=\sqrt{6}$

③ $2\sqrt{7}\times5\sqrt{6}=10\sqrt{42}$ ④ $\sqrt{\frac{14}{3}}\sqrt{\frac{6}{7}}=2$

⑤ $\sqrt{6}\div3\sqrt{3}=\frac{\sqrt{3}}{2}$

GUIDE
$a>0$, $b>0$일 때,
① $m\sqrt{a}\times n\sqrt{b}=mn\sqrt{ab}$ ② $m\sqrt{a}\div n\sqrt{b}=\frac{m}{n}\sqrt{\frac{a}{b}}$ (단, $n\neq0$)

1-1 $3\sqrt{2}\times2\sqrt{3}\times\sqrt{k}=6\sqrt{30}$일 때, 양의 유리수 k의 값을 구하여라.

1-2 $-2\sqrt{14}\div\frac{\sqrt{7}}{3}=a\sqrt{b}$일 때, 두 유리수 a, b에 대하여 $a+b$의 값은? (단, b는 가장 작은 자연수)

① -8 ② -4 ③ -2
④ 2 ⑤ 4

1-3 $\frac{\sqrt{16-x}}{\sqrt{2}}=\sqrt{5}$일 때, x의 값은?

① 4 ② 5 ③ 6
④ 7 ⑤ 8

핵심유형 2 근호가 있는 식의 변형 개념 ❸

$\sqrt{32}=a\sqrt{2}$, $3\sqrt{5}=\sqrt{b}$일 때, 유리수 a, b에 대하여 $a+b$의 값은?

① 45 ② 46 ③ 47
④ 48 ⑤ 49

GUIDE
$a>0$, $b>0$일 때,
① $\sqrt{a^2b}=\sqrt{a^2}\times\sqrt{b}=a\sqrt{b}$ ② $\sqrt{\frac{b}{a^2}}=\frac{\sqrt{b}}{\sqrt{a^2}}=\frac{\sqrt{b}}{a}$

2-1 $\sqrt{0.12}=k\sqrt{3}$일 때, 유리수 k의 값은?

① $\frac{1}{5}$ ② $\frac{1}{50}$ ③ $\frac{1}{100}$
④ $\frac{1}{500}$ ⑤ $\frac{1}{1000}$

2-2 $a=\sqrt{2}$, $b=\sqrt{3}$일 때, $\sqrt{150}$을 a, b를 사용하여 나타내면?

① $2ab$ ② $3ab$ ③ $5ab$
④ $3a^2b$ ⑤ $5a^2b$

2-3 $\sqrt{3000}$은 $\sqrt{30}$의 A배이고, $\sqrt{32}$는 $\sqrt{2}$의 B배일 때, $A-B$의 값을 구하여라.

핵심유형 3 분모의 유리화 개념 ❹

다음 중 분모를 유리화한 것으로 옳지 않은 것은?

① $\frac{1}{\sqrt{3}}=\frac{\sqrt{3}}{3}$ ② $\frac{2}{\sqrt{2}}=\sqrt{2}$

③ $\frac{12}{\sqrt{3}}=4\sqrt{3}$ ④ $\frac{3}{\sqrt{18}}=\frac{\sqrt{3}}{2}$

⑤ $\frac{\sqrt{8}}{\sqrt{2}\sqrt{3}}=\frac{2\sqrt{3}}{3}$

GUIDE
분모와 분자에 같은 무리수를 곱하여 분모를 유리화한다.

3-1 다음 중 그 값이 나머지 넷과 다른 하나는?

① $\sqrt{18}$ ② $\frac{6}{\sqrt{2}}$ ③ $\frac{3\sqrt{6}}{\sqrt{3}}$

④ $\frac{6\sqrt{2}}{\sqrt{6}}$ ⑤ $\frac{18}{\sqrt{18}}$

3-2 $\frac{5}{\sqrt{24}}=A\sqrt{6}$, $\frac{10}{3\sqrt{5}}=B\sqrt{5}$일 때, 유리수 A, B에 대하여 $A+B$의 값을 구하여라.

3-3 $\frac{9\sqrt{a}}{2\sqrt{3}}$의 분모를 유리화하였더니 $\frac{3\sqrt{15}}{2}$가 되었다. 이때 유리수 a의 값은?

① 1 ② 2 ③ 3

④ 4 ⑤ 5

핵심유형 4 제곱근의 곱셈과 나눗셈의 혼합 계산 개념 ❺

$\frac{\sqrt{21}}{3}\div\frac{\sqrt{3}}{2}\times\sqrt{14}$를 간단히 하면?

① $\frac{14\sqrt{2}}{3}$ ② $5\sqrt{2}$ ③ $6\sqrt{3}$

④ $7\sqrt{2}$ ⑤ $\frac{23\sqrt{3}}{3}$

GUIDE
제곱근의 곱셈과 나눗셈의 혼합 계산의 순서
① 나눗셈은 역수의 곱셈으로 고친다.
② 근호 밖의 수끼리, 근호 안의 수끼리 계산한다.
③ 분모에 무리수가 있는 경우 분모를 유리화한다.
④ 제곱인 인수는 근호 밖으로 꺼내어 간단히 한다.

4-1 $3\sqrt{2}\div a\sqrt{b}\times2\sqrt{5}=6\sqrt{2}$일 때, 유리수 a, b에 대하여 $a+b$의 값은? (단, b는 가장 작은 자연수)

① 6 ② 7 ③ 8

④ 9 ⑤ 10

4-2 밑변의 길이가 $\sqrt{32}$, 높이가 $\sqrt{24}$인 삼각형과 가로의 길이가 $\sqrt{15}$인 직사각형의 넓이가 같을 때, 이 직사각형의 세로의 길이를구하여라.

4-3 오른쪽 그림과 같이 밑면의 반지름의 길이가 $3\sqrt{2}$ cm인 원기둥의 부피가 $72\sqrt{3}\pi$ cm^{3}일 때, 이 원기둥의 높이는?

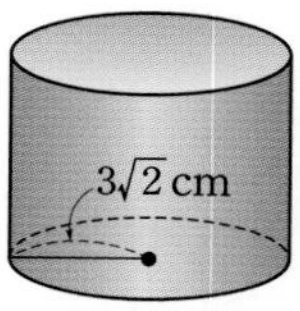

① $2\sqrt{2}$ cm ② $2\sqrt{3}$ cm ③ $3\sqrt{3}$ cm

④ $4\sqrt{2}$ cm ⑤ $4\sqrt{3}$ cm

정답 및 풀이 07쪽

01 $2\sqrt{5}\times3\sqrt{20}$을 간단히 하면?

① 32 ② 36 ③ 45
④ 50 ⑤ 60

02 오른쪽 그림과 같이 직사각형 ABCD에서 $\overline{BC}$, $\overline{CD}$를 각각 한 변으로 하는 정사각형을 그렸더니 그 넓이가 각각 8, 2가 되었다. 이때 직사각형 ABCD의 넓이는?

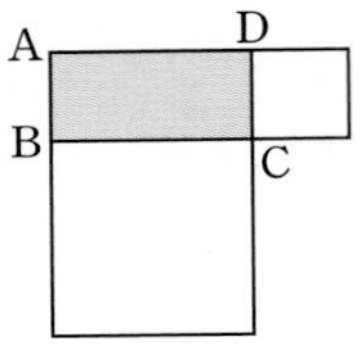

① $2\sqrt{2}$ ② 4 ③ $4\sqrt{2}$
④ 8 ⑤ $8\sqrt{2}$

03 $4\sqrt{3}\div\sqrt{5}\div\dfrac{1}{\sqrt{10}}=a\sqrt{6}$일 때, 유리수 a의 값은?

① $\dfrac{3}{2}$ ② 2 ③ 4
④ $\dfrac{9}{2}$ ⑤ 6

잘나와요
04 $6\sqrt{2}=\sqrt{a}$, $\sqrt{27}=b\sqrt{3}$일 때, $a-b$의 값은?

① 67 ② 68 ③ 69
④ 70 ⑤ 71

05 $\sqrt{12}\times\sqrt{8}\times\sqrt{18}=a\sqrt{b}$일 때, $a-b$의 값은? (단, b는 가장 작은 자연수)

① 18 ② 19 ③ 20
④ 21 ⑤ 22

잘나와요
06 $\sqrt{3}=a$, $\sqrt{5}=b$일 때, $\sqrt{45}$를 a, b를 사용하여 나타내면?

① $2ab$ ② a^2b ③ $3ab$
④ ab^2 ⑤ $2a^2b$

내신 up
07 $x>0$, $y>0$이고 $xy=9$일 때, $x\sqrt{\dfrac{y}{x}}+y\sqrt{\dfrac{4x}{y}}$의 값은?

① 6 ② 9 ③ 12
④ 15 ⑤ 18

08 $\dfrac{\sqrt{7}}{\sqrt{3}\sqrt{5}}$의 분모를 유리화할 때, 분모, 분자에 공통으로 곱해야 하는 수는?

① $\sqrt{3}$ ② $\sqrt{5}$ ③ $\sqrt{7}$
④ $\sqrt{8}$ ⑤ $\sqrt{15}$

잘나와요
09 $\frac{2}{\sqrt{5}}=a\sqrt{5}$, $\frac{5}{\sqrt{12}}=b\sqrt{3}$ 일 때, $\sqrt{ab}$의 값은?

(단, a, b는 유리수)

① $\frac{\sqrt{3}}{6}$ ② $\frac{\sqrt{6}}{3}$ ③ $\frac{\sqrt{3}}{3}$
④ $\sqrt{3}$ ⑤ $\sqrt{6}$

10 $\frac{\sqrt{a}}{3\sqrt{2}}$의 분모를 유리화하면 $\frac{\sqrt{14}}{6}$일 때, 자연수 a의 값은?

① 4 ② 5 ③ 6
④ 7 ⑤ 8

11 $a>0$, $b>0$이고 $a+b=8$, $ab=2$일 때, $\sqrt{\frac{a}{b}}+\sqrt{\frac{b}{a}}$의 값은?

① $2\sqrt{2}$ ② 4 ③ $3\sqrt{2}$
④ $4\sqrt{2}$ ⑤ 6

12 $\frac{4}{\sqrt{3}}\times\frac{2}{\sqrt{2}}\div\sqrt{\frac{9}{8}}=a\sqrt{3}$을 만족하는 유리수 a의 값은?

① $\frac{3}{4}$ ② $\frac{9}{8}$ ③ $\frac{16}{9}$
④ $\frac{9}{4}$ ⑤ $\frac{8}{3}$

내신 up
13 우리가 자주 사용하는 A_4 용지는 A_3 용지와 서로 닮은 직사각형이며, A_3 용지를 반으로 접으면 A_4 용지가 된다. A_4 용지의 가로의 길이를 x, 세로의 길이를 1이라 할 때, x의 값은? (단, 짧은 변을 가로로 본다.)

① $\frac{1}{2}$ ② $\frac{\sqrt{2}}{2}$ ③ $\frac{\sqrt{2}}{3}$
④ $\frac{\sqrt{3}}{2}$ ⑤ $\frac{\sqrt{3}}{3}$

서·술·형·문·제

풀이 과정을 자세히 쓰시오.

14 $\sqrt{0.48}=a\sqrt{3}$, $\frac{6}{\sqrt{3}}=b\sqrt{3}$일 때, 유리수 a, b에 대하여 $5a+b$의 값을 구하여라.

[단계] ❶ a의 값 구하기
❷ b의 값 구하기
❸ $5a+b$의 값 구하기

답

15 높이가 $\sqrt{7}$ cm이고, 부피가 $24\sqrt{7}\pi$ cm^2인 원뿔의 밑면인 원의 둘레의 길이를 구하여라.

답

100쪽 기출문제로 내신대비로 반복학습하세요!

04 제곱근의 덧셈과 뺄셈

Ⅰ. 실수와 그 계산

정답 및 풀이 07쪽

개념 1 제곱근의 덧셈과 뺄셈

$a>0$이고 l, m, n이 유리수일 때,

(1) $m\sqrt{a}+n\sqrt{a}=(m+n)\sqrt{a}$

예 $5\sqrt{2}+3\sqrt{2}=(5+3)\sqrt{2}=8\sqrt{2}$

(2) $m\sqrt{a}-n\sqrt{a}=(m-n)\sqrt{a}$

예 $6\sqrt{3}-4\sqrt{3}=(6-4)\sqrt{3}=2\sqrt{3}$

(3) $m\sqrt{a}+n\sqrt{a}-l\sqrt{a}=(m+n-l)\sqrt{a}$

예 $4\sqrt{2}+3\sqrt{2}-\sqrt{2}=(4+3-1)\sqrt{2}=6\sqrt{2}$

개념 α

▶ 제곱근의 덧셈과 뺄셈

① $\sqrt{a^2b}$의 꼴이면 $a\sqrt{b}$의 꼴로 나타낸 후, 계산한다.

② 근호 안의 수가 다른 무리수끼리는 덧셈과 뺄셈을 할 수 없다.

⇨ $\sqrt{a}+\sqrt{b}\neq\sqrt{a+b}$

⇨ $\sqrt{a}-\sqrt{b}\neq\sqrt{a-b}$

개념확인 **01** 다음 식을 간단히 하여라.

(1) $\sqrt{2}+3\sqrt{2}$

(2) $7\sqrt{6}-3\sqrt{6}$

(3) $5\sqrt{3}-3\sqrt{3}-4\sqrt{3}$

(4) $5\sqrt{5}+4\sqrt{7}-\sqrt{5}+2\sqrt{7}$

개념확인 **02** 다음 식을 간단히 하여라.

(1) $\sqrt{8}+3\sqrt{2}$

(2) $\sqrt{27}-\sqrt{3}$

(3) $\sqrt{5}+\sqrt{45}-\sqrt{20}$

(4) $\sqrt{24}-\sqrt{12}+\sqrt{6}+\sqrt{48}$

개념 2 근호를 포함한 복잡한 식의 계산

(1) 괄호가 있으면 분배법칙을 이용하여 괄호를 푼다.

예 $\sqrt{2}(\sqrt{3}+\sqrt{5})=\sqrt{2}\sqrt{3}+\sqrt{2}\sqrt{5}=\sqrt{6}+\sqrt{10}$

$(\sqrt{3}-\sqrt{5})\sqrt{2}=\sqrt{3}\sqrt{2}-\sqrt{5}\sqrt{2}=\sqrt{6}-\sqrt{10}$

(2) 근호 안의 제곱인 인수는 근호 밖으로 꺼낸다.

(3) 분모에 무리수가 있으면 분모를 유리화한다.

예 $\dfrac{\sqrt{3}+\sqrt{5}}{\sqrt{2}}=\dfrac{(\sqrt{3}+\sqrt{5})\sqrt{2}}{\sqrt{2}\sqrt{2}}=\dfrac{\sqrt{6}+\sqrt{10}}{2}$

(4) 곱셈, 나눗셈을 먼저 계산한다.

(5) 근호 안의 수가 같은 것끼리 모아서 덧셈, 뺄셈을 한다.

개념 α

▶ 근호가 있는 식의 분배법칙

$a>0$, $b>0$, $c>0$일 때,

① $\sqrt{a}(\sqrt{b}+\sqrt{c})=\sqrt{ab}+\sqrt{ac}$

② $(\sqrt{a}+\sqrt{b})\sqrt{c}=\sqrt{ac}+\sqrt{bc}$

개념확인 **03** 다음 식을 간단히 하여라.

(1) $\sqrt{3}(\sqrt{5}+\sqrt{3})$　　(2) $(\sqrt{5}-\sqrt{7})\sqrt{2}$

(3) $(4\sqrt{3}-\sqrt{6})\div\sqrt{3}$　　(4) $\dfrac{\sqrt{2}-\sqrt{10}}{\sqrt{2}}$

개념확인 **04** 다음 식을 간단히 하여라.

(1) $\sqrt{18}\div\sqrt{6}+3\times\sqrt{3}$　　(2) $\sqrt{2}(3+\sqrt{48})+(\sqrt{10}-\sqrt{30})\div\sqrt{5}$

개념 ③ 제곱근표를 이용한 제곱근의 값

(1) **제곱근표** : 1.00에서 99.9까지의 수의 양의 제곱근의 어림한 값을 소수점 아래 셋째 자리까지 정리하여 나타낸 표

수	0	1	2	3
1.0	1.000	1.005	1.010	1.015
1.1	1.049	1.054	1.058	1.063
1.2	1.095	1.100	1.105	1.109
1.3	1.140	1.145	1.149	1.153

(2) **제곱근표 보는 법**

제곱근표에서 처음 두 자리의 수의 가로줄과 끝자리 수의 세로줄이 만나는 곳에 있는 수를 찾는다.

예 $\sqrt{1.23}$의 어림한 값은 제곱근표에서 1.2의 가로줄과 3의 세로줄이 만나는 곳에 있는 수이므로 $\sqrt{1.23}=1.109$이다.

(3) **제곱근표에 없는 수의 제곱근의 값**

제곱근의 성질 $\sqrt{a^2b}=a\sqrt{b}\,(a>0,\ b>0)$와 제곱근표를 이용하여 제곱근의 값을 구한다.

개념 α

▶ 제곱근표에 없는 수의 제곱근을 어림한 값

① 근호 안의 수가 100 이상의 수

$\sqrt{100a}=10\sqrt{a}$

$\sqrt{10000a}=100\sqrt{a}$

② 근호 안의 수가 0과 1 사이의 수

$\sqrt{\dfrac{a}{100}}=\dfrac{\sqrt{a}}{10}$

$\sqrt{\dfrac{a}{10000}}=\dfrac{\sqrt{a}}{100}$

개념확인 **05** 아래 제곱근표를 이용하여 다음 제곱근을 어림한 값을 구하여라.

수	0	1	2	3	4	5	6
2.0	1.414	1.418	1.421	1.425	1.428	1.432	1.435
2.1	1.449	1.453	1.456	1.459	1.463	1.466	1.470
2.2	1.483	1.487	1.490	1.493	1.497	1.500	1.503
2.3	1.517	1.520	1.523	1.526	1.530	1.533	1.536
2.4	1.549	1.552	1.556	1.559	1.562	1.565	1.568

(1) $\sqrt{2.13}$　　(2) $\sqrt{2.24}$　　(3) $\sqrt{2.46}$

정답 및 풀이 08쪽

핵심유형 1 제곱근의 덧셈과 뺄셈 개념❶

$2\sqrt{48}+2\sqrt{8}-\sqrt{18}-3\sqrt{27}$을 간단히 하면?

① $\sqrt{3}-\sqrt{2}$ ② $\sqrt{2}-\sqrt{3}$
③ $7\sqrt{2}-\sqrt{3}$ ④ $17\sqrt{3}+\sqrt{2}$
⑤ $17\sqrt{3}+7\sqrt{2}$

GUIDE
제곱근의 덧셈과 뺄셈은 근호 안의 수가 같은 것끼리 모아서 덧셈과 뺄셈을 한다.

1-1 $2\sqrt{2}+3\sqrt{3}-7\sqrt{2}+5\sqrt{3}=a\sqrt{2}+b\sqrt{3}$일 때, 유리수 a, b에 대하여 $a+b$의 값은?

① 3 ② 5 ③ 9
④ 10 ⑤ 12

1-2 $\sqrt{3}=a$, $\sqrt{5}=b$라 할 때, $3\sqrt{5}+\sqrt{12}-2\sqrt{20}-\sqrt{27}$을 a, b로 나타내면?

① $-5a-b$ ② $-4a+b$ ③ $-a-b$
④ $a-b$ ⑤ $5a-b$

1-3 $x=\dfrac{\sqrt{15}+\sqrt{5}}{2}$, $y=\dfrac{\sqrt{15}-\sqrt{5}}{2}$일 때, $(x+y)(x-y)$의 값을 구하여라.

1-4 다음 그림은 한 변의 길이가 1인 두 정사각형을 수직선 위에 그린 것이다. $\overline{PA}=\overline{PQ}$, $\overline{RB}=\overline{RS}$이고, 두 점 A, B에 대응하는 수를 각각 a, b라고 할 때, $b-a$의 값을 구하여라.

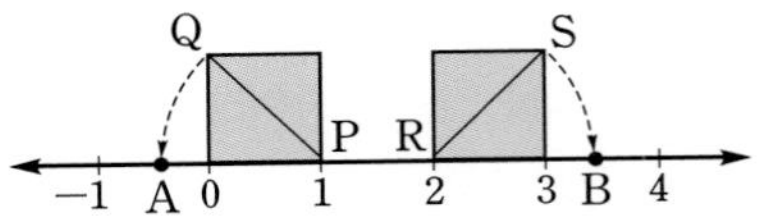

1-5 $8\sqrt{2}+3a-6-2a\sqrt{2}$가 유리수가 되도록 하는 유리수 a의 값은?

① -4 ② -2 ③ 2
④ 4 ⑤ 6

핵심유형 2 근호를 포함한 복잡한 식의 계산 개념❷

$x=\sqrt{5}+\sqrt{3}$, $y=\sqrt{5}-\sqrt{3}$일 때, $\sqrt{5}x-\sqrt{3}y$의 값은?

① -8 ② $-2\sqrt{3}$ ③ $\sqrt{5}+\sqrt{3}$
④ $2\sqrt{5}$ ⑤ 8

GUIDE
$a>0$, $b>0$, $c>0$일 때,
① $\sqrt{a}(\sqrt{b}+\sqrt{c})=\sqrt{ab}+\sqrt{ac}$ ② $(\sqrt{a}+\sqrt{b})\sqrt{c}=\sqrt{ac}+\sqrt{bc}$

2-1 $\sqrt{2}(\sqrt{6}-\sqrt{14})+\sqrt{7}(3+\sqrt{21})=a\sqrt{3}+b\sqrt{7}$일 때, 유리수 a, b에 대하여 $a-b$의 값은?

① 5 ② 6 ③ 7
④ 8 ⑤ 9

2-2 $\sqrt{48}-\frac{2\sqrt{15}}{\sqrt{3}}+\frac{\sqrt{6}+\sqrt{10}}{\sqrt{2}}=a\sqrt{3}+b\sqrt{5}$일 때, 유리수 a, b에 대하여 $a+b$의 값은?

① -1　② 1　③ 3
④ 4　⑤ 5

2-3 $\frac{15+2\sqrt{3}}{\sqrt{3}}+\frac{12-6\sqrt{2}}{\sqrt{18}}$를 간단히 하면?

① $3\sqrt{3}-2\sqrt{2}$　② $3\sqrt{3}+2\sqrt{2}$　③ $5\sqrt{3}-2\sqrt{2}$
④ $5\sqrt{3}+2\sqrt{2}$　⑤ $5\sqrt{3}+3\sqrt{2}$

2-4 다음 식을 간단히 하여라.

$$(9\sqrt{2}-6)\div\sqrt{6}+\sqrt{12}(4+\sqrt{8})-\sqrt{27}$$

2-5 오른쪽 그림과 같은 사다리꼴 ABCD의 넓이를 구하여라.

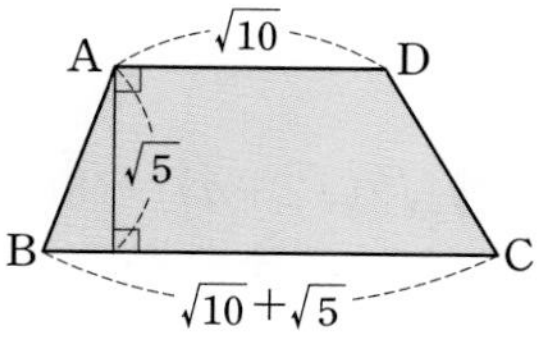

핵심유형 3 제곱근표를 이용한 제곱근의 값 개념❸

제곱근표에서 $\sqrt{3}=1.732$, $\sqrt{30}=5.477$일 때, 다음 중 옳은 것은?

① $\sqrt{300}=173.2$　② $\sqrt{3000}=54.77$
③ $\sqrt{0.3}=0.1732$　④ $\sqrt{0.03}=0.5477$
⑤ $\sqrt{0.003}=0.5477$

GUIDE
제곱근의 성질 $\sqrt{a^2b}=a\sqrt{b}$와 제곱근표를 이용하여 제곱근을 어림한 값을 구한다.

3-1 다음 표는 제곱근표의 일부이다. $\sqrt{5.52}$의 값이 a, $\sqrt{b}$의 값이 2.415일 때, $a+b$의 값을 구하여라.

수	0	1	2	3	4
5.5	2.345	2.347	2.349	2.352	2.354
5.6	2.366	2.369	2.371	2.373	2.375
5.7	2.387	2.390	2.392	2.394	2.396
5.8	2.408	2.410	2.412	2.415	2.417
5.9	2.429	2.431	2.433	2.435	2.437

3-2 제곱근표에서 $\sqrt{4.28}=2.069$, $\sqrt{42.8}=6.542$일 때, $\sqrt{4280}$을 어림한 값은?

① 20.69　② 65.42　③ 206.9
④ 654.2　⑤ 0.06542

3-3 $\sqrt{6}=2.449$일 때, $\sqrt{a}=0.2449$를 만족하는 a의 값은?

① 0.6　② 0.06　③ 0.006
④ 0.0006　⑤ 0.00006

정답 및 풀이 09쪽

01 다음 중 옳은 것을 모두 고르면? (정답 2개)

① $4\sqrt{2}+\sqrt{2}-6\sqrt{2}=-\sqrt{2}$
② $3\sqrt{5}-2\sqrt{3}+5\sqrt{3}+\sqrt{5}=3\sqrt{3}+5\sqrt{5}$
③ $\sqrt{40}+\sqrt{90}-\sqrt{160}=\sqrt{10}$
④ $\sqrt{12}-\sqrt{48}-\sqrt{75}=-8\sqrt{3}$
⑤ $4\sqrt{8}-\frac{14}{\sqrt{2}}+\frac{4}{\sqrt{8}}=\sqrt{2}$

잘나와요
02 $\sqrt{32}-3\sqrt{18}-\sqrt{27}+2\sqrt{12}$를 간단히 하면?

① $-5\sqrt{2}-\sqrt{3}$　② $-5\sqrt{2}+\sqrt{3}$
③ $5\sqrt{2}-3$　④ $5\sqrt{2}+\sqrt{3}$
⑤ $5\sqrt{5}$

03 $3\sqrt{2}+a\sqrt{3}-b\sqrt{2}+6\sqrt{3}=2\sqrt{2}+\sqrt{3}$일 때, 유리수 a, b에 대하여 $a+b$의 값은?

① -6　② -4　③ 2
④ 4　⑤ 6

04 $\sqrt{(2-\sqrt{3})^2}-\sqrt{(2\sqrt{3}-4)^2}$을 간단히 하여라.

05 오른쪽 그림에서 모눈 한 칸은 한 변의 길이가 1인 정사각형이고, $\overline{AD}=\overline{PD}$, $\overline{CD}=\overline{QD}$일 때, $\overline{PQ}$의 길이는?

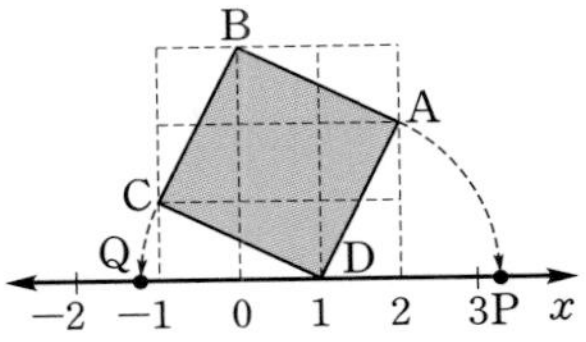

① 1　② 2　③ $\sqrt{5}$
④ $2\sqrt{5}$　⑤ $2+2\sqrt{5}$

내신 up
06 다음 중 대소 관계가 옳은 것은?

① $\sqrt{2}+2>3\sqrt{2}+1$　② $3\sqrt{3}-1<\sqrt{12}$
③ $\sqrt{5}-\sqrt{2}>\sqrt{20}-\sqrt{8}$　④ $3\sqrt{3}-2>2\sqrt{3}-1$
⑤ $-2\sqrt{2}+1<-3\sqrt{2}+1$

07 $\sqrt{5}(\sqrt{5}+\square)-3\sqrt{2}=5+2\sqrt{2}$에서 $\square$ 안에 들어갈 알맞은 수는?

① $\sqrt{10}$　② $\sqrt{5}$　③ $\sqrt{2}$
④ $\frac{\sqrt{2}}{5}$　⑤ $\frac{2}{5}\sqrt{10}$

08 $\sqrt{2}(\sqrt{2}+a)-\sqrt{8}(3-\sqrt{2})$가 유리수가 되도록 하는 유리수 a의 값은?

① -8　② -6　③ 6
④ 8　⑤ 10

09 $x=\frac{\sqrt{15}+\sqrt{5}}{\sqrt{2}}$, $y=\frac{\sqrt{15}-\sqrt{5}}{\sqrt{2}}$일 때, $\frac{x+y}{x-y}$의 값을 구하여라.

잘나와요

10 $\frac{6}{\sqrt{3}}(\sqrt{3}-\sqrt{2})+\frac{\sqrt{8}-2\sqrt{3}}{\sqrt{2}}$을 간단히 하면?

① $-4-3\sqrt{6}$ ② $4-3\sqrt{6}$ ③ $8-2\sqrt{6}$
④ $8-3\sqrt{6}$ ⑤ $8+3\sqrt{6}$

11 오른쪽 그림과 같은 사다리꼴 ABCD의 넓이는?

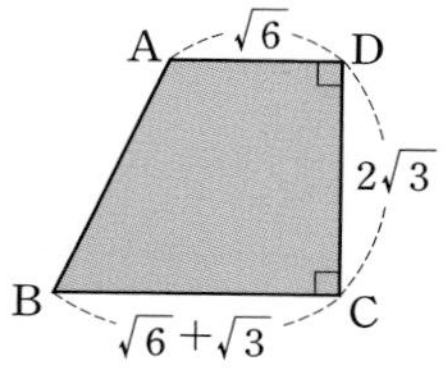

① $3+2\sqrt{6}$ ② $3+3\sqrt{6}$
③ $3+4\sqrt{2}$ ④ $3+5\sqrt{2}$
⑤ $3+6\sqrt{2}$

잘나와요

12 $\sqrt{2.75}=a$, $\sqrt{27.5}=b$라 할 때, $\sqrt{275}+\sqrt{0.275}$의 값을 a, b로 나타내면?

① $10a+\frac{b}{10}$ ② $10b+\frac{a}{10}$
③ $100a+\frac{b}{100}$ ④ $100b+\frac{a}{100}$
⑤ $10a+10b$

13 $\sqrt{3}$의 소수 부분을 a라 할 때, $\frac{a}{a+1}$의 값은?

① $\frac{3-\sqrt{3}}{3}$ ② $\frac{1-\sqrt{3}}{3}$ ③ $\frac{3\sqrt{3}-1}{3}$
④ $3-\sqrt{3}$ ⑤ $1-\sqrt{3}$

서·술·형·문·제

풀이 과정을 자세히 쓰시오.

14 다음 그림과 같이 넓이가 각각 2 cm^2, 8 cm^2, 18 cm^2인 정사각형 모양의 색종이를 겹치지 않게 이어 붙였다. 이때 색종이로 이루어진 도형의 둘레의 길이를 구하여라.

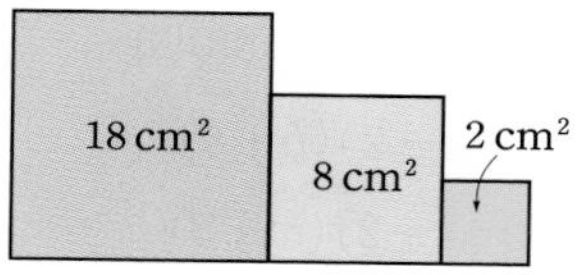

[단계] ❶ 세 정사각형의 한 변의 길이 구하기
❷ 도형의 둘레의 길이 구하기

답 ______

15 $\sqrt{2}$의 소수 부분을 a, $\sqrt{5}-1$의 정수 부분을 b라 할 때, $a+b$의 값을 구하여라.

답 ______

102쪽 기출문제로 내신대비로 반복학습하세요!

05 곱셈 공식

정답 및 풀이 10쪽

개념 1 다항식과 다항식의 곱셈

분배법칙을 이용하여 식을 전개한 후 전개한 식에 동류항이 있으면 동류항끼리 모아 간단히 한다.

$$(a+b)(c+d)=\underset{①}{ac}+\underset{②}{ad}+\underset{③}{bc}+\underset{④}{bd}$$

예 $(x+1)(x+2)=x^2+2x+x+2=x^2+3x+2$

개념 α

▸ 그림으로 보는 다항식과 다항식의 곱셈

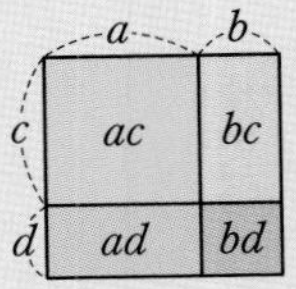

$(a+b)(c+d)$
$=ac+ad+bc+bd$

개념확인 **01** 다음 식을 전개하여라.

(1) $(a-2)(b+6)$ (2) $(a+3)(b-5)$

(3) $(x+2)(x+3)$ (4) $(2x-y)(x-4y)$

개념 2 곱셈 공식 (1)

(1) $(a+b)^2=a^2+2ab+b^2$ ⟶ 합의 제곱

예 $(a+2)^2=a^2+2\times a\times 2+2^2=a^2+4a+4$

(2) $(a-b)^2=a^2-2ab+b^2$ ⟶ 차의 제곱

예 $(a-2)^2=a^2-2\times a\times 2+2^2=a^2-4a+4$

참고 사각형의 넓이를 이용하여 $(a+b)^2$, $(a-b)^2$을 전개하면 다음과 같다.

(1)

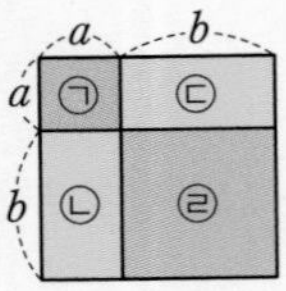

$(a+b)^2=㉠+㉡+㉢+㉣$
$=a^2+ab+ab+b^2$
$=a^2+2ab+b^2$

(2)

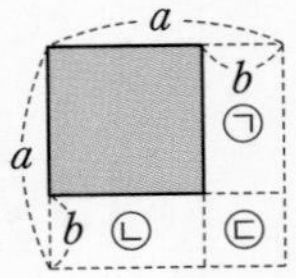

$(a-b)^2=a^2-㉠-㉡-㉢$
$=a^2-b(a-b)-b(a-b)-b^2$
$=a^2-2ab+b^2$

개념 α

▸ 곱셈 공식에서 다음을 주의한다.
$(a+b)^2\neq a^2+b^2$
$(a-b)^2\neq a^2-b^2$

▸ 전개식이 같은 다항식
$(-a+b)^2=(a-b)^2$
$(-a-b)^2=(a+b)^2$

개념확인 **02** 다음 식을 전개하여라.

(1) $(x+3)^2$ (2) $(2a+b)^2$

(3) $(a-4)^2$ (4) $(3a-1)^2$

개념 3 곱셈 공식 (2)

$(a+b)(a-b)=a^2-b^2$ ⟶ 합과 차의 곱

예 $(a+2)(a-2)=a^2-2^2=a^2-4$

참고 오른쪽 두 그림에서 색칠한 부분의 넓이가 같으므로

$(a+b)(a-b)=㉠+㉡=㉠+㉢$

$=a^2-㉣=a^2-b^2$

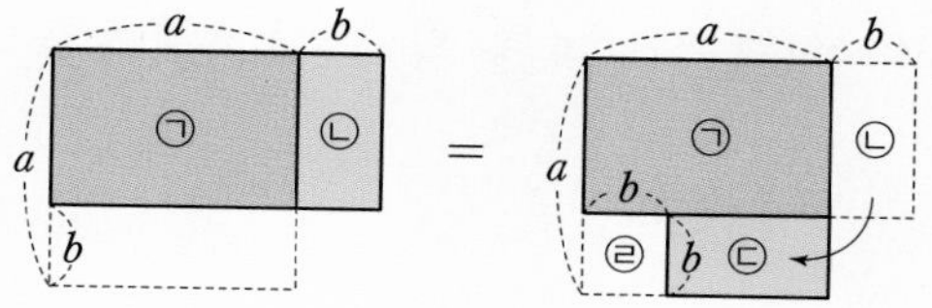

> **개념 α**
> ▸ $(-a+b)(a+b)$
> $=(b-a)(b+a)$
> $=b^2-a^2$

개념확인 03 다음 식을 전개하여라.

(1) $(x+3)(x-3)$ (2) $(2a+5)(2a-5)$

(3) $(1+4y)(1-4y)$ (4) $(-a+5b)(a+5b)$

개념 4 곱셈 공식 (3)

(1) $(x+a)(x+b)=x^2+(a+b)x+ab$ ⟶ x의 계수가 1인 두 일차식의 곱

예 $(x+1)(x+2)=x^2+(1+2)x+1\times2=x^2+3x+2$

(2) $(ax+b)(cx+d)=acx^2+(ad+bc)x+bd$ ⟶ x의 계수가 1이 아닌 두 일차식의 곱

예 $(2x+1)(3x-2)=2\times3\times x^2+\{2\times(-2)+1\times3\}x+1\times(-2)=6x^2-x-2$

참고 사각형의 넓이를 이용하여 $(x+a)(x+b)$, $(ax+b)(cx+d)$를 전개하면 다음과 같다.

(1)

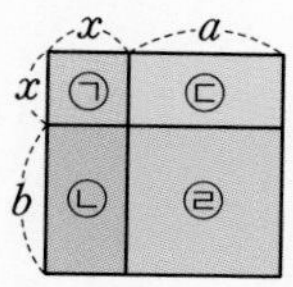

$(x+a)(x+b)$

$=㉠+㉡+㉢+㉣$

$=x^2+bx+ax+ab$

$=x^2+(a+b)x+ab$

(2)

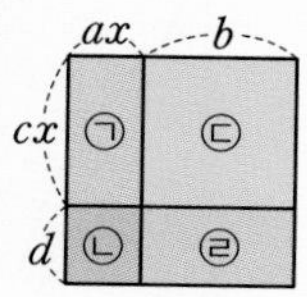

$(ax+b)(cx+d)$

$=㉠+㉡+㉢+㉣$

$=acx^2+adx+bcx+bd$

$=acx^2+(ad+bc)x+bd$

> **개념 α**
> ▸ $(ax+b)(cx+d)$에서 $a=1$, $c=1$이면 x의 계수가 1인 두 일차식의 곱, 즉 $(x+a)(x+b)$와 같은 형태가 됨을 알 수 있다.

개념확인 04 다음 식을 전개하여라.

(1) $(x+2)(x-5)$ (2) $(x+3)(x-4)$

(3) $(x+4)(2x-1)$ (4) $(5x+6)(4x-3)$

정답 및 풀이 10쪽

핵심유형 1 다항식과 다항식의 곱셈 개념 ❶

$(a+3b)(5a-2b)$의 전개식에서 ab의 계수와 b^2의 계수의 합은?

① -3 ② -1 ③ 1
④ 4 ⑤ 7

GUIDE
(다항식)×(다항식)의 계산
: 분배법칙을 이용하여 전개한 후 동류항끼리 모아서 간단히 한다.

1-1 $(-2x+3y)(4x-y)$를 전개하면?

① $-8x^2+10xy-3y^2$ ② $-8x^2+10xy+3y^2$
③ $-8x^2+14xy-3y^2$ ④ $-8x^2+14xy+3y^2$
⑤ $8x^2+14xy-3y^2$

1-2 $(x+2y-1)(2x-y+4)$의 전개식에서 xy의 계수는?

① -2 ② -1 ③ 1
④ 2 ⑤ 3

1-3 $(2x-3)(x^2+ax-4)$의 전개식에서 x의 계수가 -2일 때, 상수 a의 값은?

① -3 ② -2 ③ 1
④ 2 ⑤ 3

핵심유형 2 곱셈 공식 (1) 개념 ❷

다음 중 옳은 것은?

① $(x+2)^2=x^2+4$
② $(2a+1)^2=4a^2+2a+1$
③ $(x-5)^2=x^2-10x+25$
④ $(3x-5y)^2=9x^2-25y^2$
⑤ $(-2a-3)^2=4a^2+12a-9$

GUIDE
곱셈 공식 (1), (2)– 합의 제곱, 차의 제곱
① $(a+b)^2=a^2+2ab+b^2$ ② $(a-b)^2=a^2-2ab+b^2$

2-1 $\left(\frac{1}{2}x+1\right)^2=Ax^2+Bx+1$일 때, 상수 A, B에 대하여 $4A+B$의 값을 구하여라.

2-2 $(3x-2)^2=9x^2+ax+b$일 때, 상수 a, b에 대하여 $a+b$의 값은?

① -10 ② -8 ③ -2
④ 8 ⑤ 10

2-3 다음 중 $(-x+y)^2$과 전개식이 같은 것은?

① $(x+y)^2$ ② $(x-y)^2$ ③ $-(x-y)^2$
④ $-(y-x)^2$ ⑤ $-(-x-y)^2$

핵심유형 3 곱셈 공식 (2)

개념 ❸

다음 중 옳지 않은 것은?

① $(x+5)(x-5)=x^2-25$

② $(-3+x)(-3-x)=9-x^2$

③ $(-a+4)(a+4)=-a^2+16$

④ $(-x-y)(x-y)=x^2-y^2$

⑤ $\left(y+\frac{1}{7}\right)\left(y-\frac{1}{7}\right)=y^2-\frac{1}{49}$

GUIDE

곱셈 공식 (3)–합과 차의 곱

③ $(a+b)(a-b)=a^2-b^2$

3-1 오른쪽 그림에서 색칠한 부분의 넓이를 나타내는 식은?

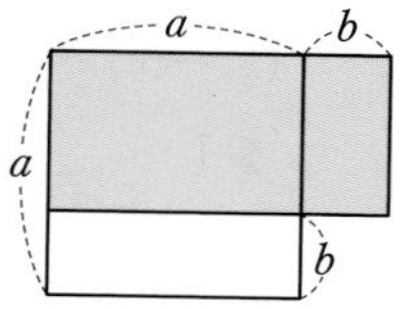

① a^2-b^2　② a^2+b^2

③ b^2-a^2　④ $a^2-2ab+b^2$

⑤ $a^2+2ab+b^2$

3-2 $(5x+A)(5x-A)=Bx^2-16$일 때, 상수 A, B에 대하여 $A+B$의 값은? (단, $A>0$)

① 9　② 21　③ 29

④ 35　⑤ 41

3-3 $(x-1)(x+1)(x^2+1)(x^4+1)=x^{\square}-1$일 때, □ 안에 알맞은 수를 구하여라.

핵심유형 4 곱셈 공식 (3)

개념 ❹

다음 중 옳지 않은 것은?

① $(x+3)(x+6)=x^2+9x+18$

② $(a+1)(a-5)=a^2-4a-5$

③ $(2x+1)(x-4)=2x^2-7x-4$

④ $(4a+b)(a-2b)=4a^2-7ab-2b^2$

⑤ $(x-2y)(x+y)=x^2-3xy-2y^2$

GUIDE

곱셈 공식 (4), (5)–일차항의 계수가 1인 경우, 계수가 1이 아닌 경우

④ $(x+a)(x+b)=x^2+(a+b)x+ab$

⑤ $(ax+b)(cx+d)=acx^2+(ad+bc)x+bd$

4-1 한 변의 길이가 x cm인 정사각형에서 가로의 길이를 5 cm만큼 늘이고 세로의 길이를 2 cm만큼 줄여서 만든 직사각형의 넓이는?

① $(x^2-3x-10)$ cm²　② $(x^2+3x-10)$ cm²

③ $(x^2-7x-10)$ cm²　④ $(x^2+7x-10)$ cm²

⑤ $(x^2+9x-10)$ cm²

4-2 $(3x+a)(x+4)$의 전개식에서 x의 계수와 상수항이 같을 때, 상수 a의 값은?

① 2　② 4　③ 6

④ 8　⑤ 10

4-3 $(x+A)(x+B)$를 전개하였더니 x^2+Cx+8이 되었다. 다음 중 C의 값이 될 수 없는 것은?

(단, A, B, C는 정수)

① -9　② -6　③ 6

④ 8　⑤ 9

기출문제로 실력 다지기

05. 곱셈 공식

정답 및 풀이 11쪽

01 $(3a+5b)(c-2d)$를 전개한 식에서 ac의 계수와 bd의 계수의 합은?

① -7 ② -5 ③ -3
④ 3 ⑤ 5

02 $(x+y-8)(2x+ay+5)$의 전개식에서 xy의 계수가 5일 때, a의 값은?

① 1 ② 2 ③ 3
④ 4 ⑤ 5

잘나와요

03 다음 중 옳지 않은 것은?

① $(-x+2)(-x-2)=x^2-4$
② $(-x+y)^2=x^2-2xy+y^2$
③ $(3x+2y)^2=9x^2+12xy+4y^2$
④ $(x+5)(x-3)=x^2+2x-15$
⑤ $(2x-3)(3x+4)=6x^2+x-12$

04 $\left(\frac{1}{2}x-\frac{1}{3}y\right)^2$의 전개식에서 xy의 계수는?

① $-\frac{1}{3}$ ② $-\frac{1}{6}$ ③ $-\frac{1}{9}$
④ $\frac{1}{6}$ ⑤ $\frac{1}{3}$

05 $(x+a)^2=x^2+bx+\frac{1}{4}$일 때, 상수 a, b에 대하여 $4a^2+b^2$의 값은?

① 2 ② 3 ③ 4
④ 5 ⑤ 6

06 $a^2=4$, $b^2=9$일 때, $\left(\frac{1}{2}a+\frac{1}{3}b\right)\left(\frac{1}{2}a-\frac{1}{3}b\right)$의 값은?

① -5 ② -1 ③ 0
④ 1 ⑤ 5

07 오른쪽 그림과 같이 가로의 길이가 a, 세로의 길이가 $2a$인 직사각형에서 가로의 길이는 b만큼 늘이고 세로의 길이는 b만큼 줄였다. 이때 색칠한 직사각형의 넓이는?

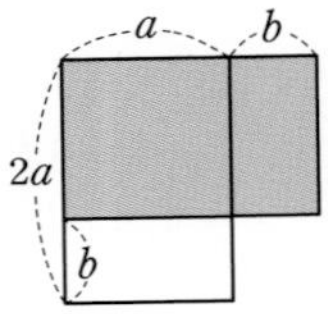

① $2a^2-ab+b^2$ ② $2a^2-ab-b^2$
③ $2a^2+ab-b^2$ ④ $2a^2+3ab$
⑤ $2a^2-3ab+b^2$

08 동현이는 $(x-2)(x-8)$을 전개하는데 -8을 a로 잘못 보아 x^2+3x+b로 전개하였다. 이때 상수 a, b에 대하여 $a+b$의 값은?

① -5 ② -3 ③ 5
④ 10 ⑤ 15

잘나와요

09 $(2x-5)(ax+3)$의 전개식에서 x의 계수가 21일 때, x^2의 계수는? (단, a는 상수)

① -9 ② -6 ③ -3
④ 6 ⑤ 9

10 $2(2x-1)(x-4)-3(x-4)^2$을 간단히 하면?

① $x^2-4x-30$ ② $x^2+6x-40$
③ $5x^2-2x-40$ ④ $5x^2+6x-40$
⑤ $7x^2+4x-30$

11 가로, 세로의 길이와 높이가 각각 $2x+1$, $2x-1$, $2x+2$인 직육면체의 겉넓이는?

① $12x^2+8x-1$ ② $12x^2-8x+1$
③ $24x^2+16x-2$ ④ $24x^2-16x+2$
⑤ $24x^2-16x-2$

12 다음은 연속하는 세 홀수 $2n-1$, $2n+1$, $2n+3$을 각각 제곱하여 더한 후 1을 더하면 12의 배수가 됨을 설명한 것이다. $A+B+C+D+E$의 값을 구하여라.

$(2n-1)^2+(2n+1)^2+(2n+3)^2+1$
$=4n^2-4n+1+4n^2+4n+1+4n^2+An+9+1$
$=12n^2+An+B$
$=12(n^2+Cn+D)$
따라서 $(2n-1)^2+(2n+1)^2+(2n+3)^2+1$은 E의 배수이다.

내신 up

13 두 자연수 a, b가 있다. a를 5로 나누면 나머지가 4이고, b를 5로 나누면 나머지가 2이다. 이때 ab를 5로 나누었을 때의 나머지는?

① 0 ② 1 ③ 2
④ 3 ⑤ 4

서·술·형·문·제

풀이 과정을 자세히 쓰시오.

14 $3(x-y)(x+3y)+(x+4y)(x-4y)$를 전개한 식에서 x^2의 계수를 A, xy의 계수를 B, y^2의 계수를 C라 할 때, $A+B-C$의 값을 구하여라.

[단계] ❶ 주어진 다항식을 전개하기
❷ A, B, C의 값 각각 구하기
❸ $A+B-C$의 값 구하기

답 ______

15 오른쪽 그림과 같이 가로의 길이가 $2a$ m, 세로의 길이가 $4a$ m인 직사각형 모양의 땅에 폭이 1 m인 길을 만들었다. 길을 제외한 땅의 넓이가 pa^2+qa+r일 때, $p+q+r$의 값을 구하여라.

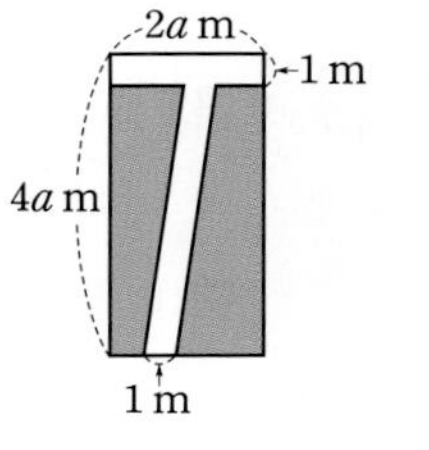

답 ______

108쪽 기출문제로 내신대비로 반복학습하세요!

06 곱셈 공식의 활용

Ⅱ. 다항식의 곱셈과 인수분해

정답 및 풀이 12쪽

개념 1 복잡한 식의 전개

(1) 다항식에서 공통부분이 없는 경우 곱셈 공식이나 분배법칙을 이용하여 전개한 후 동류항끼리 모아서 간단히 정리한다.

(2) 다항식에서 공통부분이 있는 경우 공통인 부분을 치환하여 전개한 후 다시 치환하기 전의 식을 대입하여 전개한다.

개념 α

▶ ( )( )( )( ) 꼴의 전개

① 상수항의 합이 같아지도록 두 식씩 짝을 지어 전개한다.

② 공통인 부분을 치환하여 전개한다.

개념확인 **01** 다음 식을 전개하여라.

(1) $(a+b+2)^2$　　(2) $(2x+y)(2x+y-1)$

개념 2 곱셈 공식을 이용한 수의 계산

(1) 수의 제곱의 계산

$(a+b)^2=a^2+2ab+b^2$, $(a-b)^2=a^2-2ab+b^2$을 이용

예 $101^2=(100+1)^2=100^2+2\times100\times1+1^2=10201$

$49^2=(50-1)^2=50^2-2\times50\times1+1^2=2401$

(2) 두 수의 곱의 계산

$(a+b)(a-b)=a^2-b^2$, $(x+a)(x+b)=x^2+(a+b)x+ab$를 이용

예 $196\times204=(200-4)(200+4)=200^2-4^2=39984$

$102\times103=(100+2)(100+3)=100^2+(2+3)\times100+2\times3=10506$

(3) 근호를 포함한 식의 계산 : 제곱근을 문자로 생각하고 곱셈 공식을 이용

$(\sqrt{a}+\sqrt{b})^2=a+2\sqrt{ab}+b$, $(\sqrt{a}-\sqrt{b})^2=a-2\sqrt{ab}+b$, $(\sqrt{a}+\sqrt{b})(\sqrt{a}-\sqrt{b})=a-b$

예 $(\sqrt{2}+\sqrt{3})^2=(\sqrt{2})^2+2\times\sqrt{2}\times\sqrt{3}+(\sqrt{3})^2=5+2\sqrt{6}$

$(\sqrt{2}+\sqrt{3})(\sqrt{2}-\sqrt{3})=(\sqrt{2})^2-(\sqrt{3})^2=-1$

개념 α

▶ 수의 제곱이나 두 수의 곱을 계산할 때, 주어진 수의 제곱을 쉽게 구할 수 있는 수의 합 · 차로 변형하여 곱셈 공식을 이용하면 편리하다.

개념확인 **02** 다음 수를 곱셈 공식을 이용하여 계산하여라.

(1) 102^2　　(2) 99^2　　(3) 99×101

개념확인 **03** 곱셈 공식을 이용하여 다음을 계산하여라.

(1) $(\sqrt{5}+\sqrt{2})^2$　　(2) $(\sqrt{3}-1)^2$　　(3) $(\sqrt{7}+\sqrt{5})(\sqrt{7}-\sqrt{5})$

개념 ③ 곱셈 공식을 이용한 분모의 유리화

곱셈 공식 $(a+b)(a-b)=a^2-b^2$을 이용하여 분모를 유리화할 수 있다.

$a>0,\ b>0,\ a\neq b$일 때

(1) $\dfrac{c}{a+\sqrt{b}}=\dfrac{c(a-\sqrt{b})}{(a+\sqrt{b})(a-\sqrt{b})}=\dfrac{ac-c\sqrt{b}}{a^2-b}$

부호 반대

(2) $\dfrac{c}{\sqrt{a}+\sqrt{b}}=\dfrac{c(\sqrt{a}-\sqrt{b})}{(\sqrt{a}+\sqrt{b})(\sqrt{a}-\sqrt{b})}=\dfrac{c\sqrt{a}-c\sqrt{b}}{a-b}$

부호 반대

예 $\dfrac{1}{2+\sqrt{3}}=\dfrac{2-\sqrt{3}}{(2+\sqrt{3})(2-\sqrt{3})}=\dfrac{2-\sqrt{3}}{4-3}=2-\sqrt{3}$

$\dfrac{1}{\sqrt{3}+\sqrt{2}}=\dfrac{\sqrt{3}-\sqrt{2}}{(\sqrt{3}+\sqrt{2})(\sqrt{3}-\sqrt{2})}=\dfrac{\sqrt{3}-\sqrt{2}}{3-2}=\sqrt{3}-\sqrt{2}$

개념 α

분모	분모, 분자에 곱해야 할 수
$\sqrt{a}+\sqrt{b}$	$\sqrt{a}-\sqrt{b}$
$\sqrt{a}-\sqrt{b}$	$\sqrt{a}+\sqrt{b}$
$a+\sqrt{b}$	$a-\sqrt{b}$
$a-\sqrt{b}$	$a+\sqrt{b}$

개념확인 **04** 다음 수의 분모를 유리화하여라.

(1) $\dfrac{1}{3+\sqrt{5}}$　　(2) $\dfrac{4}{2-\sqrt{3}}$

(3) $\dfrac{\sqrt{3}}{\sqrt{5}+\sqrt{3}}$　　(4) $\dfrac{\sqrt{5}+2}{\sqrt{5}-2}$

개념 ④ 곱셈 공식의 변형

(1) 두 수의 합(차)과 곱을 이용하여 두 수의 제곱의 합을 구할 때,

$(a+b)^2=a^2+2ab+b^2 \Rightarrow a^2+b^2=(a+b)^2-2ab$

$(a-b)^2=a^2-2ab+b^2 \Rightarrow a^2+b^2=(a-b)^2+2ab$

(2) 두 수의 합(차)과 곱을 이용하여 두 수의 차(합)의 제곱을 구할 때,

$(a+b)^2=(a-b)^2+4ab,\ (a-b)^2=(a+b)^2-4ab$

예 $a-b=2,\ ab=6$일 때

(1) $a^2+b^2=(a-b)^2+2ab=2^2+2\times6=4+12=16$

(2) $(a+b)^2=(a-b)^2+4ab=2^2+4\times6=4+24=28$

개념 α

▶ 두 수의 곱이 1인 경우의 곱셈 공식의 변형

(1) $a^2+\dfrac{1}{a^2}=\left(a+\dfrac{1}{a}\right)^2-2$

(2) $a^2+\dfrac{1}{a^2}=\left(a-\dfrac{1}{a}\right)^2+2$

(3) $\left(a+\dfrac{1}{a}\right)^2=\left(a-\dfrac{1}{a}\right)^2+4$

(4) $\left(a-\dfrac{1}{a}\right)^2=\left(a+\dfrac{1}{a}\right)^2-4$

개념확인 **05** $a+b=5,\ ab=2$일 때, 다음 식의 값을 구하여라.

(1) a^2+b^2　　(2) $(a-b)^2$

핵심유형으로 개념 정복하기

정답 및 풀이 12쪽

핵심유형 1 복잡한 식의 전개 개념❶

$(x+y-3)(x+y-1)$을 전개하여라.

GUIDE
공통부분을 한 문자로 놓은 후, 곱셈 공식을 이용하여 전개한다.

1-1 $(a+b-c)(a-b+c)$를 전개하기 위해 가장 알맞게 고친 것은?

① $\{(a+b)-c\}\{(a-b)+c\}$
② $\{a+(b-c)\}\{a-(b-c)\}$
③ $\{(a-c)+b\}\{(a+c)-b\}$
④ $\{(a+b)-c\}\{a-(b-c)\}$
⑤ $\{a+(b-c)\}\{a-(b+c)\}$

1-2 $(x-2)(x-4)(x+4)(x+6)$의 전개식에서 x^3의 계수를 a, x^2의 계수를 b라 할 때, $a-b$의 값을 구하여라.

1-3 $x^2-x-4=0$일 때, $x(x-3)(x-1)(x+2)$의 값은?

① -10　② -8　③ -6
④ -4　⑤ -2

핵심유형 2 곱셈 공식을 이용한 수의 계산 개념❷

52^2을 계산하는 데 이용되는 가장 편리한 곱셈 공식은?

① $(a+b)^2=a^2+2ab+b^2$
② $(a-b)^2=a^2-2ab+b^2$
③ $(a+b)(a-b)=a^2-b^2$
④ $(x+a)(x+b)=x^2+(a+b)x+ab$
⑤ $(ax+b)(cx+d)=acx^2+(ad+bc)x+bd$

GUIDE
수의 계산
① 수의 제곱의 계산
$(a+b)^2=a^2+2ab+b^2$, $(a-b)^2=a^2-2ab+b^2$
② 두 수의 곱의 계산
$(a+b)(a-b)=a^2-b^2$, $(x+a)(x+b)=x^2+(a+b)x+ab$

2-1 다음 중 곱셈 공식 $(a+b)(a-b)=a^2-b^2$을 이용하여 계산하면 가장 편리한 것을 모두 고르면? (정답 2개)

① 98^2　② 102×103　③ 43×37
④ 2.1×1.9　⑤ 103^2

2-2 곱셈 공식을 이용하여 $\dfrac{2019\times2021+1}{2020}$을 계산하면?

① 2018　② 2019　③ 2020
④ 2021　⑤ 2022

2-3 두 수 A, B가 다음과 같을 때, $A+B$의 값을 구하여라.

$$A=(5+2\sqrt{7})(5-2\sqrt{7}),\ B=(\sqrt{5}-2)^2$$

핵심유형 3 곱셈 공식을 이용한 분모의 유리화 개념 ❸

$\frac{3+2\sqrt{2}}{3-2\sqrt{2}}$의 분모를 유리화하면 $a+b\sqrt{2}$일 때, $a-b$의 값은?(단, a, b는 유리수)

① -15 ② -5 ③ 5
④ 15 ⑤ 20

GUIDE
곱셈 공식 $(a+b)(a-b)=a^2-b^2$을 이용하여 분모를 유리화한다.

3-1 $\frac{\sqrt{3}}{\sqrt{6}-\sqrt{2}}=A\sqrt{2}+B\sqrt{6}$일 때, $A+B$의 값은?
(단, A, B는 유리수)

① -3 ② -2 ③ -1
④ 1 ⑤ 2

3-2 다음 식을 간단히 하여라.

$$\frac{1}{\sqrt{5}-\sqrt{2}}+\frac{1}{\sqrt{5}+\sqrt{2}}$$

3-3 $x=\frac{2}{\sqrt{6}+2}$일 때, $x^2+4x+10$의 값을 구하여라.

핵심유형 4 곱셈 공식의 변형 개념 ❹

$a+b=4$, $ab=3$일 때, a^2+b^2의 값은?

① 4 ② 6 ③ 8
④ 10 ⑤ 12

GUIDE
곱셈 공식의 변형
① $a^2+b^2=(a+b)^2-2ab$, $a^2+b^2=(a-b)^2+2ab$
② $(a-b)^2=(a+b)^2-4ab$, $(a+b)^2=(a-b)^2+4ab$

4-1 $x-y=-5$, $xy=2$일 때, $(x+y)^2$의 값은?

① -33 ② -3 ③ 0
④ 3 ⑤ 33

4-2 $x+\frac{1}{x}=5$일 때, $x^2+\frac{1}{x^2}$의 값은?

① 19 ② 21 ③ 23
④ 25 ⑤ 27

4-3 $x+y=6$, $xy=4$일 때, $\frac{y}{x}+\frac{x}{y}$의 값은?

① 4 ② 5 ③ 6
④ 7 ⑤ 8

정답 및 풀이 13쪽

01 $(x+y-3)(x+y+1)$을 전개하면?

① $x^2-2xy+y^2-2x-2y-3$
② $x^2+2xy+y^2+2x-2y-3$
③ $x^2+2xy+y^2-2x-2y-3$
④ $x^2+2xy+y^2-2x+2y-3$
⑤ $x^2-4xy+y^2-2x-2y-3$

02 $(x+3y+2)(x-3y+2)=x^2+ay^2+bx+c$일 때, $a+b+c$의 값은? (단, a, b, c는 상수)

① -3 ② -2 ③ -1
④ 1 ⑤ 2

03 $x^2+7x-20=0$일 때, 다음을 구하여라.

$$(x-3)(x+3)(x+4)(x+10)$$

잘나와요
04 다음 주어진 수의 계산을 간편하게 하기 위하여 이용되는 곱셈 공식을 바르게 나타내지 <u>않은</u> 것은? (단, 문자는 자연수)

① 106^2 ⇨ $(a+b)^2=a^2+2ab+b^2$
② 399^2 ⇨ $(a-b)^2=a^2-2ab+b^2$
③ 104×105 ⇨ $(a+b)(a-b)=a^2-b^2$
④ 97^2 ⇨ $(a-b)^2=a^2-2ab+b^2$
⑤ 105×95 ⇨ $(a+b)(a-b)=a^2-b^2$

05 곱셈 공식을 이용하여 $\dfrac{101\times99+1}{101^2-99^2}$의 값을 구하면?

① 20 ② 25 ③ 30
④ 35 ⑤ 40

06 $(a+b)(a-b)=a^2-b^2$임을 이용하여 $(2+1)(2^2+1)(2^4+1)(2^8+1)$을 간단히 하면?

① 2^4-1 ② 2^4+1 ③ 2^8-1
④ $2^{16}-1$ ⑤ $2^{16}+1$

07 $(4+2\sqrt{3})(a-\sqrt{3})=6+b\sqrt{3}$일 때, 유리수 a, b에 대하여 ab의 값을 구하여라.

잘나와요
08 $\dfrac{14}{3-\sqrt{2}}=A+B\sqrt{2}$일 때, $A+B$의 값은? (단, A, B는 유리수)

① 8 ② 10 ③ 12
④ 14 ⑤ 16

잘나와요

09 $a=2+\sqrt{3}$, $b=2-\sqrt{3}$일 때, $\frac{a}{b}+\frac{b}{a}$의 값은?

① 11　② 12　③ 13
④ 14　⑤ 15

내신 up

10 $f(x)=\frac{1}{\sqrt{x+1}+\sqrt{x}}$일 때,
$f(0)+f(1)+f(2)+\cdots+f(49)+f(50)$의 값은?

① $-\sqrt{50}$　② $1-\sqrt{51}$　③ 0
④ $\sqrt{51}$　⑤ $1+\sqrt{51}$

11 $a^2+b^2=21$, $a-b=3$일 때, ab의 값은?

① -6　② -5　③ 0
④ 3　⑤ 6

12 $x+y=4$, $xy=\frac{1}{2}$일 때, $(x-y)^2$의 값은?

① 10　② 12　③ 14
④ 16　⑤ 18

내신 up

13 $x^2+\frac{1}{x^2}=18$일 때, $x-\frac{1}{x}$의 값은? (단, $0<x<1$)

① -5　② -4　③ -3
④ 3　⑤ 4

서·술·형·문·제

풀이 과정을 자세히 쓰시오.

14 $x=\frac{\sqrt{6}+\sqrt{2}}{\sqrt{6}-\sqrt{2}}$, $y=\frac{\sqrt{6}-\sqrt{2}}{\sqrt{6}+\sqrt{2}}$일 때,
$x(x+y)-y(x-y)$의 값을 구하여라.

답 ____________

15 $x^2-5x+2=0$일 때, $x^2-2x-\frac{4}{x}+\frac{4}{x^2}$의 값을 구하여라.

답 ____________

110쪽 기출문제로 내신대비로 반복학습하세요!

07 인수분해와 인수분해 공식(1)

Ⅱ. 다항식의 곱셈과 인수분해

정답 및 풀이 14쪽

개념 1 인수분해

(1) **인수분해** : 하나의 다항식을 두 개 이상의 다항식의 곱으로 나타내는 것

(2) **인수** : 다항식을 인수분해하였을 때 곱해진 각각의 식

x^2+4x+3 (합의 모양) —인수분해→ $(x+1)(x+3)$ (곱의 모양)

$(x+1)(x+3)$ (곱의 모양) —전개→ x^2+4x+3 (합의 모양)

개념 α

▸ 소인수분해와 인수분해

소인수분해	인수분해
자연수를 분해	다항식을 분해
소수의 곱으로 표현	인수의 곱으로 표현

개념확인 **01** 다음 식은 어떤 다항식을 인수분해한 것이다. 그 다항식을 구하여라.

(1) $x(x-3)$ (2) $(x+4)^2$

(3) $(a-2)(a+2)$ (4) $(a-3)(a+1)$

개념확인 **02** 다음 보기 중 다항식 $x(x-2)$의 인수를 모두 골라라.

보기
ㄱ. x ㄴ. $x-2$ ㄷ. $x(x-2)$ ㄹ. x^2

개념 2 공통인수를 이용한 인수분해

(1) **공통인수** : 다항식의 각 항에 공통으로 들어 있는 인수

(2) **공통인수를 이용한 인수분해**

다항식에 공통인수가 있을 때에는 분배법칙을 이용하여 공통인수를 묶어 내어 인수분해한다.

$ma+mb=m(a+b)$ (공통인수: m)

예 $ab+2a=a\times b+2\times a=a(b+2)$

참고 다항식을 인수분해할 때는 공통인수를 모두 묶어 내어야 한다.

예 $xy^2-2xy=xy(y-2)$ (○), $xy^2-2xy=x(y^2-2y)$ (×)

개념 α

▸ 공통인수 찾기
① 같은 문자는 공통인수이다.
② 수는 최대공약수가 공통인수이다.
③ 문자는 차수가 가장 낮은 문자가 공통인수이다.

개념확인 **03** 다음 식을 인수분해하여라.

(1) $ma+mb-mc$ (2) $6a^2+3ab$

(3) $9xy-6y^2$ (4) $3a(x+2)-b(x+2)$

개념 3 인수분해 공식(1)-완전제곱식을 이용한 인수분해

(1) **완전제곱식** : 다항식의 제곱으로 된 식 또는 이 식에 상수를 곱한 식

예 $(a+b)^2$, $(x-2)^2$, $3(x-y)^2$

(2) **완전제곱식을 이용한 인수분해**

① $a^2+2ab+b^2=(a+b)^2$

같은 부호

예 $x^2+2x+1=x^2+2\times x\times 1+1^2=(x+1)^2$

② $a^2-2ab+b^2=(a-b)^2$

같은 부호

예 $x^2-6x+9=x^2-2\times x\times 3+3^2=(x-3)^2$

참고 x^2+ax+b $(b>0)$가 완전제곱식이 되기 위한 조건 ⇨ $b=\left(\frac{a}{2}\right)^2$, $a=\pm 2\sqrt{b}$

개념 α

▶ 항이 3개이고 제곱인 항이 2개인 경우에 이용한다.

개념확인 **04** 다음 식을 인수분해하여라.

(1) x^2+4x+4 (2) $x^2-12x+36$

(3) $4x^2+20x+25$ (4) $9x^2-12x+4$

개념확인 **05** 다음 식이 완전제곱식이 되도록 □ 안에 알맞은 양수를 써넣어라.

(1) $x^2+8x+\square$ (2) $x^2-\square x+9$

(3) $x^2-12x+\square$ (4) $x^2+\square x+\frac{1}{16}$

개념 4 인수분해 공식(2)-합과 차의 곱을 이용한 인수분해

제곱의 차, 즉 a^2-b^2의 꼴인 다항식은 합과 차의 곱의 꼴로 나타낸다.

$\underbrace{a^2-b^2}_{\text{제곱의 차}}=\underbrace{(a+b)}_{\text{합}}\underbrace{(a-b)}_{\text{차}}$

예 $x^2-16=x^2-4^2=(x+4)(x-4)$

개념 α

▶ 항이 2개이고 제곱의 차의 꼴인 경우에 이용한다.

개념확인 **06** 다음 식을 인수분해하여라.

(1) x^2-4 (2) x^2-49

(3) $25a^2-16b^2$ (4) $\frac{1}{9}a^2-b^2$

정답 및 풀이 14쪽

핵심유형 1 인수분해 개념 ❶

다음 중 다항식 $x(x+1)(x-2)$의 인수가 아닌 것은?

① x ② $x+1$ ③ $x-2$
④ $x^2(x-2)$ ⑤ $x(x+1)(x-2)$

GUIDE
모든 다항식에서 1과 자기 자신은 그 다항식의 인수이다.

1-1 다항식 $2x^2+ax+b$를 인수분해하면 $(2x+1)(x-3)$일 때, 상수 a, b에 대하여 $a-b$의 값은?

① -3 ② -2 ③ -1
④ 1 ⑤ 2

1-2 다음 등식에 대한 설명으로 옳지 않은 것은?

$$x^2-3x+2=(x-1)(x-2)$$

① 좌변의 식을 우변의 식으로 나타내는 것을 인수분해라고 한다.
② $x-1$, $x-2$는 x^2-3x+2의 인수이다.
③ 우변의 식을 좌변의 식으로 나타내는 것을 전개한다고 한다.
④ 1은 x^2-3x+2의 인수가 아니다.
⑤ 우변의 식은 분배법칙을 이용하여 좌변의 식으로 나타낼 수 있다.

1-3 다음 보기 중 옳은 것을 모두 골라라.

보기
ㄱ. a는 $a(a+b)$의 인수이다.
ㄴ. $(x+1)(x+4)$는 x^2-5x+4를 인수분해한 것이다.
ㄷ. x^2-2x+1은 $(x-1)^2$을 전개한 것이다.

핵심유형 2 공통인수를 이용한 인수분해 개념 ❷

두 다항식 $-4x^2+8xy$와 $3x-6y$의 공통인수는?

① $-4x$ ② 3 ③ $4x$
④ $x-2y$ ⑤ $x+2y$

GUIDE
각 다항식을 공통인수를 이용하여 인수분해한 후, 두 다항식에 공통으로 들어 있는 인수를 찾는다.

2-1 다음 중 인수분해한 것이 옳지 않은 것은?

① $x^2-x=x(x-1)$
② $xy+yz=y(x+z)$
③ $ax^2+4ax=ax(x+4)$
④ $-3x-12y=-3(x-4y)$
⑤ $8x^2y-12xy^2=4xy(2x-3y)$

2-2 다음 중 $2a^3-6a^2b$의 인수가 아닌 것은?

① $2a$ ② a^2 ③ $a-3b$
④ a^2-3b ⑤ $2a(a-3b)$

2-3 $(x-2)(x+3)-3(x+3)$은 x의 계수가 1인 두 일차식의 곱으로 인수분해된다. 이때 두 일차식의 합을 구하여라.

핵심유형 3 완전제곱식을 이용한 인수분해 개념 ❸

다음 중 완전제곱식으로 인수분해할 수 없는 것은?

① $x^2+8x+16$ ② $4x^2+12xy+9y^2$

③ x^2-2x+1 ④ $\frac{1}{4}x^2+x+1$

⑤ x^2-6x+5

GUIDE
$a^2+2ab+b^2=(a+b)^2$, $a^2-2ab+b^2=(a-b)^2$

3-1 $x^2+Ax+25=(x+B)^2$일 때, 상수 A, B에 대하여 $A+B$의 값은? (단, $B>0$)

① 2 ② 5 ③ 10
④ 15 ⑤ 17

3-2 $x^2+Ax+36$이 완전제곱식이 될 때, 양수 A의 값은?

① 4 ② 6 ③ 8
④ 10 ⑤ 12

3-3 $-1<x<2$일 때, $\sqrt{x^2+2x+1}+\sqrt{x^2-4x+4}$를 간단히 하면?

① -3 ② -1 ③ 3
④ $-2x+1$ ⑤ $2x-1$

핵심유형 4 합과 차의 곱을 이용한 인수분해 개념 ❹

$2x^2-50=a(x+b)(x-c)$일 때, 세 자연수 a, b, c에 대하여 $a+b+c$의 값은?

① 4 ② 6 ③ 8
④ 10 ⑤ 12

GUIDE
공통인수를 이용하여 인수분해한 후, $a^2-b^2=(a+b)(a-b)$를 이용하여 인수분해한다.

4-1 이차식 $4x^2-49$가 x의 계수가 2인 두 일차식의 곱으로 인수분해될 때, 두 일차식의 합은?

① $4x$ ② $4x+7$ ③ $4x-7$
④ $4x+14$ ⑤ $4x-14$

4-2 $16x^2-9y^2=(ax+3y)(bx+cy)$일 때, 상수 a, b, c에 대하여 $a-b+c$의 값은?(단, $a>0$)

① -3 ② -1 ③ 3
④ 7 ⑤ 9

4-3 $81x^4-1$의 인수가 아닌 것은?

① $3x+1$ ② $3x-1$ ③ $9x+1$
④ $9x^2-1$ ⑤ $9x^2+1$

정답 및 풀이 15쪽

01 다음 식에 대하여 보기 중 옳게 말한 학생들을 모두 고른 것은?

$$3x^2y-9xy \underset{②}{\overset{①}{\rightleftarrows}} 3xy(x-3)$$

보기
은진: ①의 과정을 인수분해한다고 해.
채현: 아니야. ②의 과정이 인수분해야.
수지: $3xy$는 $3x^2y$, $-9xy$의 공통인수야.
동은: $3xy$, $x-3$은 $3x^2y-9xy$의 인수야.

① 은진 ② 채현, 수지
③ 채현, 동은 ④ 은진, 동은
⑤ 은진, 수지, 동은

02 x에 대한 다항식 $6x^2+mx+n$이 $3x+2$와 $2x-3$을 인수로 가질 때, 상수 m, n에 대하여 $m-n$의 값은?

① -2 ② -1 ③ 0
④ 1 ⑤ 2

잘나와요
03 다음 중 $4x^2y-12xy^2$의 인수가 아닌 것은?

① 4 ② x ③ xy
④ x^2 ⑤ $x-3y$

04 밑면의 가로, 세로의 길이가 각각 $2a$, b인 직육면체의 부피가 $2a^2b-2ab^2+2abc$일 때, 이 직육면체의 높이는?

① $a+b$ ② $a-b$ ③ $a-c$
④ $a-b+c$ ⑤ $a+b-c$

05 $4x^2+28x+49$가 $(ax+b)^2$으로 인수분해될 때, 상수 a, b에 대하여 $a+b$의 값은? (단, $a>0$)

① 5 ② 6 ③ 7
④ 8 ⑤ 9

06 다음 식이 완전제곱식이 되도록 □ 안에 알맞은 양수를 넣을 때, □ 안의 수가 가장 큰 것은?

① $x^2-12x+\square$ ② $4x^2+\square x+25$
③ $9x^2+\square x+1$ ④ $x^2+8x+\square$
⑤ $x^2+\square x+100$

잘나와요
07 $(x-2)(x+4)+a$가 완전제곱식이 될 때, 상수 a의 값은?

① 5 ② 6 ③ 7
④ 8 ⑤ 9

08 $-5<x<5$일 때, $\sqrt{x^2-10x+25}-\sqrt{x^2+10x+25}$를 간단히 하면?

① -10 ② 0 ③ 10
④ $-2x$ ⑤ $2x$

잘나와요

09 $x^2-121=(x+a)(x-a)$일 때, 상수 a의 값은? (단, $a>0$)

① 7 ② 8 ③ 9
④ 10 ⑤ 11

10 $-3x^2+27=a(x+b)(x-b)$일 때, $a+b$의 값은? (단, $b>0$)

① -2 ② -1 ③ 0
④ 1 ⑤ 2

11 다음 그림과 같은 꽃밭 A, B의 넓이가 서로 같다. 꽃밭 B의 가로의 길이가 $b-a$일 때, 세로의 길이는?

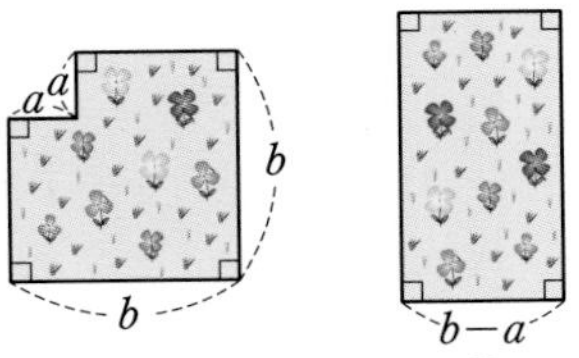

① $a+b$ ② $2a+b$ ③ $a-b$
④ $2a-b$ ⑤ $b-a$

12 $x^2-y^2=36$, $x+y=9$일 때, $x-y$의 값은?

① -2 ② -1 ③ 2
④ 4 ⑤ 6

내신 up

13 자연수 $2^{40}-1$은 30과 40 사이의 두 자연수에 의하여 나누어 떨어진다. 이 두 자연수의 합은?

① 56 ② 57 ③ 60
④ 63 ⑤ 64

서·술·형·문·제

풀이 과정을 자세히 쓰시오.

14 두 식 $9x^2-Ax+4$, x^2-x+B가 모두 완전제곱식으로 인수분해될 때, 양수 A, B에 대하여 $A+4B$의 값을 구하여라.

[단계] ❶ A의 값 구하기
❷ B의 값 구하기
❸ $A+4B$의 값 구하기

답

15 인수분해 공식을 이용하여 다음을 계산하여라.

$$\left(1-\frac{1}{2^2}\right)\left(1-\frac{1}{3^2}\right)\left(1-\frac{1}{4^2}\right)\cdots\left(1-\frac{1}{10^2}\right)$$

답

114쪽 기출문제로 내신대비로 반복학습하세요!

08 인수분해 공식(2)

정답 및 풀이 16쪽

개념 1 인수분해 공식(3)－이차항의 계수가 1인 이차식의 인수분해

(1) 이차항의 계수가 1인 이차식의 인수분해

$$x^2+\underbrace{(a+b)}_{\text{합}}x+\underbrace{ab}_{\text{곱}}=(x+a)(x+b)$$

(2) $x^2+(a+b)x+ab$의 인수분해 방법

① 곱했을 때 상수항이 되는 두 정수를 모두 찾는다.

② ① 중에서 두 수의 합이 x의 계수가 되는 두 정수 a, b를 찾는다.

③ $(x+a)(x+b)$의 꼴로 나타낸다.

$x^2+\underline{(a+b)x}+ab=(x+a)(x+b)$

$x \searrow\nearrow$ a → ax

$x \nearrow\searrow$ b → bx (+

$(a+b)x$

예 $x^2+5x+6=(x+2)(x+3)$

x → 2 → $2x$

x → 3 → $3x$ (+

$5x$

개념 α

▸ x^2+5x+6을 인수분해할 때 곱이 6, 합이 5인 두 수를 찾으면 2와 3이므로
x^2+5x+6
$=(x+2)(x+3)$

곱이 6인 두 수	합
1, 6	7
2, 3	5
−1, −6	−7
−2, −3	−5

개념확인 01 합과 곱이 다음과 같은 두 수를 구하여라.

(1) 합 : 11 , 곱 : 28　　(2) 합 : 4, 곱 : −12

(3) 합 : −1, 곱 : −20　　(4) 합 : 5, 곱 : −36

개념확인 02 다음은 주어진 식을 인수분해하는 과정이다. □ 안에 알맞은 수 또는 식을 써넣어라.

(1) x^2+3x+2

x → 2 → $2x$

x → □ → □ (+

$3x$

$=(x+2)(x+□)$

(2) $x^2-7x+12$

x → −3 → $-3x$

x → □ → □ (+

$-7x$

$=(x-3)(x-□)$

개념확인 03 다음 식을 인수분해하여라.

(1) $x^2+10x+21$　　(2) x^2-6x+8

(3) $x^2+7x-18$　　(4) $x^2+9xy-10y^2$

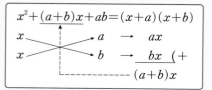

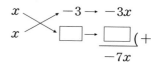

개념 ❷ 인수분해 공식(4)－이차항의 계수가 1이 아닌 이차식의 인수분해

(1) 이차항의 계수가 1이 아닌 이차식의 인수분해

$$acx^2+(ad+bc)x+bd=(ax+b)(cx+d)$$

(2) $acx^2+(ad+bc)x+bd$의 인수분해 방법

① 곱하여 x^2의 계수가 되는 두 정수 a, c를 세로로 나열한다.

② 곱하여 상수항이 되는 두 정수 b, d를 세로로 나열한다.

③ ①, ②의 수를 대각선 방향으로 곱하여 합한 것이 x의 계수가 되는 것을 찾는다.

④ $(ax+b)(cx+d)$의 꼴로 나타낸다.

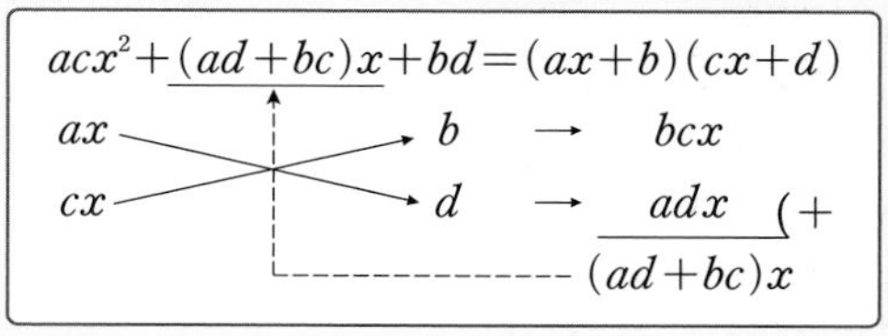

예 $2x^2+5x+3=(x+1)(2x+3)$

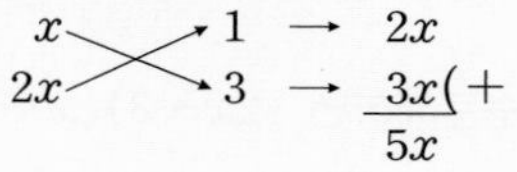

개념 α

▶ ac가 양수일 때, a, c가 모두 양수인 경우만 생각해도 된다.

개념확인 **04** 다음은 주어진 식을 인수분해하는 과정이다. □ 안에 알맞은 수 또는 식을 써넣어라.

(1) $4x^2+8x+3$

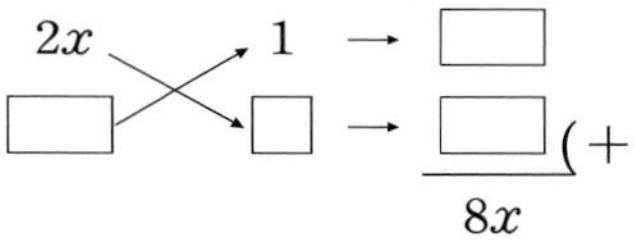

$=(2x+1)(\square)$

(2) $2x^2+5xy-3y^2$

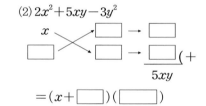

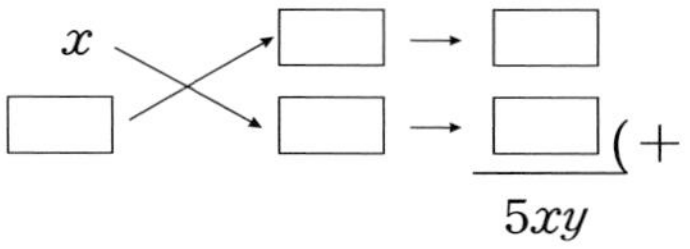

$=(x+\square)(\square)$

개념확인 **05** 다음 □ 안에 알맞은 수를 써넣어라.

(1) $3x^2+7x-6=(x+\square)(3x-\square)$

(2) $8x^2-2x-15=(2x-\square)(4x+\square)$

개념확인 **06** 다음 식을 인수분해하여라.

(1) $2x^2+5x+2$

(2) $6x^2-7x-3$

(3) $3x^2-7xy+2y^2$

(4) $8x^2+6xy-9y^2$

핵심유형으로 개념 정복하기

정답 및 풀이 16쪽

핵심유형 1 $x^2+(a+b)x+ab$의 인수분해 개념❶

다항식 $x^2+7x+12$가 x의 계수가 1인 두 일차식의 곱으로 인수분해될 때, 두 일차식의 합은?

① $2x+8$ ② $2x+7$ ③ $2x+6$
④ $2x+5$ ⑤ $2x+4$

GUIDE
$x^2+(a+b)x+ab=(x+a)(x+b)$

1-1 다음 중 인수분해가 옳지 않은 것은?

① $x^2-x-6=(x+2)(x-3)$
② $x^2+3x-10=(x-2)(x+5)$
③ $x^2+6x-7=(x-1)(x+7)$
④ $x^2+2x-8=(x+2)(x-4)$
⑤ $x^2+10x+21=(x+3)(x+7)$

1-2 $x^2-5x-14=(x+a)(x+b)$일 때, 정수 a, b에 대하여 $a-b$의 값은?(단, $a>b$)

① 5 ② 7 ③ 9
④ 11 ⑤ 13

1-3 다음 중 a^3-2a^2-3a의 인수가 아닌 것은?

① a ② $a+1$ ③ $a-3$
④ a^2 ⑤ $(a+1)(a-3)$

핵심유형 2 $acx^2+(ad+bc)x+bd$의 인수분해 개념❷

$(x+3)(3x-5)+11$을 인수분해하면?

① $(x+3)(3x-5)$ ② $(x-3)(3x+5)$
③ $(x-4)(3x+1)$ ④ $(x-2)(3x+2)$
⑤ $(x+2)(3x-2)$

GUIDE
$acx^2+(ad+bc)x+bd=(ax+b)(cx+d)$

2-1 $2x^2+Ax-15$를 인수분해하면 $(2x-3)(x+B)$일 때, $A+B$의 값은?

① 8 ② 9 ③ 10
④ 11 ⑤ 12

2-2 $3x-7$이 $6x^2+ax-21$의 인수일 때, 상수 a의 값은?

① -5 ② -4 ③ -3
④ -2 ⑤ -1

2-3 넓이가 $4x^2+4x-15$인 직사각형의 가로의 길이가 $2x-3$일 때, 이 직사각형의 세로의 길이는?

① $2x+1$ ② $2x+3$ ③ $2x+5$
④ $4x-3$ ⑤ $4x+5$

핵심유형 3 인수분해 공식의 종합 개념❶, ❷

다음 중 인수분해한 것이 옳지 않은 것은?

① $4x^2+12x+9=(2x+3)^2$

② $x^2-x+\frac{1}{4}=\left(x-\frac{1}{2}\right)^2$

③ $x^2-4y^2=(x+2y)(x-2y)$

④ $x^2-2x-48=(x+6)(x-8)$

⑤ $2x^2-5x-3=(2x-3)(x-1)$

GUIDE
인수분해 공식을 이용하여 다항식을 인수분해한다.

3-1 다음 중 인수분해가 바르게 된 것은?

① $3x^2+6x=3x(x-2)$

② $x^2+6x+9=(x+9)^2$

③ $-2x^2+32=-2(x+4)(x-4)$

④ $x^2+6x+5=(x+1)(x+6)$

⑤ $4x^2-8x-5=(x+1)(4x-5)$

3-2 다음을 만족하는 상수 a, b, c에 대하여 $a+b+c$의 값을 구하여라.

- $x^2+4x=x(x+a)$
- $x^2+5x-6=(x+6)(x-b)$
- $6x^2+5x-6=(2x+c)(3x-2)$

3-3 $(2x-5)^2+(x+3)(x-7)+12$를 인수분해하여라.

핵심유형 4 두 다항식의 공통인수 구하기 개념❶, ❷

두 다항식 x^2-4x+3과 $2x^2-3x-9$의 공통인수는?

① $x-1$ ② $x-3$ ③ $x+1$

④ $x+2$ ⑤ $x+3$

GUIDE
각 다항식을 인수분해한 후, 공통으로 들어 있는 인수를 찾는다.

4-1 다음 두 다항식의 1을 제외한 공통인수를 구하여라.

x^2-9, $x^2-3x-18$

4-2 다음 중 나머지 넷과 같은 인수를 갖지 않는 것은?

① $2x^2+3x-2$ ② x^2-4

③ $2x^2+7x+6$ ④ x^2+x-6

⑤ $3x^2+7x+2$

4-3 $x-1$가 두 다항식 ax^2-3x+5와 $2x^2+bx-1$의 공통인수일 때, 상수 a, b에 대하여 $a-b$의 값은?

① -2 ② -1 ③ 0

④ 1 ⑤ 2

정답 및 풀이 17쪽

01 다음 중 다항식 $x^2-4x-12$의 인수를 모두 고르면? (정답 2개)

① $x-6$ ② $x-3$ ③ $x+2$
④ $x+4$ ⑤ $x+6$

잘나와요
02 $x^2+Ax-15$가 $x-5$로 나누어 떨어질 때, 상수 A의 값은?

① -3 ② -2 ③ -1
④ 2 ⑤ 3

03 아래 그림의 직사각형을 모두 이용하여 하나의 큰 직사각형을 만들 때, 다음 중 직사각형의 가로의 길이와 세로의 길이가 될 수 있는 것은?

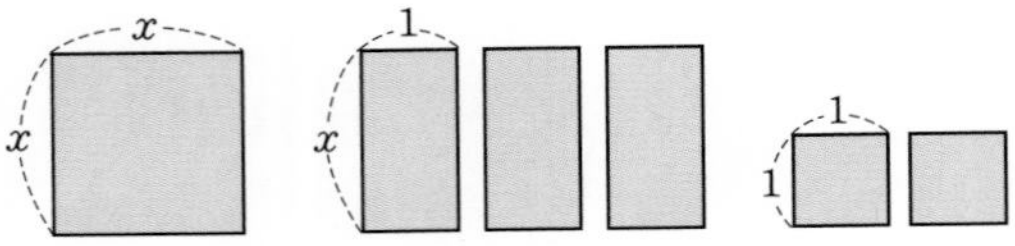

① $x-1$, $x+1$ ② $x+1$, $x+1$
③ $x-1$, $x+2$ ④ $x+1$, $x+2$
⑤ $x+1$, $x-2$

내신 up
04 n이 자연수일 때, $n^2+4n-21$이 소수가 된다고 한다. 이때 이 소수는?

① 3 ② 5 ③ 7
④ 11 ⑤ 13

05 소현이가 보기의 다항식 중에서 두 개를 선택하여 곱하였더니 $6x^2+7x-3$이 되었다. 소현이가 선택한 두 다항식을 모두 고른 것은?

보기
ㄱ. $3x-1$ ㄴ. $3x+1$
ㄷ. $2x-3$ ㄹ. $2x+3$

① ㄱ, ㄷ ② ㄱ, ㄹ ③ ㄴ, ㄷ
④ ㄴ, ㄹ ⑤ ㄷ, ㄹ

06 $6x^2+Ax-21=(2x-3)(Bx+7)$일 때, 상수 A, B에 대하여 $A+B$의 값은?

① 5 ② 6 ③ 7
④ 8 ⑤ 9

07 $2x+1$이 $4x^2-(3a-2)x+3$의 인수일 때, 상수 a의 값은?

① -3 ② -2 ③ -1
④ 1 ⑤ 2

잘나와요
08 다음 중 인수분해한 것이 옳은 것은?

① $x^2+3x-4=(x-4)(x+1)$
② $9x^2-4y^2=(3x-2y)^2$
③ $x^2-2x+1=(x-1)(x+2)$
④ $4x^2-20x+25=(x-5)(4x-5)$
⑤ $2x^2-5x-3=(2x+1)(x-3)$

09 다음 중 유리수의 범위에서 인수분해할 수 없는 식은?

① $x^2-10xy+25y^2$ ② x^2-121
③ $x^2-3x-18$ ④ x^2-8
⑤ $3x^2-x-2$

10 다음 중 $x-2$를 인수로 갖는 다항식을 모두 고르면? (정답 2개)

① x^2-x-6 ② x^2+2x
③ x^2-4 ④ $2x^2-3x-2$
⑤ $3x^2+2x-8$

잘나와요

11 두 다항식 x^2-6x+a와 $2x^2+bx-4$가 $x-4$를 공통 인수로 가질 때, 상수 a, b에 대하여 $a+b$의 값은?

① -15 ② -5 ③ -1
④ 1 ⑤ 5

12 $a◎b=ab+2b+4$로 약속할 때, $(x◎2x)-(7x◎1)$은 x의 계수가 자연수인 두 일차식의 곱으로 인수분해된다. 이 두 일차식의 합은?

① $-x-3$ ② $x-3$ ③ $3x$
④ $3x-1$ ⑤ $3x+3$

내신 up

13 다음 그림의 두 사각형 A, B의 둘레의 길이는 서로 같고, 직사각형 A의 넓이가 $x^2+10x+21$일 때, 정사각형 B의 넓이는?

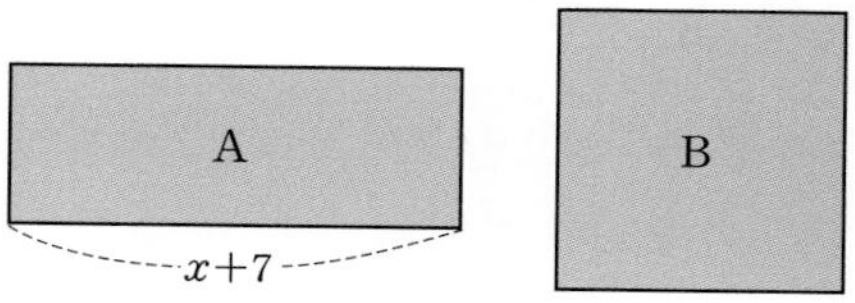

① x^2+6x+9 ② $x^2+8x+16$
③ $x^2+10x+25$ ④ $x^2+12x+36$
⑤ $x^2+14x+49$

서·술·형·문·제

풀이 과정을 자세히 쓰시오.

14 x에 대한 이차식 x^2+kx+6이 $(x+a)(x+b)$로 인수분해될 때, 상수 k의 최댓값을 구하여라.

[단계] ❶ ab와 $a+b$의 값 구하기
❷ 순서쌍 (a, b) 구하기
❸ k의 최댓값 구하기

답

15 어떤 이차식을 인수분해하는데 동현이는 x의 계수를 잘못 보고 $(x+1)(x-10)$으로 인수분해하였고, 은정이는 상수항을 잘못 보고 $(x+6)(x-3)$으로 인수분해하였다. 처음의 이차식을 바르게 인수분해하여라.

답

116쪽 기출문제로 내신대비로 반복학습하세요!

09 인수분해 공식의 활용

정답 및 풀이 18쪽

개념 ① 복잡한 식의 인수분해

(1) 공통인수가 있으면 묶어 낸 후, 인수분해 공식을 이용한다.

(2) 항이 여러 개인 경우에는 적당한 항끼리 짝지어 인수분해한다.
특히, 항이 4개인 경우의 인수분해는 (2개)+(2개) 또는 (3개)+(1개)로 묶어 인수분해한다.

(3) 문자가 2개 이상인 경우에는 차수가 낮은 한 문자에 대하여 내림차순으로 정리한 후 인수분해한다.

개념 α

▸ 항이 4개인 식의 인수분해
① (2개)+(2개)로 나누기
공통인수로 묶어 내어 인수분해
② (3개)+(1개)로 나누기
제곱의 차의 꼴로 만들어 인수분해

개념확인 **01** 다음 식을 공통인수로 묶어 내어 인수분해하여라.

(1) $ab^2-4ab+4a$　　(2) a^4-9a^2

(3) x^3-2x^2-3x　　(4) $3a^4+a^3-10a^2$

개념확인 **02** 다음 식을 인수분해하여라.

(1) $ax-ay-bx+by$　　(2) $x^2-2x+1-y^2$

(3) $x^2+xy-4x-3y+3$

개념 ② 치환을 이용한 인수분해

공통부분이 있는 경우에는 다음과 같은 순서로 인수분해한다.

① 공통부분을 한 문자로 치환한다.

② 인수분해 공식을 이용하여 인수분해한다.

③ 치환된 문자에 원래의 식을 대입하여 정리한다.

예 $(x+y)^2-3(x+y)+2=A^2-3A+2$ ← $x+y=A$로 치환한다.
$=(A-1)(A-2)$ ← 인수분해 공식을 이용한다.
$=(x+y-1)(x+y-2)$ ← A에 $x+y$를 대입한다.

개념 α

▸ 공통부분이 2개 있으면 각각을 서로 다른 문자로 치환하여 인수분해한다.

개념확인 **03** 다음 식을 인수분해하여라.

(1) $(a-b)^2-2(a-b)-3$　　(2) $(x+y)(x+y-6)+9$

(3) $2(x+5)^2+(x+5)-1$

개념 ③ 인수분해 공식을 이용한 수의 계산

(1) 공통인수를 이용하여 계산하기

⇨ $ma+mb=m(a+b)$

예 $8\times49+8\times51=8(49+51)=8\times100=800$

(2) 완전제곱식을 이용하여 계산하기

⇨ $a^2+2ab+b^2=(a+b)^2$, $a^2-2ab+b^2=(a-b)^2$

예 $99^2+2\times99\times1+1^2=(99+1)^2=100^2=10000$

(3) 합과 차의 곱을 이용하여 계산하기

⇨ $a^2-b^2=(a+b)(a-b)$

예 $54^2-46^2=(54+46)(54-46)=100\times8=800$

개념 α

▸ 복잡한 수를 계산할 때는 인수분해 공식을 이용할 수 있도록 수의 모양을 바꾼다.

개념확인 **04** 인수분해 공식을 이용하여 다음을 계산하여라.

(1) $17\times86+17\times14$　　(2) $57^2+6\times57+3^2$

(3) $16^2-2\times16\times14+14^2$　　(4) 51^2-49^2

개념 ④ 인수분해 공식을 이용한 식의 값

① 주어진 식을 인수분해한다.

② 주어진 값을 대입하여 식의 값을 구한다.

예 $x=97$일 때, x^2+6x+9의 값을 구하여라.

$x^2+6x+9=(x+3)^2=(97+3)^2=100^2=10000$

개념 α

▸ 식에 주어진 값을 직접 대입해도 구할 수 있지만 주어진 식을 인수분해한 후 대입하는 것이 편리하다.

개념확인 **05** 인수분해 공식을 이용하여 다음 식의 값을 구하여라.

(1) $x=102$일 때, x^2-4x+4

(2) $x=1+\sqrt{2}$일 때, x^2-2x+1

개념확인 **06** 인수분해 공식을 이용하여 다음 식의 값을 구하여라.

(1) $x+y=\sqrt{5}$일 때, $x^2+2xy+y^2$

(2) $a=2+\sqrt{3}$, $b=2-\sqrt{3}$ 일 때, a^2-b^2

핵심유형으로 개념 정복하기

정답 및 풀이 18쪽

핵심유형 1 복잡한 식의 인수분해 개념❶

다음 중 $a^2(b+2)-4b-8$의 인수가 아닌 것을 모두 고르면? (정답 2개)

① $a-2$ ② $a+2$ ③ $a+b$
④ $b-2$ ⑤ $b+2$

GUIDE
공통인수가 있으면 묶어 내어 인수분해한다.

1-1 다음 중 $a^2-2ab+4b-2a$의 인수를 모두 고르면? (정답 2개)

① $a-2$ ② $a-2b$ ③ a
④ $a+2$ ⑤ $a+2b$

1-2 $2x^3-4x^2-(x-3)(2-x)=(2x+a)(x+b)(x+c)$일 때, 상수 a, b, c에 대하여 abc의 값을 구하여라.

1-3 $x^2-2xy-1+y^2=(x+Ay+1)(x-y-B)$일 때, 상수 A, B에 대하여 $A+B$의 값은?

① -2 ② -1 ③ 0
④ 1 ⑤ 2

핵심유형 2 치환을 이용한 인수분해 개념❷

다항식 $2(a+1)^2-5(a+1)-3$이 a의 계수가 자연수인 두 일차식의 곱으로 인수분해될 때, 두 일차식의 합은?

① $2a-4$ ② $2a-1$ ③ $3a+1$
④ $3a+2$ ⑤ $3a+5$

GUIDE
공통부분을 치환하여 인수분해한다.

2-1 $(2x+1)^2-(x-2)^2=(3x+a)(x+b)$일 때, $2a+b$의 값은?(단, a, b는 상수)

① 1 ② 2 ③ 3
④ 4 ⑤ 5

2-2 $(x-2y+1)(x-2y-3)-5$를 인수분해하면?

① $(x-2y+1)(x-2y-3)$
② $(x-2y-1)(x-2y+3)$
③ $(x-2y-4)(x-2y+2)$
④ $(x-2y+4)(x-2y-2)$
⑤ $(x-2y-3)(x-2y+5)$

2-3 $6(x-2)^2+7(x-2)(x+3)-3(x+3)^2$을 인수분해하여라.

핵심유형 3 인수분해 공식을 이용한 수의 계산 개념 ❸

$\sqrt{58^2-4\times58+4}$의 값은?

① 54 ② 56 ③ 58
④ 60 ⑤ 62

GUIDE
인수분해 공식 $a^2-2ab+b^2=(a-b)^2$을 이용하면 수의 계산이 편리하다.

3-1 다음 중 53^2-47^2을 계산하는 데 가장 알맞은 인수분해 공식은?

① $a^2+2ab+b^2=(a+b)^2$
② $a^2-2ab+b^2=(a-b)^2$
③ $a^2-b^2=(a+b)(a-b)$
④ $x^2+(a+b)x+ab=(x+a)(x+b)$
⑤ $acx^2+(ad+bc)x+bd=(ax+b)(cx+d)$

3-2 $\dfrac{201\times997+201\times3}{202^2-1}$의 값을 구하여라.

3-3 오른쪽 그림과 같이 한 변의 길이가 65인 정사각형 모양의 화단에 한 변의 길이가 35인 정사각형 모양을 제외하고 장미를 심으려고 한다. 인수분해 공식을 이용하여 장미를 심을 부분의 넓이를 구하여라.

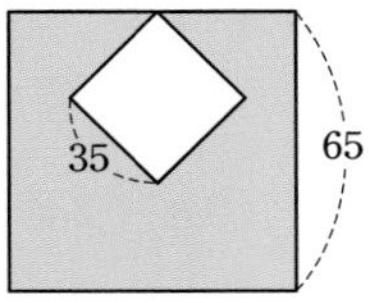

핵심유형 4 인수분해 공식을 이용한 식의 값 개념 ❹

$x=\dfrac{1}{2+\sqrt{3}}$, $y=\dfrac{1}{2-\sqrt{3}}$일 때, $x^2+2xy+y^2$의 값은?

① -16 ② -9 ③ 3
④ 9 ⑤ 16

GUIDE
x, y의 분모를 유리화하고, 주어진 식을 인수분해한 후 식의 값을 구한다.

4-1 $x=3-\sqrt{2}$일 때, x^2-6x+9의 값은?

① 2 ② 3 ③ 4
④ 5 ⑤ 6

4-2 $x=3.5$, $y=1$일 때, $2x^2+xy-3y^2$의 값은?

① 5 ② 10 ③ 15
④ 20 ⑤ 25

4-3 $a+b=1$, $a-b=-2$일 때, $a^2-b^2-8b-16$의 값은?

① -30 ② -20 ③ -10
④ 20 ⑤ 30

정답 및 풀이 19쪽

01 $3a^3b-3a^2b-18ab$를 인수분해하면?

① $4b(a+2)(a-3)$ ② $3a(a-3)(a+2)$
③ $3b(a+3)(a-2)$ ④ $3ab(a-3)(a+2)$
⑤ $3ab(a+3)(a-2)$

02 두 다항식 $(x+1)(x+4)-2(x+1)$과 $x^2(x+3)-4(x+3)$의 공통인수는?

① $x+1$ ② $x+2$ ③ $x+3$
④ $x+4$ ⑤ $x+5$

03 $\begin{vmatrix} a & b \\ c & d \end{vmatrix}=ad-bc$인 관계가 성립할 때, $\begin{vmatrix} a & a \\ b & y \end{vmatrix}+\begin{vmatrix} x & x \\ y & b \end{vmatrix}$를 인수분해하면?

① $(a-x)(b+y)$ ② $(a+x)(y+b)$
③ $(a+b)(x-y)$ ④ $(a-b)(x+y)$
⑤ $(a-x)(y-b)$

04 잘나와요 $1-x^2+4xy-4y^2$을 인수분해하면?

① $(1+x+2y)(1+x+2y)$
② $(1-x-2y)(1+x+2y)$
③ $(1+x-2y)(1-x-2y)$
④ $(1+x-2y)(1+x+2y)$
⑤ $(1+x-2y)(1-x+2y)$

05 $x^2-xy-xz-2y^2-yz$를 인수분해하면?

① $(x+y)(x+2y+z)$ ② $(x+y)(x+2y-z)$
③ $(x+y)(x-2y+z)$ ④ $(x+y)(x-2y-z)$
⑤ $(x-y)(x-2y-z)$

06 $(x-3)^2-16$을 인수분해하면 $(x+a)(x-b)$일 때, 양수 a, b에 대하여 $a+b$의 값은?

① 5 ② 6 ③ 7
④ 8 ⑤ 9

07 $2(x-3)^2+7(x-3)-4$가 x의 계수가 자연수인 두 일차식의 곱으로 인수분해될 때, 두 일차식의 합은?

① $3x-6$ ② $3x-4$ ③ $3x-2$
④ $3x+3$ ⑤ $3x+8$

08 잘나와요 $9\times51^2-9\times50^2$을 인수분해 공식을 이용하여 계산할 때, 필요한 인수분해 공식을 모두 고르면? (정답 2개)

① $a^2+2ab+b^2=(a+b)^2$
② $a^2-2ab+b^2=(a-b)^2$
③ $a^2-b^2=(a+b)(a-b)$
④ $x^2+(a+b)x+ab=(x+a)(x+b)$
⑤ $ma-mb=m(a-b)$

09 $(6.5)^2-5\times(6.5)\times(2.5)+6\times(2.5)^2$의 값은?

① 0　② -1　③ -1.25
④ -1.5　⑤ -2.25

10 $a=\sqrt{2}+5$, $b=-\sqrt{2}+5$일 때, a^2-b^2의 값은?

① 10　② $10\sqrt{2}$　③ 20
④ $20\sqrt{2}$　⑤ 40

11 $\sqrt{2}$의 소수 부분을 a라 할 때, a^2+3a+2의 값은?

① $-2+\sqrt{2}$　② $-\sqrt{2}$　③ $\sqrt{2}$
④ $1+\sqrt{2}$　⑤ $2+\sqrt{2}$

내신 up
12 오른쪽 그림과 같이 반지름의 길이가 r인 원형의 연못 둘레에 폭이 a인 길이 있다. 이 길의 한가운데를 지나는 원의 둘레의 길이를 b라 할 때, 이 길의 넓이를 a와 b에 대한 식으로 나타내면?

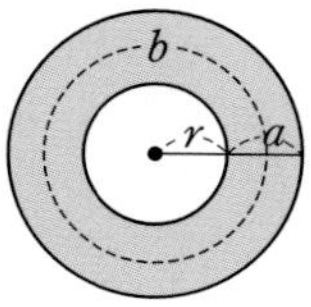

① πab^2　② $\pi a^2 b$　③ πab
④ ab　⑤ $(a+b)$

13 오른쪽 그림과 같이 바깥쪽 원과 안쪽 원의 반지름의 길이가 각각 7.75 cm, 2.25 cm이고, 높이가 10 cm인 화장지가 있다. 이때 화장지가 감긴 부분의 부피는?

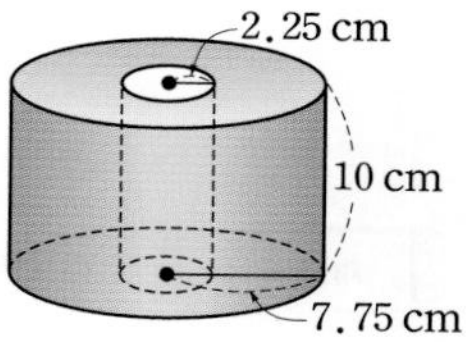

① $360\pi\ \text{cm}^3$　② $400\pi\ \text{cm}^3$　③ $480\pi\ \text{cm}^3$
④ $520\pi\ \text{cm}^3$　⑤ $550\pi\ \text{cm}^3$

서·술·형·문·제

풀이 과정을 자세히 쓰시오.

14 두 다항식 $ab+b-a-1$과 $b^2-b-ab+a$의 공통인수를 구하여라.

[단계] ❶ $ab+b-a-1$을 인수분해하기
❷ $b^2-b-ab+a$를 인수분해하기
❸ 공통인수 구하기

답 ________

15 준수는 색종이를 이용하여 다음과 같이 한 변의 길이가 각각 a cm, b cm인 정사각형 모양의 생일 카드를 만들었다. 이 두 카드의 둘레의 길이의 합이 100 cm이고 넓이의 차가 150 cm^2일 때, 두 카드의 둘레의 길이의 차를 구하여라. (단, $a>b$)

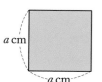

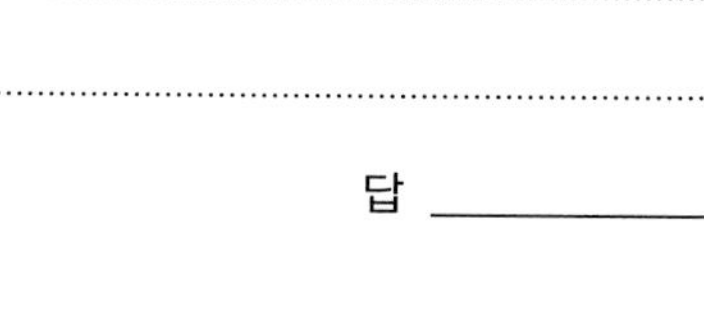

답 ________

118쪽 기출문제로 내신대비로 반복학습하세요!

10 이차방정식의 뜻과 해

정답 및 풀이 20쪽

개념 ① x에 대한 이차방정식

등식의 우변의 모든 항을 좌변으로 이항하여 정리한 식이 (x에 대한 이차식)$=0$의 꼴로 나타내어지는 방정식

예 ① $x^2+3x-2=0$, $3x^2-x=0$, $-2x^2+1=0$ ⇨ 이차방정식이다.

② $x+2=0$, $x^3-x^2+1=0$, $\frac{1}{x^2}=0$ ⇨ 이차방정식이 아니다.

참고 $x^2+2x+1=0$ ⇨ 이차방정식이다.

x^2+2x+1 ⇨ 이차식이다. ⇨ 등식이 아니므로 이차방정식이 아니다.

개념 α

▸ 이차방정식 찾기
① 등식인지 확인
② 모든 항을 좌변으로 이항하기
③ (이차식)$=0$의 꼴인지 확인하기

개념확인 **01** 다음 보기에서 x에 대한 이차방정식을 모두 골라라.

보기
ㄱ. x^2-1　　ㄴ. $3x^2=0$　　ㄷ. $x^3+x^2-1=0$
ㄹ. $(x+2)(x-3)=0$　　ㅁ. $x(x+1)=x^2$

개념 ② 이차방정식의 일반형

x에 대한 이차방정식은 $ax^2+bx+c=0$(a, b, c는 상수, $a\neq0$)의 꼴로 나타낼 수 있다.

예 $x^2+3x+4=-x^2+4x+2$ ⇨ $2x^2-x+2=0$

$(x+1)^2=2x+2$ ⇨ $x^2-1=0$

개념 α

▸ $ax^2+bx+c=0$이 이차방정식이 되려면 x^2의 계수 a는 $a\neq0$이어야 하지만 x의 계수 b와 상수항 c는 0이어도 된다.

개념확인 **02** 다음 이차방정식을 $ax^2+bx+c=0$의 꼴로 나타낼 때, 정수 a, b, c에 대하여 $a+b+c$의 값을 구하여라. (단, a는 최소의 양의 정수)

(1) $3x^2+1=x^2-5x$　　(2) $(x+1)^2=x-1$

개념확인 **03** $3(ax^2-1)=6x^2+2x-1$이 x에 대한 이차방정식이 되도록 하는 상수 a의 조건을 구하여라.

개념 ③ 이차방정식의 해

(1) **이차방정식의 해(또는 근)** : 이차방정식 $ax^2+bx+c=0(a\neq0)$을 참이 되게 하는 x의 값

예 x의 값이 $-1,\ 0,\ 1,\ 2$일 때, 이차방정식 $x^2-1=0$을 풀어 보자.

$x=-1$일 때, $(-1)^2-1=0$

$x=0$일 때, $0^2-1\neq0$

$x=1$일 때, $1^2-1=0$

$x=2$일 때, $2^2-1\neq0$

따라서 해는 $x=-1$ 또는 $x=1$이다.

참고 $x=p$가 이차방정식 $ax^2+bx+c=0$의 해이다.

$\iff$ $x=p$를 $ax^2+bx+c=0$에 대입하면 등식이 성립한다.

(2) **이차방정식을 푼다** : 이차방정식의 해를 모두 구하는 것

개념 α

- 방정식의 해(근)를 구한다.
  ⇔ 방정식을 푼다.
  ⇔ 방정식을 만족하는 x의 값을 찾는다.
- 이차방정식의 해(근)의 개수는 최대 2개이다.
- 이차방정식을 푼다는 것은 주어진 방정식을 참이 되게 하는 미지수의 값을 모두 구하는 것을 뜻한다.

개념확인 **04** x의 값이 $-2,\ -1,\ 0,\ 1$일 때 다음 표를 완성하고, 이차방정식 $x^2+x-2=0$의 해를 구하여라.

x	-2	-1	0	1
x^2+x-2	0			

개념확인 **05** 다음 이차방정식 중 $x=-2$를 해로 갖는 것은?

① $(x-2)^2=0$　② $(x+5)^2=10$　③ $x^2+4x-6=0$
④ $x^2-x+4=0$　⑤ $x^2+5x+6=0$

개념확인 **06** 다음 중 [ ] 안의 수가 주어진 이차방정식의 해인 것은?

① $x^2=4$ [4]　② $(x+3)(x-2)=0$ [-2]
③ $x^2+3=4x$ [-1]　④ $x^2-x-6=0$ [3]
⑤ $2x^2+3x-5=0$ [2]

핵심유형으로 개념 정복하기

정답 및 풀이 21쪽

핵심유형 1 이차방정식의 뜻 개념❶

다음 중 x에 대한 이차방정식이 아닌 것은?

① $x^2=1$ ② $x^2+5=x$
③ $2x^2-x=x^2+1$ ④ $x(x+2)=0$
⑤ $3x^2+x=3x(x-2)$

GUIDE
이차방정식은 모든 항을 좌변으로 이항하여 정리한 식이 (x에 대한 이차식)$=0$의 꼴로 나타내어지는 방정식이다.

1-1 다음 중 x에 대한 이차방정식인 것은?

① $x-1=x+2$ ② $x(x+1)=x^2+3$
③ x^2-2x+3 ④ $(2x+1)^2=(x-1)^2$
⑤ $x(x-2)(x+2)=0$

1-2 다음 중 x에 대한 이차방정식이 아닌 것은?

① $x^2=0$ ② $2x^2-x=0$
③ $3x^2=x^2$ ④ $(x+1)^2=2x$
⑤ $(x+1)(x-1)=(x+2)^2$

1-3 다음 보기 중 이차방정식인 것을 모두 고른 것은?

보기
ㄱ. x^2-2x+1
ㄴ. $x(2x-1)=x^2+x$
ㄷ. $(x+3)(x-1)=0$
ㄹ. $(x-1)^2=(x+1)^2$
ㅁ. $(2x-1)^2=x(x+3)$

① ㄱ, ㄴ ② ㄴ, ㄷ ③ ㄴ, ㄷ, ㅁ
④ ㄴ, ㄹ, ㅁ ⑤ ㄷ, ㄹ, ㅁ

핵심유형 2 이차방정식의 일반형 개념❷

이차방정식 $2(x-1)^2-(x+3)(x+1)=x-x^2$을 $2x^2+bx+c=0$의 꼴로 나타낼 때, 상수 b, c에 대하여 $b+c$의 값은?

① -10 ② -4 ③ 2
④ 9 ⑤ 12

GUIDE
이차방정식은 $ax^2+bx+c=0$ (a, b, c는 상수, $a\neq0$)의 꼴로 나타낼 수 있다.

2-1 다음 등식이 x에 대한 이차방정식이 되기 위한 a의 값으로 옳지 않은 것은?

$$(a-3)x^2+2x=0$$

① -3 ② -2 ③ -1
④ 2 ⑤ 3

2-2 $(2x+1)(ax-3)=-4x^2+1$이 x에 대한 이차방정식일 때, 상수 a의 값으로 적당하지 않은 것은?

① -2 ② -1 ③ 1
④ 2 ⑤ 4

2-3 이차방정식 $-2(x+1)^2+5x=(3x-1)^2$을 $ax^2+bx+3=0$의 꼴로 나타낼 때, 상수 a, b에 대하여 $a+b$의 값은?

① -5 ② -2 ③ 2
④ 4 ⑤ 6

핵심유형 3 이차방정식의 해(근)

개념 ❸

x의 값이 -2, -1, 0, 1, 2일 때, 이차방정식 $x^2+2x-3=0$의 해는?

① $x=-2$ ② $x=-1$ ③ $x=0$
④ $x=1$ ⑤ $x=2$

GUIDE
이차방정식 $ax^2+bx+c=0$ $(a\neq0)$을 참이 되게 하는 x의 값을 이차방정식의 해(또는 근)라 한다.

3-1 다음 이차방정식 중에서 $x=1$을 해로 갖는 것은?

① $x^2-4x=0$ ② $x^2+6x=7$
③ $(x+1)(x+2)=0$ ④ $x^2+3x+2=0$
⑤ $2x^2-3x-5=0$

3-2 다음 중 [ ] 안의 수가 주어진 이차방정식의 해가 아닌 것은?

① $x^2-2x=3$ [-1] ② $x(x+1)=0$ [0]
③ $x^2+2x-1=0$ [1] ④ $x(x+3)=3x+9$ [3]
⑤ $(x+1)(x-3)=-3$ [2]

3-3 x의 값이 -2, -1, 0, 1, 2일 때, 이차방정식 $x^2+2x=0$의 해는?

① $x=-2$ 또는 $x=-1$ ② $x=-2$ 또는 $x=0$
③ $x=-1$ 또는 $x=0$ ④ $x=-1$ 또는 $x=1$
⑤ $x=0$ 또는 $x=2$

핵심유형 4 이차방정식의 해(근)의 의미

개념 ❸

이차방정식 $3x^2-2x+a=0$의 한 근이 $x=-1$일 때, 상수 a의 값은?

① -5 ② -2 ③ 1
④ 3 ⑤ 5

GUIDE
주어진 근을 이차방정식에 대입하여 상수 a의 값을 구한다.

4-1 이차방정식 $x^2-ax+4=0$의 한 근이 $x=2$일 때, 상수 a의 값은?

① -2 ② -1 ③ 2
④ 4 ⑤ 6

4-2 이차방정식 $3x^2+2(x-a)-1=0$의 한 근이 $x=1$일 때, 상수 a의 값은?

① -2 ② -1 ③ 1
④ 2 ⑤ 3

4-3 두 이차방정식 $x^2+3x+a=0$과 $x^2-4x+b=0$의 한 근이 $x=-1$로 서로 같을 때, 상수 a, b에 대하여 $a+b$의 값은?

① -3 ② -1 ③ 2
④ 4 ⑤ 6

정답 및 풀이 22쪽

01 다음 중 이차방정식이 아닌 것은?

① $x^2=-1$ ② $-x^2+3x=0$
③ $x^2+3x-4=2x$ ④ $(x+1)x=5x$
⑤ $(x+1)(2x-1)=3+2x^2$

02 $2x^2-3x=ax^2+2x-1$이 x에 대한 이차방정식이 되기 위한 상수 a의 값이 될 수 없는 것은?

① -2 ② -1 ③ 2
④ 4 ⑤ 5

03 이차방정식 $(x-1)^2=-2x^2-5x+3$을 $3x^2+bx+c=0$의 꼴로 나타낼 때, 두 상수 b, c에 대하여 $b+c$의 값은?

① -3 ② -2 ③ 1
④ 2 ⑤ 3

잘나와요
04 다음 중 [ ] 안의 수가 주어진 이차방정식의 해인 것은?

① $x^2-4=0$ [4] ② $(x-3)^2=0$ [0]
③ $x(x+2)=3$ [2] ④ $x^2-x-2=0$ [-1]
⑤ $3x^2-5x+6=0$ [-3]

05 다음 중 [ ] 안의 수가 주어진 이차방정식의 해가 아닌 것은?

① $x^2-2x=-1$ [-1] ② $4x(x-3)=0$ [0]
③ $x^2-6x+9=0$ [3] ④ $x(x-2)=4x-5$ [1]
⑤ $(x+1)(x-4)=-6$ [2]

잘나와요
06 x의 값이 -2, -1, 0, 1, 2일 때, 이차방정식 $x^2+5x-6=0$의 해는?

① $x=-2$ ② $x=1$
③ $x=2$ ④ $x=-1$ 또는 $x=0$
⑤ $x=-2$ 또는 $x=1$

07 x의 값이 -1, 0, 1일 때, 다음 이차방정식 중 해가 없는 것은?

① $x^2-1=0$ ② $x^2+2x=0$
③ $x^2-2x+1=0$ ④ $(x+4)(x-2)=0$
⑤ $x^2-2x-3=0$

08 x의 값이 $-1\le x<3$인 정수일 때, 이차방정식 $3x^2-2x-1=0$의 해는?

① $x=-1$ ② $x=0$ ③ $x=1$
④ $x=2$ ⑤ $x=3$

잘나와요
09 이차방정식 $x^2-(a+1)x-2a-1=0$의 한 근이 $x=-1$일 때, 상수 a의 값은?

① -4 ② -2 ③ -1
④ 1 ⑤ 2

10 두 이차방정식 $x^2+ax+2=0$과 $x^2-3x+b=0$의 공통인 근이 $x=-2$일 때, 상수 a, b에 대하여 $a+b$의 값은?

① -7 ② -4 ③ -2
④ 3 ⑤ 5

내신 up
11 이차방정식 $2x^2+ax-1=0$의 한 근이 $x=-1$이고, 이차방정식 $3x^2-x+b=0$의 한 근이 $x=2$일 때, 상수 a, b에 대하여 ab의 값은?

① -10 ② -6 ③ 4
④ 8 ⑤ 12

12 이차방정식 $2x^2-3x+5=0$의 한 근이 $x=a$일 때, $2a^2-3a+4$의 값은?

① -3 ② -1 ③ 2
④ 5 ⑤ 8

내신 up
13 이차방정식 $x^2-4x+1=0$의 한 근이 $x=a$일 때, $a^2+\frac{1}{a^2}$의 값은?

① 4 ② 6 ③ 8
④ 12 ⑤ 14

서·술·형·문·제

풀이 과정을 자세히 쓰시오.

14 이차방정식 $x^2-5x+1=0$의 두 근이 $x=a$ 또는 $x=b$일 때, $\left(a+\frac{1}{a}\right)(b^2-5b)$의 값을 구하여라.

[단계] ❶ $a+\frac{1}{a}$의 값 구하기
❷ b^2-5b의 값 구하기
❸ $\left(a+\frac{1}{a}\right)(b^2-5b)$의 값 구하기

답 ____________

15 이차방정식 $x^2-3x+4=0$의 한 근이 $x=a$이고, 이차방정식 $2x^2+x-5=0$의 한 근이 $x=b$일 때, a^2+2b^2-3a+b의 값을 구하여라.

답 ____________

124쪽 기출문제로 내신대비로 반복학습하세요!

11 이차방정식의 풀이

정답 및 풀이 23쪽

개념 ① 인수분해를 이용한 이차방정식의 풀이

(1) $AB=0$의 성질

두 수 또는 두 식 A, B에 대하여 $AB=0$이면 $A=0$ 또는 $B=0$

예 $(x-1)(x-2)=0$ ⇨ $x-1=0$ 또는 $x-2=0$ ⇨ $x=1$ 또는 $x=2$

(2) 인수분해를 이용한 이차방정식의 풀이

① 주어진 이차방정식을 정리한다. ⇨ $ax^2+bx+c=0(a>0)$

② 좌변을 인수분해한다. ⇨ $(px-q)(rx-s)=0$

③ $AB=0$의 성질을 이용한다. ⇨ $px-q=0$ 또는 $rx-s=0$

④ 해를 구한다. ⇨ $x=\frac{q}{p}$ 또는 $x=\frac{s}{r}$

예 $2x^2+x=6 \xrightarrow{①} 2x^2+x-6=0 \xrightarrow{②} (2x-3)(x+2)=0$

$\xrightarrow{③} 2x-3=0$ 또는 $x+2=0 \xrightarrow{④} x=\frac{3}{2}$ 또는 $x=-2$

개념 α

▸ $A=0$ 또는 $B=0$은 다음 중 하나가 성립함을 의미한다.
① $A=0$, $B\neq0$
② $A\neq0$, $B=0$
③ $A=0$, $B=0$

▸ 인수분해를 이용하여 이차방정식을 풀 때는 이항하여 우변을 0으로 고쳐서 푼다.

개념확인 **01** 다음 이차방정식을 풀어라.

(1) $(x+1)(x-2)=0$　(2) $x(x-1)=0$　(3) $(x+3)(2x-5)=0$

개념확인 **02** 다음 이차방정식을 인수분해를 이용하여 풀어라.

(1) $x^2-4x+3=0$　(2) $x^2+x=6$

개념 ② 이차방정식의 중근

(1) 이차방정식의 중근

이차방정식의 두 근이 중복되어 서로 같을 때, 이 근을 주어진 방정식의 중근이라 한다.

$$a(x-p)^2=0(a\neq0) \Rightarrow x=p\ (\text{중근})$$

예 $x^2-2x+1=0$, $(x-1)^2=0$　$\therefore x=1$(중근)

(2) 이차방정식이 중근을 가질 조건

이차방정식이 (완전제곱식)$=0$의 꼴로 인수분해되면 이 이차방정식은 중근을 갖는다.

개념 α

▸ 이차방정식 $x^2+ax+b=0$이 중근을 가지려면 $b=\left(\frac{a}{2}\right)^2$이어야 한다.

개념확인 **03** 다음 이차방정식을 풀어라.

(1) $(x+3)^2=0$　(2) $x^2-4x+4=0$　(3) $4x^2-12x+9=0$

개념확인 **04** 이차방정식 $x^2-8x+k+1=0$이 중근을 가질 때, 상수 k의 값을 구하여라.

개념 ③ 제곱근을 이용한 이차방정식의 풀이

(1) $x^2=k(k\geq0)$**의 해** ⇨ $x=\pm\sqrt{k}$

예 $x^2=3$의 해는 $x=\pm\sqrt{3}$

(2) $(x+p)^2=q(q\geq0)$**의 해** ⇨ $x=-p\pm\sqrt{q}$

예 $(x+1)^2=3$의 해는 $x=-1\pm\sqrt{3}$

참고 (1) 이차방정식 $x^2=k$의 해

① $k>0$일 때, $x=\pm\sqrt{k}$

② $k=0$일 때, $x=0$ (중근)

③ $k<0$일 때, 해는 없다.

(2) 이차방정식 $(x+p)^2=q$의 해

① $q>0$일 때, $x=-p\pm\sqrt{q}$

② $q=0$일 때, $x=-p$ (중근)

③ $q<0$일 때, 해는 없다.

개념 α

▶ 이차방정식 $x^2=k$에서

① 해를 가질 조건 : $k\geq0$

② 해가 없을 조건 : $k<0$

개념확인 **05** 다음 이차방정식을 제곱근을 이용하여 풀어라.

(1) $x^2=5$ (2) $x^2-4=0$ (3) $4x^2=24$

(4) $5x^2-6=0$ (5) $(x+3)^2=7$ (6) $5(x-1)^2=25$

개념 ④ 완전제곱식을 이용한 이차방정식의 풀이

이차방정식 $ax^2+bx+c=0(a\neq0)$에서

① x^2의 계수로 양변을 나누어 x^2의 계수를 1로 만든다.

② 상수항을 우변으로 이항한다.

③ 양변에 $\left(\frac{x\text{의 계수}}{2}\right)^2$을 더한다.

④ 좌변을 완전제곱식의 꼴로 고친다.

⑤ 제곱근을 이용하여 이차방정식의 해를 구한다.

개념 α

▶ $ax^2+bx+c=0$에서

① $x^2+\frac{b}{a}x+\frac{c}{a}=0$

② $x^2+\frac{b}{a}x=-\frac{c}{a}$

③ $x^2+\frac{b}{a}x+\left(\frac{b}{2a}\right)^2=-\frac{c}{a}+\left(\frac{b}{2a}\right)^2$

④ $\left(x+\frac{b}{2a}\right)^2=\frac{b^2-4ac}{4a^2}$

⑤ $x=\frac{-b\pm\sqrt{b^2-4ac}}{2a}$

개념확인 **06** 다음은 완전제곱식을 이용하여 이차방정식을 푸는 과정이다. □ 안에 알맞은 수를 써넣어라.

(1) $x^2+6x+2=0$

⇨ $x^2+6x=$□

⇨ x^2+6x+□$=-2+$□

⇨ $(x+$□$)^2=$□

⇨ $x+$□$=\pm$□

⇨ $x=$□

(2) $3x^2-12x-6=0$

⇨ x^2-4x-□$=0$

⇨ $x^2-4x=$□

⇨ x^2-4x+□$=2+$□

⇨ $(x-$□$)^2=$□

⇨ $x-$□$=\pm$□

⇨ $x=$□

핵심유형으로 개념 정복하기

정답 및 풀이 23쪽

핵심유형 1 인수분해를 이용한 이차방정식의 풀이 개념❶

이차방정식 $x^2+2x-3=6(x-1)$을 풀면?

① $x=-1$ 또는 $x=-3$ ② $x=-1$ 또는 $x=3$
③ $x=1$ 또는 $x=3$ ④ $x=2$ 또는 $x=-3$
⑤ $x=-2$ 또는 $x=3$

GUIDE
이차방정식을 정리하고, 좌변을 인수분해하여 해를 구한다.

1-1 이차방정식 $(x+3)(2x-1)=0$의 해는?

① $x=-3$ 또는 $x=\frac{1}{2}$ ② $x=-\frac{1}{2}$ 또는 $x=-3$
③ $x=-\frac{1}{2}$ 또는 $x=3$ ④ $x=\frac{1}{2}$ 또는 $x=\frac{3}{2}$
⑤ $x=\frac{1}{2}$ 또는 $x=3$

1-2 이차방정식 $(x+1)(x-1)=2x^2-10$의 해는?

① $x=-1$ 또는 $x=1$ ② $x=-2$ 또는 $x=2$
③ $x=-2$ 또는 $x=3$ ④ $x=-3$ 또는 $x=2$
⑤ $x=-3$ 또는 $x=3$

1-3 이차방정식 $4x^2+7x-2=0$의 두 근의 곱은?

① -1 ② $-\frac{1}{2}$ ③ $\frac{3}{2}$
④ 2 ⑤ 3

핵심유형 2 이차방정식의 중근 개념❷

이차방정식 $x^2-6x+2m+1=0$이 중근을 갖도록 하는 상수 m의 값은?

① -4 ② -2 ③ 2
④ 4 ⑤ 6

GUIDE
이차방정식이 (완전제곱식)=0의 꼴로 인수분해되면 중근을 갖는다.

2-1 다음 보기의 이차방정식 중 중근을 갖는 것은 모두 몇 개인가?

보기
ㄱ. $x^2+2x-3=0$ ㄴ. $x^2+8x+16=0$
ㄷ. $x^2-7x+10=0$ ㄹ. $x^2-3x+\frac{9}{4}=0$
ㅁ. $25x^2-20x+4=0$

① 1개 ② 2개 ③ 3개
④ 4개 ⑤ 5개

2-2 이차방정식 $x^2-2x+p-3=0$이 중근을 가질 때, 상수 p의 값은?

① 1 ② 2 ③ 3
④ 4 ⑤ 5

2-3 이차방정식 $x^2+(k-1)x+4=0$이 중근을 갖게 하는 모든 상수 k의 값의 합은?

① -6 ② -4 ③ 2
④ 4 ⑤ 6

핵심유형 3 제곱근을 이용한 이차방정식의 풀이 개념❸

이차방정식 $3(x-3)^2-15=0$을 풀면?

① $x=-1\pm\sqrt{2}$ ② $x=2\pm\sqrt{3}$
③ $x=3\pm\sqrt{5}$ ④ $x=-1$ 또는 $x=3$
⑤ $x=-3$ 또는 $x=5$

GUIDE
이차방정식 $x^2=k\ (k\geq0)$의 해는 $x=\pm\sqrt{k}$이다.

3-1 이차방정식 $25x^2-4=0$의 해는?

① $x=\pm\frac{5}{2}$ ② $x=\pm\frac{2}{5}$ ③ $x=\pm\sqrt{\frac{5}{2}}$
④ $x=\pm\sqrt{\frac{2}{5}}$ ⑤ $x=\pm\frac{\sqrt{15}}{5}$

3-2 이차방정식 $(2x-3)^2=5$의 두 근을 a, b라 할 때, ab의 값은?

① -2 ② -1 ③ 0
④ 1 ⑤ 2

3-3 이차방정식 $4(x-1)^2=20$의 해가 $x=A\pm\sqrt{B}$일 때, 유리수 A, B에 대하여 $A+B$의 값은?

① -5 ② -3 ③ 2
④ 4 ⑤ 6

핵심유형 4 완전제곱식을 이용한 이차방정식의 풀이 개념❹

이차방정식 $x^2+ax-1=0$을 완전제곱식을 이용하여 풀었더니 해가 $x=\frac{1\pm\sqrt{b}}{2}$이었다. 이때 유리수 a, b에 대하여 $a+b$의 값은?

① -4 ② -2 ③ 1
④ 4 ⑤ 7

GUIDE
완전제곱식을 이용하여 이차방정식의 해를 구할 때는 (완전제곱식)=(상수)의 꼴로 고쳐서 푼다.

4-1 이차방정식 $x^2-6x+3=0$을 $(x+p)^2=q$의 꼴로 나타낼 때, 상수 p, q의 값은?

① $p=-3,\ q=-6$ ② $p=-3,\ q=6$
③ $p=3,\ q=6$ ④ $p=3,\ q=9$
⑤ $p=-3,\ q=-9$

4-2 다음은 완전제곱식을 이용하여 이차방정식 $2x^2+4x-10=0$의 해를 구하는 과정이다. 이때 상수 A, B, C에 대하여 $A+B+C$의 값은?

> $2x^2+4x-10=0$에서
> $x^2+2x-5=0,\ x^2+2x=5$
> $x^2+2x+A=5+A$
> $(x+B)^2=C \qquad \therefore x=-B\pm\sqrt{C}$

① -6 ② -3 ③ 2
④ 8 ⑤ 10

4-3 이차방정식 $x^2+6x-1=p$의 해가 $x=a\pm\sqrt{7}$일 때, 상수 a, p에 대하여 $a+p$의 값은?

① -6 ② -2 ③ 3
④ 5 ⑤ 7

기출문제로 실력 다지기

정답 및 풀이 24쪽

01 다음 이차방정식 중 두 근의 합이 -3인 것은?

① $x(x-3)=0$　② $2x(x+1)=0$
③ $(x+3)(x-1)=0$　④ $(x+1)(x+2)=0$
⑤ $(x+1)(x-4)=0$

02 이차방정식 $2x^2+5x-3=0$을 풀면?

① $x=-3$ 또는 $x=\frac{1}{2}$　② $x=\frac{1}{2}$ 또는 $x=3$
③ $x=1$ 또는 $x=2$　④ $x=-1$ 또는 $x=2$
⑤ $x=-2$ 또는 $x=1$

잘나와요
03 이차방정식 $2(x-1)^2=-3x+8$의 두 근이 $x=a$ 또는 $x=b$일 때, ab의 값은?

① -12　② -6　③ -3
④ 3　⑤ 6

04 다음 두 이차방정식의 공통인 근은?

$$x^2-4x-5=0,\ 2x^2-x-3=0$$

① $x=-\frac{3}{2}$　② $x=-1$　③ $x=0$
④ $x=1$　⑤ $x=5$

잘나와요
05 x에 대한 이차방정식 $3x^2+kx-8=0$의 한 근이 $x=2$일 때, 나머지 한 근은?

① $x=-2$　② $x=-\frac{4}{3}$　③ $x=\frac{1}{2}$
④ $\frac{5}{4}$　⑤ 3

06 이차방정식 $x^2-2(m-1)x+9=0$이 중근을 갖게 하는 모든 상수 m의 값의 합은?

① -3　② -1　③ 2
④ 4　⑤ 6

내신 up
07 이차방정식 $(x+4)(x+a)=b$가 중근 $x=-3$을 가질 때, 상수 a, b에 대하여 $a+b$의 값은?

① 1　② 2　③ 3
④ 4　⑤ 5

08 이차방정식 $4x^2-28=0$을 풀면?

① $x=\pm\sqrt{2}$　② $x=\pm\sqrt{3}$　③ $x=\pm\sqrt{5}$
④ $x=\pm\sqrt{6}$　⑤ $x=\pm\sqrt{7}$

09 이차방정식 $(x+4)^2=2$의 해가 $x=A\pm\sqrt{B}$라 할 때, 유리수 A, B에 대하여 $\frac{A}{B}$의 값은?

① -2 ② -1 ③ 2
④ 3 ⑤ 4

잘나와요

10 이차방정식 $6(x-1)^2-54=0$의 두 근 중에서 작은 근은?

① $x=-4$ ② $x=-2$ ③ $x=-1$
④ $x=2$ ⑤ $x=4$

11 이차방정식 $2(x+a)^2=b$의 해가 $x=2\pm\sqrt{5}$일 때, 유리수 a, b에 대하여 ab의 값은?

① -20 ② -12 ③ -6
④ 12 ⑤ 20

12 이차방정식 $(x-1)(x-5)=4$를 $(x+p)^2=q$의 꼴로 나타낼 때, $p-q$의 값은? (단, p, q는 상수)

① -11 ② -8 ③ -3
④ 4 ⑤ 9

내신 up

13 이차방정식 $x^2-10x-2a=0$을 완전제곱식을 이용하여 풀었더니 해가 $x=5\pm\sqrt{3}$이었다. 이때 상수 a의 값은?

① -15 ② -13 ③ -11
④ -9 ⑤ -7

서·술·형·문·제

풀이 과정을 자세히 쓰시오.

14 이차방정식 $x^2-x=2$의 두 근 중 작은 근이 이차방정식 $2x^2+(a-1)x-3=0$의 한 근일 때, 다른 한 근을 구하여라.

[단계] ❶ $x^2-x=2$의 근 구하기
❷ a의 값 구하기
❸ 다른 한 근 구하기

답 ______________

15 이차방정식 $x^2-6x+a=0$을 완전제곱식을 이용하여 해를 구할 때, 유리수인 해를 갖도록 하는 자연수 a의 값을 모두 구하여라.

답 ______________

126쪽 기출문제로 내신대비로 반복학습하세요!

12 이차방정식의 근의 공식과 활용

정답 및 풀이 25쪽

개념 ① 이차방정식의 근의 공식

(1) **이차방정식의 근의 공식 :** 이차방정식 $ax^2+bx+c=0$의 근은

$$x=\frac{-b\pm\sqrt{b^2-4ac}}{2a} \quad (\text{단, } b^2-4ac\geq 0)$$

예 $x^2+x-1=0$에서 $a=1$, $b=1$, $c=-1$이므로 $x=\frac{-1\pm\sqrt{1^2-4\times1\times(-1)}}{2\times1}=\frac{-1\pm\sqrt{5}}{2}$

(2) **일차항의 계수가 짝수인 이차방정식의 근의 공식 :** 이차방정식 $ax^2+2b'x+c=0$의 근은

$$x=\frac{-b'\pm\sqrt{b'^2-ac}}{a} \quad (\text{단, } b'^2-ac\geq 0)$$

참고 a, b, c가 유리수일 때, 이차방정식 $ax^2+bx+c=0$의 한 근이 $p+q\sqrt{m}$이면 다른 한 근은 $p-q\sqrt{m}$이다. (단, p, q는 유리수, $\sqrt{m}$은 무리수)

개념 α

▸ 이차방정식의 풀이
① 인수분해가 되면 인수분해 이용
② 인수분해가 어려우면 근의 공식 이용

개념확인 **01** 다음 이차방정식을 근의 공식을 이용하여 풀어라.

(1) $x^2-3x+1=0$ (2) $2x^2-x-2=0$

(3) $x^2-8x-3=0$ (4) $x^2+4x-2=0$

개념 ② 복잡한 이차방정식의 풀이

(1) 괄호가 있으면 괄호를 풀고 $ax^2+bx+c=0$의 꼴로 정리한다.

(2) 계수가 분수나 소수이면 양변에 적당한 수를 곱하여 계수를 정수로 고친다.

(3) 공통부분이 있으면 치환하여 $ax^2+bx+c=0$의 꼴로 고친다.

⇨ 인수분해 또는 근의 공식을 이용하여 해를 구한다.

개념 α

▸ 계수가 분수일 때는 양변에 분모의 최소공배수를, 계수가 소수일 때는 양변에 10의 거듭제곱을 곱한다.

개념확인 **02** 다음 이차방정식을 풀어라.

(1) $3(x+2)^2=x^2+8$ (2) $\frac{1}{2}x^2+\frac{1}{3}x-\frac{1}{4}=0$

(3) $0.2x^2-x-0.5=0$ (4) $(x-1)^2-3(x-1)-10=0$

개념 ③ 이차방정식의 근의 개수

이차방정식 $ax^2+bx+c=0$의 근의 개수는 b^2-4ac의 부호에 의해 결정된다.

(1) $b^2-4ac>0$이면 서로 다른 두 근을 갖는다. ⇨ 근이 2개

(2) $b^2-4ac=0$이면 한 근(중근)을 갖는다. ⇨ 근이 1개

(3) $b^2-4ac<0$이면 근이 없다. ⇨ 근이 0개

개념 α

▸ 근을 가질 조건
⇨ $b^2-4ac\geq 0$

개념확인 **03** 이차방정식 $x^2+2x+k=0$에 대하여 근의 개수가 다음과 같을 때, 상수 k의 값 또는 범위를 구하여라.

(1) 서로 다른 두 근 (2) 중근 (3) 근이 없다.

개념 ④ 이차방정식의 활용

이차방정식의 활용 문제는 다음과 같은 순서로 푼다.

① 미지수 정하기 ⇨ 문제의 뜻을 파악하고 구하는 값을 x로 놓는다.

② 방정식 세우기 ⇨ 문제의 뜻에 맞게 이차방정식을 세운다.

③ 방정식 풀기 ⇨ 이차방정식을 푼다.

④ 답 구하기 ⇨ 구한 해 중에서 문제의 뜻에 맞는 것을 답으로 택한다.

예 연속하는 두 자연수의 곱이 42일 때, 두 수를 구하여라.

① 두 자연수를 x, $x+1$이라 하자.

② $x(x+1)=42$, 즉 $x^2+x-42=0$

③ $(x+7)(x-6)=0$ $\therefore x=-7$ 또는 $x=6$

④ x는 자연수이므로 $x=6$

따라서 두 자연수는 6, 7이다.

개념 α

▸ 이차방정식의 활용 문제에서 해를 구한 경우 문제의 뜻에 맞지 않는 근이 있을 수 있으므로 반드시 구한 해가 문제의 뜻에 맞는지 확인한다.

개념확인 **04** 어떤 정사각형의 가로의 길이를 2 cm, 세로의 길이를 3 cm만큼 늘였더니 넓이가 처음 정사각형의 넓이의 2배가 되었다. 처음 정사각형의 한 변의 길이를 구하여라.

정답 및 풀이 26쪽

핵심유형 1 이차방정식의 근의 공식 개념 ❶

이차방정식 $3x^2+5x+A=0$의 근이 $x=\frac{-5\pm\sqrt{13}}{6}$일 때, 상수 A의 값은?

① -3 ② -2 ③ 1
④ 2 ⑤ 3

GUIDE
이차방정식 $ax^2+bx+c=0$의 근은 $x=\frac{-b\pm\sqrt{b^2-4ac}}{2a}$이다.

1-1 이차방정식 $2x^2-3x-4=0$의 근이 $x=\frac{A\pm\sqrt{B}}{4}$일 때, $A+B$의 값은? (단, A, B는 유리수)

① 44 ② 45 ③ 46
④ 47 ⑤ 48

1-2 이차방정식 $ax^2-x-2=0$의 근이 $x=\frac{1\pm\sqrt{k}}{4}$일 때, 상수 a, k에 대하여 $a+k$의 값은?

① 15 ② 17 ③ 19
④ 21 ⑤ 23

1-3 이차방정식 $4x^2-8x+1=0$의 두 근의 합이 k일 때, $k^2-3k+p=0$을 만족하는 상수 p의 값은?

① -4 ② -2 ③ 2
④ 4 ⑤ 6

핵심유형 2 복잡한 이차방정식의 풀이 개념 ❷

이차방정식 $\frac{1}{3}x^2-\frac{1}{2}x-\frac{1}{6}=0$을 풀면?

① $x=\frac{-2\pm\sqrt{10}}{2}$ ② $x=\frac{-3\pm\sqrt{17}}{2}$
③ $x=\frac{2\pm\sqrt{17}}{3}$ ④ $x=\frac{3\pm\sqrt{10}}{4}$
⑤ $x=\frac{3\pm\sqrt{17}}{4}$

GUIDE
계수가 분수이면 양변에 분모의 최소공배수를 곱하여 정수로 고쳐서 푼다.

2-1 이차방정식 $2(x-1)^2=x^2+5$를 풀면?

① $x=-2\pm\sqrt{7}$ ② $x=-2\pm\sqrt{5}$ ③ $x=2\pm\sqrt{5}$
④ $x=2\pm\sqrt{7}$ ⑤ $x=4\pm2\sqrt{7}$

2-2 이차방정식 $0.1x^2-0.5x-1=0$을 풀면?

① $x=-7\pm\sqrt{65}$ ② $x=-5\pm\sqrt{65}$
③ $x=\frac{-5\pm\sqrt{65}}{2}$ ④ $x=\frac{5\pm\sqrt{65}}{2}$
⑤ $x=5\pm\sqrt{65}$

2-3 이차방정식 $(x+1)^2-3(x+1)+2=0$을 풀면?

① $x=-1$ 또는 $x=1$ ② $x=1$ 또는 $x=\frac{1}{2}$
③ $x=0$ 또는 $x=1$ ④ $x=-2$ 또는 $x=-\frac{1}{3}$
⑤ $x=3$ 또는 $x=-\frac{3}{2}$

핵심유형 3 이차방정식의 근의 개수 개념❸

다음 이차방정식 중 서로 다른 두 근을 갖는 것은?

① $x^2+2x+2=0$ ② $2x^2+3x+5=0$
③ $3x^2-5x-1=0$ ④ $\frac{1}{3}x^2+x+\frac{3}{4}=0$
⑤ $5x^2=4(2x-1)$

GUIDE
이차방정식 $ax^2+bx+c=0$의 근의 개수는 b^2-4ac의 부호에 따라 결정된다.
⇨ $b^2-4ac>0$이면 서로 다른 두 근을 갖는다.

3-1 다음 이차방정식 중 근의 개수가 나머지 넷과 다른 하나는?

① $2x^2+x-3=0$ ② $3x^2-2x-1=0$
③ $x^2+4x-3=0$ ④ $x^2-4x-4=0$
⑤ $4x^2+4x+1=0$

3-2 이차방정식 $x^2-4x+k-3=0$이 해를 갖도록 하는 자연수 k의 개수는?

① 4 ② 5 ③ 6
④ 7 ⑤ 8

3-3 이차방정식 $x^2-2kx-2k+3=0$이 중근을 갖도록 하는 모든 상수 k의 값의 합은?

① -3 ② -2 ③ -1
④ 1 ⑤ 2

핵심유형 4 이차방정식의 활용 개념❹

가로와 세로의 길이가 각각 30 m, 24 m인 직사각형 모양의 땅에 폭이 일정한 십자형의 도로를 만들려고 한다. 도로를 제외한 땅의 넓이가 520 m²일 때, 도로의 폭은?

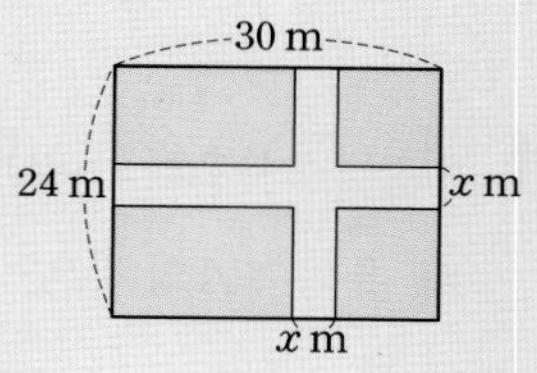

① 2 m ② 2.5 m ③ 3 m
④ 3.5 m ⑤ 4 m

GUIDE
이차방정식을 세워 해를 구한 후 문제의 뜻에 맞는지 확인한다.

4-1 연속하는 두 자연수의 곱은 그 두 수의 제곱의 합보다 43만큼 작다고 할 때, 이 두 수의 합을 구하여라.

4-2 가로와 세로의 길이가 각각 18 cm, 12 cm인 직사각형이 있다. 가로, 세로의 길이를 똑같이 늘여서 처음 직사각형의 넓이의 2배가 되게 하려면 몇 cm씩 늘여야 하는가?

① 2 cm ② 3 cm ③ 4 cm
④ 5 cm ⑤ 6 cm

4-3 지면으로부터 120 m 높이의 건물 위에서 매초 10 m의 속력으로 위로 던져 올린 물체의 t초 후의 높이를 h m라 하면 $h=-5t^2+10t+120$인 관계가 성립한다. 높이가 45 m가 되는 것은 몇 초 후인가?

① 3초 ② 4초 ③ 5초
④ 6초 ⑤ 7초

정답 및 풀이 27쪽

01 이차방정식 $2x(x-2)=x+1$의 근이 $x=\frac{5\pm\sqrt{A}}{4}$일 때, 유리수 A의 값은?

① 21 ② 23 ③ 29
④ 33 ⑤ 35

02 다음 이차방정식 중 해가 $x=-1\pm\sqrt{5}$인 것은?

① $x^2+x-1=0$ ② $x^2+2x-3=0$
③ $x^2+2x-4=0$ ④ $2x^2-2x-1=0$
⑤ $2x^2+x-4=0$

03 이차방정식 $ax^2+bx+c=0$의 한 근이 $\frac{1}{2-\sqrt{3}}$일 때, 다른 한 근은? (단, a, b, c는 유리수이다.)

① $-2-\sqrt{3}$ ② $-2+\sqrt{3}$
③ $2-\sqrt{3}$ ④ $\sqrt{3}$
⑤ $2+\sqrt{3}$

04 이차방정식 $0.1x^2-\frac{1}{2}x+0.2=0$을 풀면?

① $x=\frac{-7\pm\sqrt{17}}{2}$ ② $x=\frac{-5\pm\sqrt{17}}{2}$
③ $x=\frac{-5\pm\sqrt{10}}{2}$ ④ $x=\frac{5\pm\sqrt{15}}{2}$
⑤ $x=\frac{5\pm\sqrt{17}}{2}$

잘나와요
05 이차방정식 $\frac{1}{2}x^2+\frac{2}{3}x-\frac{1}{6}=0$의 해가 $x=\frac{a\pm\sqrt{b}}{3}$일 때, 유리수 a, b에 대하여 $a+b$의 값은?

① 5 ② 7 ③ 9
④ 11 ⑤ 13

06 이차방정식 $(x-1)^2-4(x-1)=12$의 두 근을 α, β라 할 때, $\alpha-\beta$의 값은? (단, $\alpha>\beta$)

① -2 ② 2 ③ 4
④ 6 ⑤ 8

잘나와요
07 이차방정식 $4x^2+(k-2)x+1=0$이 중근을 갖도록 하는 모든 상수 k의 값의 합은?

① -5 ② -3 ③ 2
④ 4 ⑤ 6

08 이차방정식 $x^2-4x+m-1=0$이 서로 다른 두 근을 갖기 위한 상수 m의 값 중 가장 큰 정수는?

① 2 ② 3 ③ 4
④ 5 ⑤ 6

09 이차방정식 $3x^2-4x+k=0$이 해가 없을 때, 상수 k의 값의 범위는?

① $k\le -1$　　② $k<2$　　③ $k\le \frac{1}{2}$
④ $k>\frac{4}{3}$　　⑤ $k<\frac{7}{4}$

10 이차방정식 $2x^2+Ax+B=0$이 중근 -1을 가질 때, $A+B$의 값을 구하여라. (단, A, B는 상수이다.)

11 이차방정식 $3x^2+mx+n=0$의 두 근이 -3과 $\frac{2}{3}$일 때, 상수 m, n에 대하여 $m+n$의 값은?

① -3　　② -2　　③ -1
④ 1　　⑤ 2

내신 up

12 오른쪽 그림과 같이 가로의 길이가 세로의 길이보다 5 cm 더 긴 직사각형의 네 모퉁이에서 한 변의 길이가 2 cm인 정사각형을 잘라낸 나머지 도형으로 뚜껑이 없는 직육면체 모양의 종이 상자를 만들었더니 부피가 72 cm^3이었다. 처음 직사각형의 세로의 길이는?

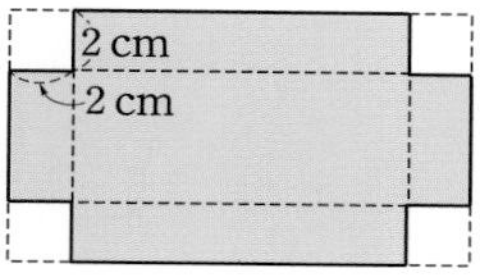

① 6 cm　　② 7 cm　　③ 8 cm
④ 9 cm　　⑤ 10 cm

13 언니는 동생보다 3살이 많고, 언니의 나이의 8배는 동생의 나이의 제곱보다 4살이 많다. 이때 언니의 나이는?

① 13살　　② 14살　　③ 15살
④ 16살　　⑤ 17살

서·술·형·문·제

풀이 과정을 자세히 쓰시오.

14 x^2의 계수가 1인 이차방정식을 푸는데 예원이는 x의 계수를 잘못 보고 풀어 $x=-4$ 또는 $x=3$의 해를 얻었고, 현우는 상수항을 잘못 보고 풀어 $x=-1$ 또는 $x=5$의 해를 얻었다. 처음 주어진 이차방정식의 해를 구하여라.

[단계] ❶ 예원이가 푼 이차방정식 구하기
❷ 현우가 푼 이차방정식 구하기
❸ 바른 이차방정식의 해 구하기

답 ____________

15 오른쪽 그림과 같이 정사각형 3개가 폭이 각각 1 cm만큼 일정하게 남도록 포개어져 있다. 가장 큰 정사각형의 넓이가 나머지 두 정사각형의 넓이의 합과 같을 때, 색칠한 부분의 넓이를 구하여라.

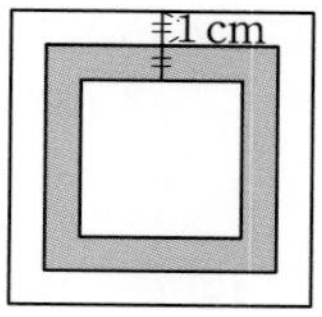

[단계] ❶ 이차방정식 세우기
❷ 이차방정식의 해 구하기
❸ 색칠한 부분의 넓이 구하기

답 ____________

128쪽 기출문제로 내신대비로 반복학습하세요!

13 이차함수의 뜻과 이차함수 $y=ax^2$의 그래프

Ⅳ. 이차함수

정답 및 풀이 28쪽

개념 ① 이차함수의 뜻

함수 $y=f(x)$에서 y가 x에 관한 이차식

$$y=ax^2+bx+c \ (a, b, c\text{는 상수}, a\neq 0)$$

로 나타내어질 때, y를 x에 대한 이차함수라 한다.

예 $y=-x^2$, $y=\frac{1}{3}x^2+1$, $y=x^2-2x+1$은 이차함수이고 $y=\frac{1}{x^2}$, $y=x^3+3x^2+1$은 이차함수가 아니다.

참고 이차함수 판별하기
① $y=$(x에 대한 식)으로 정리하기
② 우변이 x에 대한 이차식인지 확인하기

개념 α

▶ $a\neq 0$일 때
ax^2+bx+c ⇨ 이차식
$ax^2+bx+c=0$
⇨ 이차방정식
$y=ax^2+bx+c$
⇨ 이차함수

▶ 이차함수 $y=ax^2+bx+c$에서 $a\neq 0$이지만 b, c는 0일 수도 있다.

개념확인 **01** 다음 중 이차함수인 것을 모두 고르면? (정답 2개)

① $y=-x^2$ ② $y=\frac{1}{x^2}+x-1$ ③ $y=(x+1)^2-x^2$
④ $y=-2x(x-1)$ ⑤ $y=x(x-1)(x+1)$

개념 ② 이차함수 $y=x^2$의 그래프

(1) 원점을 지나고 아래로 볼록한 포물선이다.
(2) y축에 대칭이다.
(3) $x<0$일 때, x의 값이 증가하면 y의 값은 감소한다.
$x>0$일 때, x의 값이 증가하면 y의 값도 증가한다.
(4) 원점을 제외한 부분은 모두 x축보다 위쪽에 있다.
(5) $y=-x^2$의 그래프와 x축에 대칭이다.

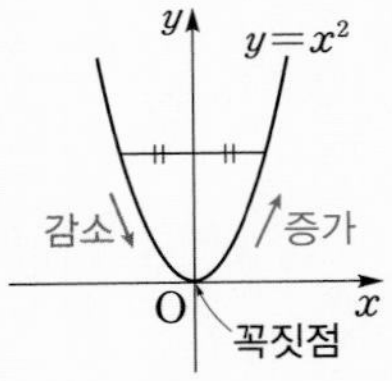

참고 포물선의 뜻과 성질
① 포물선 : 이차함수 $y=x^2$, $y=-x^2$의 그래프와 같은 곡선
② 축 : 포물선의 대칭축
③ 꼭짓점 : 포물선과 축과의 교점

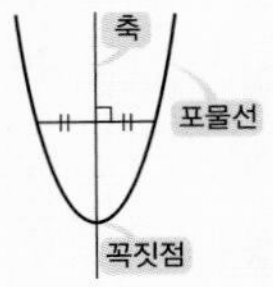

개념 α

▶ 이차함수 $y=-x^2$의 그래프
① 원점을 지나고 위로 볼록한 포물선이다.
② y축에 대칭이다.
③ $x<0$일 때, x의 값이 증가하면 y의 값도 증가한다.
$x>0$일 때, x의 값이 증가하면 y의 값은 감소한다.
④ 원점을 제외한 부분은 모두 x축보다 아래쪽에 있다.

개념확인 **02** 다음 이차함수 $y=x^2$의 그래프에 대한 설명 중 옳지 않은 것은?

① 아래로 볼록한 포물선이다.
② 꼭짓점의 좌표는 (0, 0)이다.
③ $y=-x^2$과 y축에 대칭이다.
④ $x=0$을 축으로 하는 선대칭도형이다.
⑤ $x<0$일 때, x의 값이 증가하면 y의 값은 감소한다.

개념 ③ 이차함수 $y=ax^2$의 그래프

(1) 원점이 꼭짓점이고, 직선 $x=0$(y축)이 축이다.

(2) $a>0$일 때 아래로 볼록하고, $a<0$일 때 위로 볼록하다.

(3) a의 절댓값이 클수록 그래프의 폭이 좁아진다.

(4) $y=-ax^2$의 그래프와 x축에 대칭이다.

예 $y=3x^2$의 그래프와 x축에 대칭인 그래프의 식은 $y=-3x^2$이다.

참고 a의 절댓값이 같고 부호가 다르면 x축에 대칭이다.

예 $y=3x^2 \xrightarrow{x\text{축에 대칭}} y=-3x^2$, $y=-\frac{1}{3}x^2 \xrightarrow{x\text{축에 대칭}} y=\frac{1}{3}x^2$

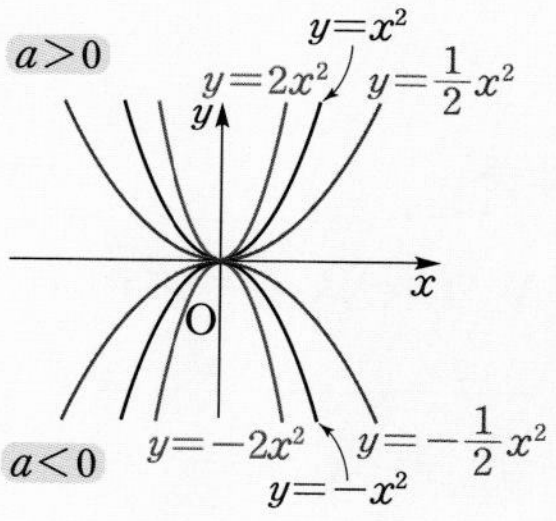

개념 α

▶ 이차함수 $y=ax^2$의 그래프에서
① $a>0$이면 그래프는 제 1, 2사분면을 지난다.
② $a<0$이면 그래프는 제 3, 4사분면을 지난다.

개념확인 **03** 다음 보기의 이차함수에 대하여 다음 물음에 답하여라.

보기

ㄱ. $y=2x^2$	ㄴ. $y=\frac{1}{3}x^2$	ㄷ. $y=-2x^2$
ㄹ. $y=-\frac{1}{2}x^2$	ㅁ. $y=\frac{3}{2}x^2$	ㅂ. $y=-3x^2$

(1) 아래로 볼록한 포물선을 모두 골라라.

(2) 위로 볼록한 포물선을 모두 골라라.

(3) 그래프의 폭이 가장 넓은 것과 가장 좁은 것을 차례로 써라.

(4) x축에 서로 대칭인 그래프를 골라라.

개념확인 **04** 이차함수 $y=ax^2$의 그래프가 점 $(-2, 4)$를 지날 때, 상수 a의 값은?

① -2 ② -1 ③ 1
④ 2 ⑤ 3

개념확인 **05** 이차함수 $y=ax^2$의 그래프는 아래로 볼록한 포물선이고, 그래프의 폭이 $y=2x^2$의 그래프보다 넓고, $y=-\frac{1}{2}x^2$의 그래프보다 좁다고 할 때, 상수 a의 값의 범위는?

① $-2<a<-\frac{1}{2}$ ② $-\frac{1}{2}<a<0$ ③ $0<a<\frac{1}{2}$
④ $\frac{1}{2}<a<2$ ⑤ $2<a<\frac{5}{2}$

정답 및 풀이 28쪽

핵심유형 1 이차함수의 뜻 개념 ❶

다음 보기 중에서 이차함수는 모두 몇 개인지 구하여라.

보기

ㄱ. $y=x^2-1$ ㄴ. $y=\frac{1}{x^2}+1$

ㄷ. $y=\frac{x^2-1}{2}$ ㄹ. $y=x^2-(1-x)^2$

ㅁ. $y=(x-1)(x+1)-x^2$

GUIDE
이차함수는 $y=ax^2+bx+c$ $(a\neq 0)$의 꼴이다.

1-1 다음 중 이차함수가 아닌 것은?

① $y=x^2$ ② $y=x^2+2$
③ $y=(x-1)^2-2x^2$ ④ $y=x^2-3x-\frac{1}{2}$
⑤ $y=x(x+1)(x-1)$

1-2 다음 식이 x에 대한 이차함수일 때, 상수 k의 값이 될 수 없는 것은?

$$y=(k-3)x^2+x(x+1)$$

① -3 ② -2 ③ 1
④ 2 ⑤ 3

1-3 다음 중 y가 x에 대한 이차함수인 것은?

① 1000원짜리 과자 x개를 살 때 드는 비용 y원
② 10000원짜리 옷을 x % 할인하여 구입한 가격 y원
③ 하루에 10쪽씩 x일 동안 읽은 책의 쪽 수 y쪽
④ 밑변의 길이가 x cm, 높이가 3 cm인 삼각형의 넓이 y cm^2
⑤ 둘레의 길이가 10 cm인 직사각형의 가로의 길이가 x cm일 때 넓이 y cm^2

핵심유형 2 이차함수 $y=x^2$의 그래프 개념 ❷

다음 중 이차함수 $y=x^2$의 그래프에 대한 설명으로 옳은 것은?

① 위로 볼록한 포물선이다.
② 포물선의 축은 x축이다.
③ 꼭짓점의 좌표는 $(1, 1)$이다.
④ $y=-x^2$의 그래프와 y축에 대칭이다.
⑤ 그래프는 제1사분면과 제2사분면을 지난다.

GUIDE
이차함수 $y=x^2$의 그래프는 아래로 볼록한 포물선이고, 이차함수 $y=-x^2$의 그래프는 위로 볼록한 포물선이다.

2-1 다음 중 이차함수 $y=-x^2$의 그래프에 대한 설명으로 옳은 것은?

① 아래로 볼록한 포물선이다.
② 축의 방정식은 $y=0$이다.
③ 꼭짓점의 좌표는 구할 수 없다.
④ $y=x^2$의 그래프와 y축에 대칭이다.
⑤ $x>0$일 때, x의 값이 증가하면 y의 값은 감소한다.

2-2 이차함수 $y=-x^2$의 그래프가 점 $\mathrm{A}(3, a)$를 지날 때, a의 값과 점 A와 x축에 대칭인 점의 좌표를 차례로 구한 것은?

① -9, $(3, 9)$ ② -9, $(-3, -9)$
③ -6, $(3, 6)$ ④ 6, $(3, -6)$
⑤ 3, $(3, -3)$

핵심유형 3 이차함수 $y=ax^2$의 그래프

개념 ❸

다음 보기 중에서 이차함수 $y=ax^2$의 그래프에 대한 설명으로 옳은 것을 모두 고른 것은?

보기

ㄱ. 원점을 꼭짓점으로 하는 포물선이다.
ㄴ. x축을 축으로 한다.
ㄷ. 점 $(-1, a)$를 지난다.
ㄹ. a의 절댓값이 클수록 폭이 넓어진다.
ㅁ. $y=-ax^2$의 그래프와 x축에 대칭이다.
ㅂ. $a>0$이면 위로 볼록하고, $a<0$이면 아래로 볼록하다.

① ㄱ, ㄴ, ㄷ　② ㄱ, ㄷ, ㄹ　③ ㄱ, ㄷ, ㅁ
④ ㄱ, ㄹ, ㅁ　⑤ ㄴ, ㄷ, ㅂ

GUIDE
이차함수 $y=ax^2$의 그래프는 원점을 꼭짓점으로 하고, y축을 축으로 하는 포물선이다.

3-1 다음 중 이차함수 $y=-\frac{3}{2}x^2$의 그래프에 대한 설명으로 옳지 않은 것은?

① 점 $(-2, -6)$을 지난다.
② 축의 방정식은 $x=0$이다.
③ 꼭짓점은 원점이다.
④ 위로 볼록한 포물선이다.
⑤ $y=\frac{3}{2}x^2$의 그래프와 y축에 대칭이다.

3-2 오른쪽 그림과 같은 포물선을 그래프로 하는 이차함수의 식은?

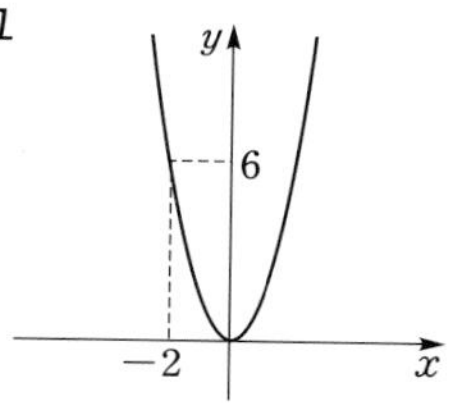

① $y=3x^2$
② $y=-3x^2$
③ $y=\frac{3}{2}x^2$
④ $y=-\frac{3}{2}x^2$
⑤ $y=\frac{2}{3}x^2$

3-3 원점을 꼭짓점으로 하고, 점 $(-3, -9)$를 지나는 포물선을 그래프로 하는 이차함수의 식은?

① $y=x^2$　② $y=-x^2$　③ $y=3x^2$
④ $y=-3x^2$　⑤ $y=\frac{2}{3}x^2$

3-4 이차함수 $y=-3x^2$의 그래프와 x축에 대칭인 그래프의 식은?

① $y=-\frac{1}{3}x^2$　② $y=\frac{1}{3}x^2$　③ $y=x^2$
④ $y=-3x^2$　⑤ $y=3x^2$

3-5 이차함수 $y=\frac{3}{4}x^2$의 그래프와 x축에 대칭인 이차함수의 그래프가 점 $(-2, k)$를 지날 때, 상수 k의 값은?

① $-\frac{9}{2}$　② -4　③ -3
④ $\frac{15}{4}$　⑤ $\frac{11}{2}$

3-6 다음 중 두 이차함수 $y=-\frac{1}{2}x^2$과 $y=x^2$의 그래프 사이에 있는 이차함수의 그래프의 식은?

① $y=-3x^2$　② $y=-\frac{3}{2}x^2$　③ $y=\frac{3}{4}x^2$
④ $y=\frac{4}{3}x^2$　⑤ $y=2x^2$

정답 및 풀이 29쪽

01 다음 중 이차함수인 것은?

① $y=2x+1$ ② $y=x(2x-1)$
③ $y=x(x^2+x-2)$ ④ $3x^2+2x-1=0$
⑤ $y=x(x+1)-(x^2-1)$

02 다음 중 y가 x에 대한 이차함수인 것을 모두 고르면? (정답 2개)

① 하루 중 낮의 길이가 x시간일 때, 밤의 길이 y시간
② 시속 x km로 2시간 동안 달린 거리 y km
③ 반지름의 길이가 x cm인 원의 넓이 y cm^2
④ 자연수 x와 그 수보다 1이 더 큰 수와의 곱 y
⑤ 한 변의 길이가 x cm인 정사각형의 둘레의 길이 y cm

03 이차함수 $f(x)=3x^2-4x+a$에서 $f(2)=8$일 때, 상수 a의 값은?

① 2 ② 4 ③ 6
④ 8 ⑤ 10

잘나와요

04 다음 보기 중에서 이차함수 $y=x^2$의 그래프에 대한 설명으로 옳은 것을 모두 고른 것은?

보기
ㄱ. 원점을 지난다.
ㄴ. 아래로 볼록하다.
ㄷ. x축에 대칭이다.
ㄹ. $x>0$일 때, x의 값이 증가하면 y의 값도 증가한다.

① ㄱ, ㄴ ② ㄱ, ㄷ ③ ㄴ, ㄹ
④ ㄱ, ㄴ, ㄹ ⑤ ㄴ, ㄷ, ㄹ

05 오른쪽 그림은 이차함수 $y=ax^2$의 그래프일 때, 상수 a의 값은?

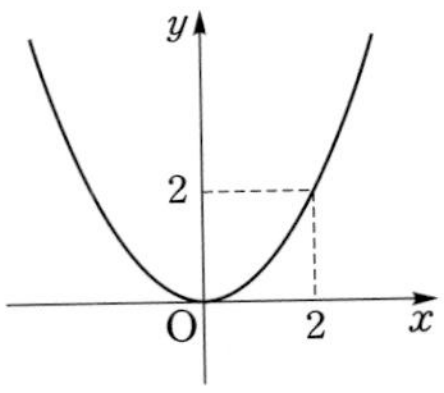

① -2 ② $-\frac{1}{2}$
③ $\frac{1}{2}$ ④ $\frac{2}{3}$
⑤ 2

06 원점을 꼭짓점으로 하고, 점 $(-3, 6)$을 지나는 포물선을 그래프로 하는 이차함수의 식은?

① $y=-2x^2$ ② $y=-\frac{3}{2}x^2$ ③ $y=\frac{2}{3}x^2$
④ $y=\frac{3}{2}x^2$ ⑤ $y=2x^2$

내신 up

07 이차함수 $y=ax^2$의 그래프가 두 점 $(-2, 12)$, $(3, b)$를 지날 때, 상수 a, b에 대하여 $a+b$의 값은?

① 21 ② 23 ③ 25
④ 27 ⑤ 30

08 이차함수 $y=f(x)$의 그래프가 오른쪽 그림과 같을 때, $f(-4)$의 값은?

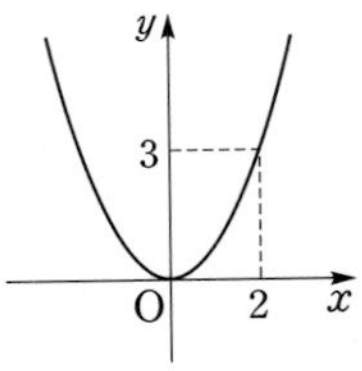

① $\frac{11}{2}$ ② $\frac{17}{3}$
③ $\frac{27}{4}$ ④ 8
⑤ 12

09 이차함수 $y=-\frac{2}{3}x^2$의 그래프에 대한 다음 설명 중 옳은 것은?

① 아래로 볼록한 포물선이다.
② 축은 x축이다.
③ 꼭짓점의 좌표는 $(-3, 0)$이다.
④ $y=\frac{2}{3}x^2$의 그래프와 y축에 대칭이다.
⑤ $x<0$일 때, x의 값이 증가하면 y의 값도 증가한다.

잘나와요
10 다음 이차함수의 그래프 중 포물선이 위로 볼록하면서 폭이 가장 좁은 것은?

① $y=-\frac{2}{3}x^2$ ② $y=\frac{3}{2}x^2$ ③ $y=-\frac{1}{2}x^2$
④ $y=2x^2$ ⑤ $y=-2x^2$

11 다음 이차함수 중 그래프의 폭이 넓은 것부터 차례로 나열한 것은?

ㄱ. $y=\frac{3}{2}x^2$ ㄴ. $y=-\frac{1}{2}x^2$ ㄷ. $y=\frac{2}{3}x^2$
ㄹ. $y=-x^2$ ㅁ. $y=\frac{1}{4}x^2$

① ㄱ, ㄴ, ㄷ, ㄹ, ㅁ ② ㄹ, ㄴ, ㅁ, ㄷ, ㄱ
③ ㄱ, ㄷ, ㅁ, ㄴ, ㄹ ④ ㅁ, ㄴ, ㄷ, ㄹ, ㄱ
⑤ ㅁ, ㄷ, ㄴ, ㄹ, ㄱ

12 오른쪽 그림은 이차함수 $y=-x^2$, $y=ax^2$의 그래프이다. 이때 상수 a의 값의 범위는?

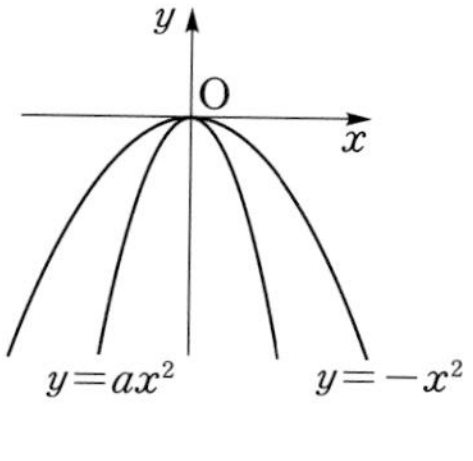

① $a<-1$ ② $a>1$
③ $0<a<1$ ④ $-1<a<0$
⑤ $-1<a<1$

내신 up
13 오른쪽 그림과 같이 직선 $y=9$가 이차함수 $y=x^2$, $y=ax^2$의 그래프에 의하여 4등분 될 때, 상수 a의 값은?

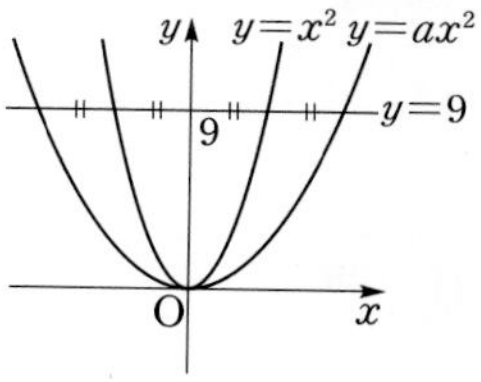

① $\frac{1}{4}$ ② $\frac{1}{3}$
③ $\frac{1}{2}$ ④ $\frac{2}{3}$ ⑤ $\frac{3}{4}$

서·술·형·문·제
풀이 과정을 자세히 쓰시오.

14 오른쪽 그림과 같은 이차함수의 그래프와 x축에 대칭인 이차함수의 그래프가 점 $(3, k)$를 지날 때, 상수 k의 값을 구하여라.

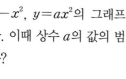

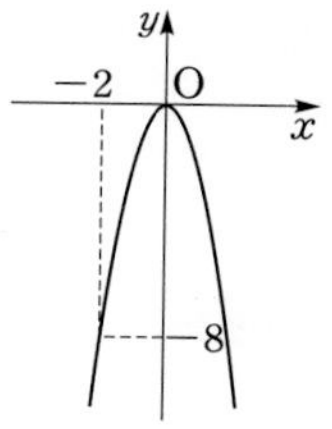

[단계] ❶ 이차함수의 식 구하기
❷ x축에 대칭인 그래프의 식 구하기
❸ k의 값 구하기

답 ______

15 이차함수 $f(x)=3x^2-x+1$에서 $f(2)-\frac{1}{3}f(-2)$의 값을 구하여라.

답 ______

134쪽 기출문제로 내신대비로 반복학습하세요!

14 이차함수의 그래프

Ⅳ. 이차함수

정답 및 풀이 30쪽

개념 ① 이차함수 $y=ax^2+q$의 그래프

(1) 이차함수 $y=ax^2$의 그래프를 y축의 방향으로 q만큼 평행이동한 그래프이다.

$$y=ax^2 \xrightarrow[q\text{만큼 평행이동}]{y\text{축의 방향으로}} y=ax^2+q$$

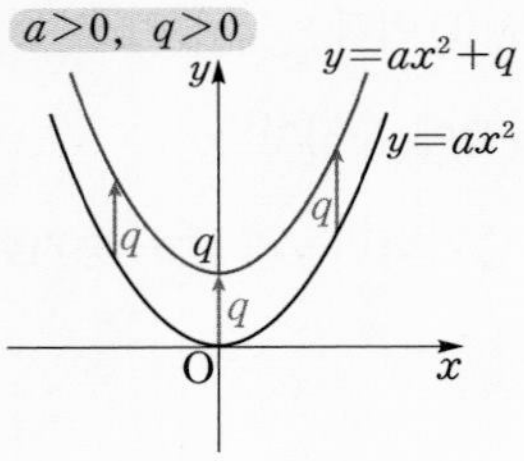

(2) **꼭짓점의 좌표** : $(0, q)$

(3) **축의 방정식** : $x=0$ (y축)

예 이차함수 $y=3x^2+4$의 그래프는

① $y=3x^2$의 그래프를 y축의 방향으로 4만큼 평행이동한 것이다.

② 꼭짓점의 좌표 : $(0, 4)$, 축의 방정식 : $x=0$ (y축)

개념 α

▸ 그래프를 평행이동하여도 x^2의 계수 a는 변하지 않으므로 그래프의 모양과 폭은 변하지 않는다.

개념확인 **01** 다음 이차함수의 그래프를 y축의 방향으로 [ ] 안의 수만큼 평행이동한 그래프의 식을 구하고, 꼭짓점의 좌표와 축의 방정식을 차례로 구하여라.

(1) $y=3x^2$ $[-1]$

(2) $y=-\frac{1}{3}x^2$ $[4]$

개념 ② 이차함수 $y=a(x-p)^2$의 그래프

(1) 이차함수 $y=ax^2$의 그래프를 x축의 방향으로 p만큼 평행이동한 그래프이다.

$$y=ax^2 \xrightarrow[p\text{만큼 평행이동}]{x\text{축의 방향으로}} y=a(x-p)^2$$

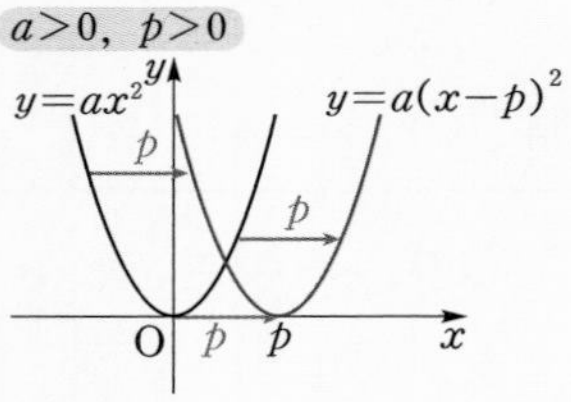

(2) **꼭짓점의 좌표** : $(p, 0)$

(3) **축의 방정식** : $x=p$

예 이차함수 $y=3(x-1)^2$의 그래프는

① $y=3x^2$의 그래프를 x축의 방향으로 1만큼 평행이동한 것이다.

② 꼭짓점의 좌표 : $(1, 0)$, 축의 방정식 : $x=1$

참고 이차함수 $y=a(x-p)^2$ $(a>0)$의 그래프에서

① $x<p$일 때, x의 값이 증가하면 y의 값은 감소한다.

② $x>p$일 때, x의 값이 증가하면 y의 값도 증가한다.

개념 α

▸ x축의 방향으로 p만큼 평행이동하면 축의 방정식이 $x=p$로 변하므로 그래프가 증가, 감소하는 범위도 변한다.

개념확인 **02** 다음 이차함수의 그래프를 x축의 방향으로 [ ] 안의 수만큼 평행이동한 그래프의 식을 구하고, 꼭짓점의 좌표와 축의 방정식을 차례로 구하여라.

(1) $y=-3x^2$ $[4]$

(2) $y=\frac{1}{2}x^2$ $[-1]$

개념 ③ 이차함수 $y=a(x-p)^2+q$의 그래프

(1) 이차함수 $y=ax^2$의 그래프를 x축의 방향으로 p만큼, y축의 방향으로 q만큼 평행이동한 그래프이다.

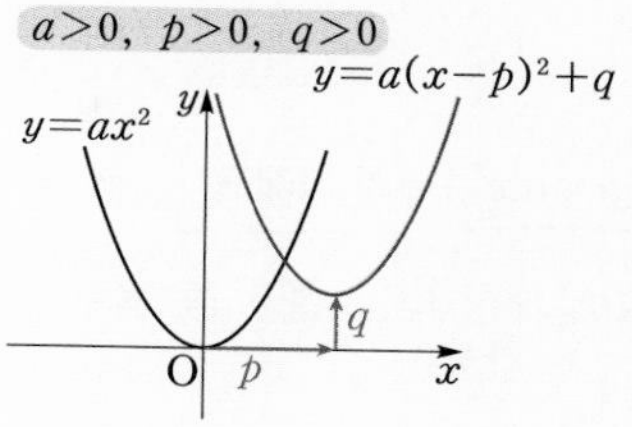

$y=ax^2$ —(x축의 방향으로 p만큼 / y축의 방향으로 q만큼 평행이동)→ $y=a(x-p)^2+q$

(2) **꼭짓점의 좌표** : $(p,\ q)$

(3) **축의 방정식** : $x=p$

예 이차함수 $y=3(x-1)^2+4$의 그래프는

① $y=3x^2$의 그래프를 x축의 방향으로 1만큼, y축의 방향으로 4만큼 평행이동한 것이다.

② 꼭짓점의 좌표 : $(1,\ 4)$, 축의 방정식 : $x=1$

개념 α

▶ 이차함수 $y=a(x-p)^2+q$의 그래프에서

① x축의 방향으로 m만큼 y축의 방향으로 n만큼 평행이동한 그래프의 식은 $y=a(x-p-m)^2+q+n$

② x축에 대하여 대칭이동한 그래프의 식은 $y=-a(x-p)^2-q$

③ y축에 대하여 대칭이동한 그래프의 식은 $y=a(x+p)^2+q$

개념확인 **03** 다음 이차함수의 그래프를 x축의 방향으로 p만큼, y축의 방향으로 q만큼 평행이동한 그래프의 식을 구하고, 꼭짓점의 좌표와 축의 방정식을 차례로 구하여라.

(1) $y=4x^2$ $[p=1,\ q=-3]$　　(2) $y=-\frac{2}{3}x^2$ $[p=-1,\ q=4]$

개념 ④ 이차함수 $y=a(x-p)^2+q$의 그래프에서 a, p, q의 부호

(1) **a의 부호** : 그래프의 모양에 따라 결정

① 아래로 볼록(∪) : $a>0$　② 위로 볼록(∩) : $a<0$

(2) **p, q의 부호** : 꼭짓점 $(p,\ q)$의 위치에 따라 결정

① 제1사분면 위에 있으면 $p>0$, $q>0$

② 제2사분면 위에 있으면 $p<0$, $q>0$

③ 제3사분면 위에 있으면 $p<0$, $q<0$

④ 제4사분면 위에 있으면 $p>0$, $q<0$

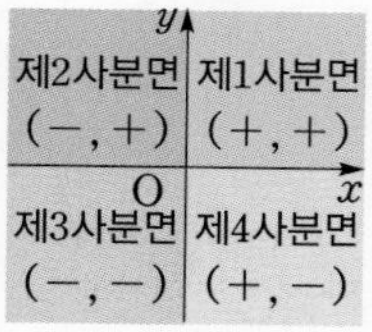

개념 α

▶ 꼭짓점이 y축 위에 있으면 $p=0$
꼭짓점이 x축 위에 있으면 $q=0$

개념확인 **04** 이차함수 $y=a(x-p)^2+q$의 그래프가 오른쪽 그림과 같을 때, □ 안에 알맞은 것을 써넣어라.

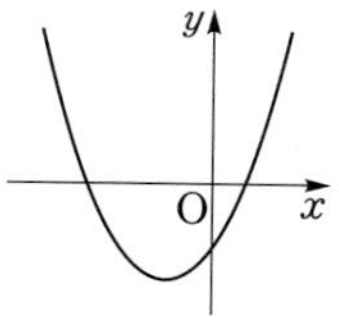

(1) 그래프의 모양이 □로 볼록하므로 a□0

(2) 꼭짓점이 제□사분면 위에 있으므로 p□0, q□0

핵심유형으로 개념 정복하기

정답 및 풀이 30쪽

핵심유형 1 이차함수 $y=ax^2+q$의 그래프 개념❶

이차함수 $y=ax^2+q$의 그래프에 대한 다음 설명 중 옳지 않은 것은?

① 꼭짓점의 좌표는 $(0, q)$이다.
② 축의 방정식은 $x=q$이다.
③ $a>0$일 때, 아래로 볼록하다.
④ y축에 대칭이다.
⑤ $y=ax^2$의 그래프를 y축의 방향으로 q만큼 평행이동한 그래프이다.

GUIDE
이차함수 $y=ax^2+q$의 그래프는 $y=ax^2$의 그래프를 y축의 방향으로 q만큼 평행이동한 것이다.

1-1 이차함수 $y=5x^2$의 그래프를 y축의 방향으로 2만큼 평행이동한 그래프의 식은?

① $y=-5x^2-2$ ② $y=-5x^2+2$
③ $y=5x^2+2$ ④ $y=5(x-2)^2$
⑤ $y=5(x+2)^2$

1-2 오른쪽 그림과 같이 점 $(0, 3)$을 꼭짓점으로 하고 점 $(-2, 0)$을 지나는 포물선을 그래프로 하는 이차함수의 식은?

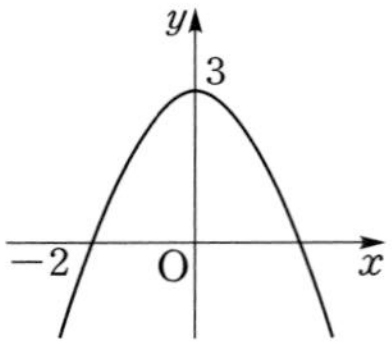

① $y=-2x^2+3$ ② $y=-\frac{1}{3}x^2-2$
③ $y=-3x^2-2$ ④ $y=-\frac{3}{4}x^2+3$
⑤ $y=-\frac{5}{4}x^2+3$

1-3 이차함수 $y=-3x^2$의 그래프를 y축의 방향으로 2만큼 평행이동한 그래프는 점 $(1, a)$를 지난다. 이때 상수 a의 값은?

① -3 ② -2 ③ -1
④ 2 ⑤ 3

핵심유형 2 이차함수 $y=a(x-p)^2$의 그래프 개념❷

이차함수 $y=2(x+3)^2$의 그래프에 대한 다음 설명 중 옳은 것은?

① 위로 볼록한 포물선이다.
② 축의 방정식은 $x=3$이다.
③ 꼭짓점의 좌표는 $(-3, 0)$이다.
④ $x>-3$일 때, x의 값이 증가하면 y의 값은 감소한다.
⑤ 모든 x의 값에 대하여 y의 값은 양수이다.

GUIDE
이차함수 $y=2(x+3)^2$의 그래프는 $y=2x^2$의 그래프를 x축의 방향으로 -3만큼 평행이동한 그래프이다.

2-1 이차함수 $y=-2x^2$의 그래프를 x축의 방향으로 -1만큼 평행이동한 그래프의 식은?

① $y=-2x^2+1$ ② $y=-2x^2-1$
③ $y=-2(x-1)^2$ ④ $y=-2(x^2+1)$
⑤ $y=-2(x+1)^2$

2-2 오른쪽 그림은 $y=\frac{1}{2}x^2$의 그래프를 x축의 방향으로 평행이동한 것이다. 이 그래프를 나타내는 식을 $y=f(x)$라 할 때, $f(3)-f(-1)$의 값은?

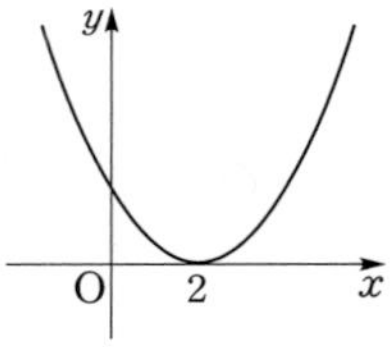

① -4 ② -2 ③ 0
④ 2 ⑤ 4

2-3 이차함수 $y=-\frac{2}{3}x^2$의 그래프를 x축의 방향으로 -1만큼 평행이동한 그래프의 꼭짓점의 좌표는 $(a, 0)$, 축의 방정식은 $x=b$일 때, $a+b$의 값은?

① -3 ② -2 ③ -1
④ 2 ⑤ 3

핵심유형 3 이차함수 $y=a(x-p)^2+q$의 그래프 개념❸

오른쪽 그림과 같은 포물선을 그래프로 하는 이차함수의 식은?

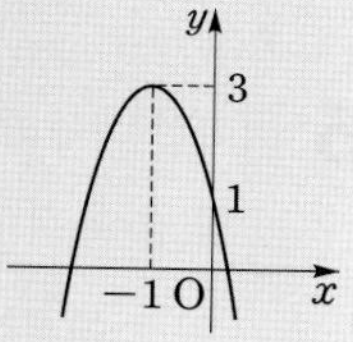

① $y=(x+1)^2+3$

② $y=-(x+1)^2+3$

③ $y=-2(x-1)^2+3$

④ $y=-2(x+1)^2+3$

⑤ $y=-3(x+1)^2+1$

GUIDE

꼭짓점의 좌표가 (p, q)인 포물선을 그래프로 하는 이차함수의 식은 $y=a(x-p)^2+q$이다.

3-1 이차함수 $y=\frac{1}{2}x^2$의 그래프를 x축의 방향으로 3만큼, y축의 방향으로 -1만큼 평행이동한 그래프의 식은?

① $y=\frac{1}{2}x^2-1$　② $y=\frac{1}{2}(x+3)^2$

③ $y=\frac{1}{2}(x-3)^2$　④ $y=\frac{1}{2}(x+3)^2-1$

⑤ $y=\frac{1}{2}(x-3)^2-1$

3-2 이차함수 $y=-\frac{2}{3}(x+2)^2-5$의 그래프에서 x의 값이 증가할 때 y의 값은 감소하는 x의 값의 범위가 될 수 있는 것은?

① $x>-5$　② $x>-2$　③ $x<-2$

④ $x<2$　⑤ $x<5$

3-3 이차함수 $y=-2x^2$의 그래프를 x축의 방향으로 1만큼, y축의 방향으로 -3만큼 평행이동한 그래프가 점 $(a, -5)$를 지난다. 이때 상수 a의 값을 구하여라. (단, $a>1$)

핵심유형 4 이차함수의 그래프에서 계수의 부호 개념❹

이차함수 $y=a(x-p)^2+q$의 그래프가 오른쪽 그림과 같을 때, 다음 중 옳은 것은?

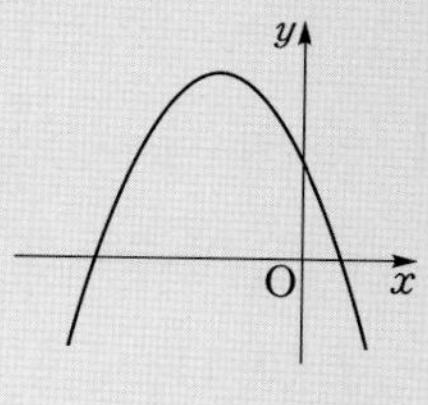

① $a>0, p<0, q<0$

② $a>0, p<0, q>0$

③ $a<0, p<0, q>0$

④ $a<0, p>0, q<0$

⑤ $a<0, p>0, q>0$

GUIDE

그래프가 아래로 볼록이면 $a>0$, 위로 볼록이면 $a<0$

4-1 일차함수 $y=ax+b$의 그래프가 오른쪽 그림과 같을 때, 이차함수 $y=(x-a)^2+b$의 그래프가 지나는 사분면을 모두 구하여라.

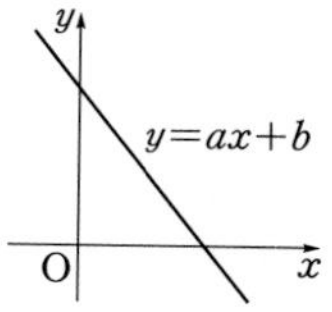

4-2 이차함수 $y=a(x-p)^2+q$의 그래프가 오른쪽 그림과 같을 때, 다음 중 이차함수 $y=q(x+a)^2-p$의 그래프로 알맞은 것은?

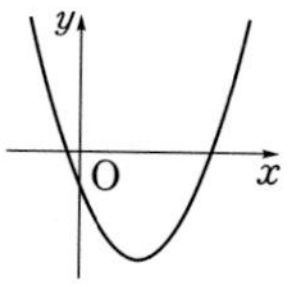

①
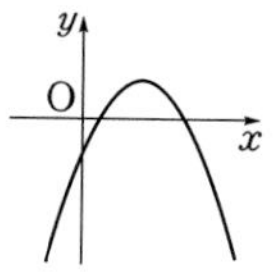

②
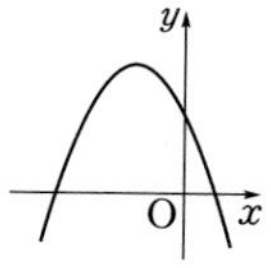

③
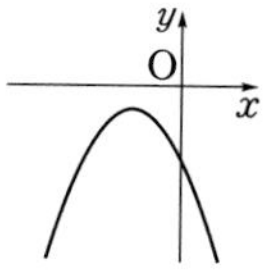

④
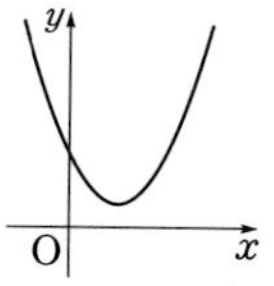

⑤
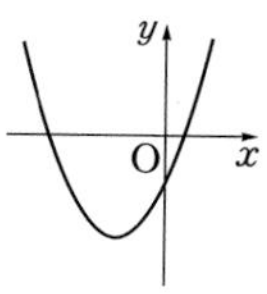

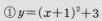

정답 및 풀이 31쪽

01 이차함수 $y=-\frac{1}{2}x^2+q$의 그래프가 점 $(-2, 1)$을 지날 때, 이 그래프의 꼭짓점의 좌표는? (단, q는 상수)

① $(0, 1)$ ② $(0, 2)$ ③ $(0, 3)$
④ $(-2, 0)$ ⑤ $(-1, 0)$

02 이차함수 $y=-3x^2$의 그래프를 x축의 방향으로 -2만큼 평행이동하면 점 $(-1, m)$을 지난다. 이때 상수 m의 값은?

① -3 ② -2 ③ -1
④ 2 ⑤ 4

03 이차함수 $y=a(x-p)^2+2$의 그래프는 축의 방정식이 $x=-1$이고 점 $(-2, 5)$를 지난다. 이때 상수 a, p에 대하여 $a+p$의 값은?

① -4 ② -2 ③ 2
④ 4 ⑤ 6

잘나와요
04 이차함수 $y=a(x-p)^2+q$의 그래프가 오른쪽 그림과 같을 때, 상수 a, p, q에 대하여 apq의 값은?

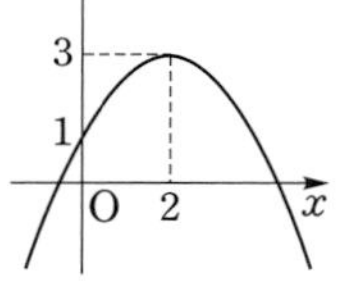

① -5 ② -3
③ -1 ④ 3
⑤ 6

05 이차함수 $y=-2(x+3)^2-4$의 그래프에 대한 다음 설명 중 옳지 않은 것은?

① 위로 볼록한 포물선이다.
② 꼭짓점의 좌표는 $(3, -4)$이다.
③ 축의 방정식은 $x=-3$이다.
④ 점 $(-2, -6)$을 지난다.
⑤ 이차함수 $y=-2x^2$의 그래프를 x축의 방향으로 -3만큼, y축의 방향으로 -4만큼 평행이동한 그래프이다.

06 다음 이차함수의 그래프 중에서 꼭짓점이 제3사분면 위에 있는 것은?

① $y=-x^2+2$ ② $y=\frac{1}{2}x^2-1$
③ $y=2(x-3)^2+5$ ④ $y=-\frac{1}{3}(x-1)^2+2$
⑤ $y=\frac{3}{2}(x+1)^2-2$

잘나와요
07 이차함수 $y=2(x-1)^2+3$의 그래프를 x축의 방향으로 -4만큼, y축의 방향으로 -2만큼 평행이동한 그래프가 점 $(1, a)$를 지날 때, 상수 a의 값은?

① 12 ② 16 ③ 22
④ 28 ⑤ 33

08 이차함수 $y=-\frac{1}{3}(x-p)^2+q$의 그래프를 y축의 방향으로 -3만큼 평행이동하면 꼭짓점의 좌표가 $(-2, -1)$이고, 점 $(1, a)$를 지난다. 이때 상수 a, p, q에 대하여 $a+p+q$의 값은?

① -4 ② -2 ③ 2
④ 4 ⑤ 6

09 이차함수 $y=-3(x+2)^2-4$의 그래프를 x축에 대하여 대칭이동한 그래프의 식을 구하여라.

10 이차함수 $y=\frac{1}{2}(x-1)^2+3$의 그래프를 y축에 대하여 대칭이동한 그래프가 점 $(1,\ k)$를 지날 때, 상수 k의 값은?

① $-\frac{5}{2}$ ② -2 ③ $\frac{3}{2}$
④ 2 ⑤ 5

11 다음 조건을 모두 만족하는 포물선을 그래프로 하는 이차함수의 식은?

> (가) 꼭짓점의 좌표가 $(-1,\ -2)$이다.
> (나) $y=x^2$의 그래프보다 폭이 넓다.
> (다) 제 1, 2사분면을 지나지 않는다.

① $y=2(x+1)^2-2$ ② $y=\frac{1}{2}(x-1)^2-2$
③ $y=\frac{1}{2}(x+1)^2-2$ ④ $y=-\frac{1}{2}(x-1)^2-2$
⑤ $y=-\frac{1}{4}(x+1)^2-2$

잘나와요
12 일차함수 $y=ax+b$의 그래프가 오른쪽 그림과 같을 때, 다음 중 이차함수 $y=b(x-a)^2$의 그래프로 적당한 것은?

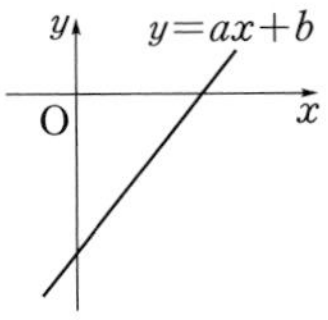

① 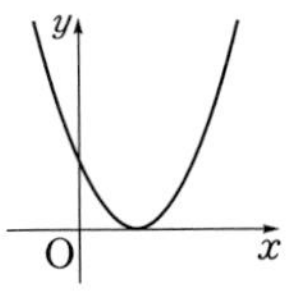
② 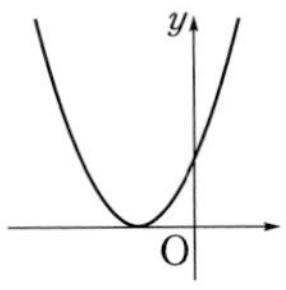
③ 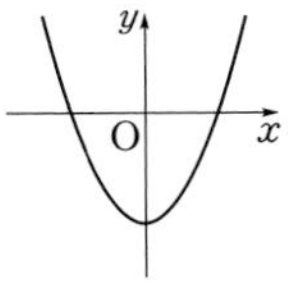
④ 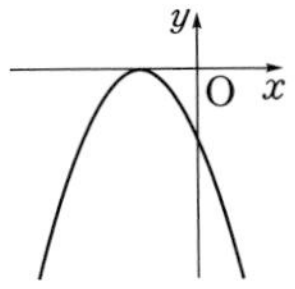
⑤ 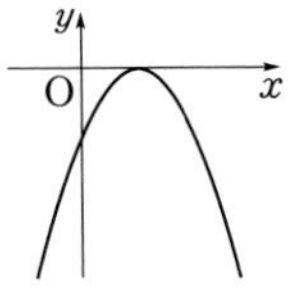

13 이차함수 $y=ax^2+q$의 그래프가 오른쪽 그림과 같을 때, 다음 중 항상 옳은 것은? (단, a, q는 상수)

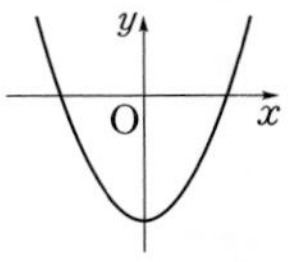

① $a<0$ ② $q>0$ ③ $a-q<0$
④ $aq<0$ ⑤ $a+q<0$

서·술·형·문·제 풀이 과정을 자세히 쓰시오.

14 오른쪽 그림과 같이 직선 $y=4$가 두 이차함수 $y=x^2$, $y=ax^2$의 그래프 및 y축과 만나는 점을 각각 A, B, C, D, E라 하자. $\overline{EC}=\overline{CD}$일 때, 상수 a의 값을 구하여라.

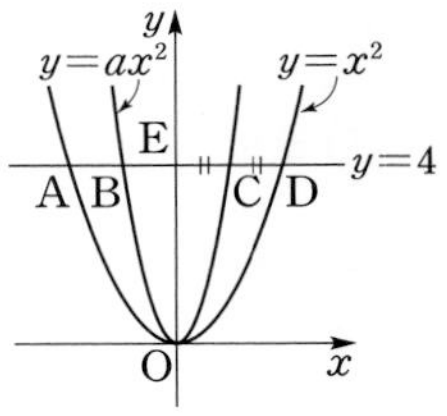

[단계] ❶ 점 D의 좌표 구하기
❷ 점 C의 좌표 구하기
❸ a의 값 구하기

답 ______

15 오른쪽 그림은 이차함수 $y=x^2-5$의 그래프와 이 그래프를 x축에 대하여 대칭이동한 그래프를 각각 나타낸 것이다. 점 P, Q는 각각의 꼭짓점이고 점 A, B는 x축과의 교점일 때, 사각형 PAQB의 넓이를 구하여라.

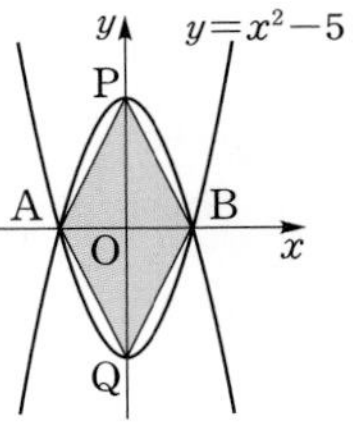

답 ______

136쪽 기출문제로 내신대비로 반복학습하세요!

15 이차함수의 활용

정답 및 풀이 32쪽

개념 ① 이차함수 $y=ax^2+bx+c$의 그래프

이차함수 $y=ax^2+bx+c$의 그래프는 $y=a(x-p)^2+q$의 꼴로 고쳐서 그린다.

$$y=ax^2+bx+c \Rightarrow y=a\left(x+\frac{b}{2a}\right)^2-\frac{b^2-4ac}{4a}$$

(1) 꼭짓점의 좌표 : $\left(-\frac{b}{2a},\ -\frac{b^2-4ac}{4a}\right)$

(2) 축의 방정식 : $x=-\frac{b}{2a}$

(3) y축과의 교점의 좌표 : $(0,\ c)$

개념 α

▸ 이차함수 $y=ax^2+bx+c$에서 a, b, c의 부호
① 아래로 볼록 ⇨ $a>0$
위로 볼록 ⇨ $a<0$
② 축이 y축의 왼쪽 ⇨ $ab>0$
축이 y축의 오른쪽 ⇨ $ab<0$
③ y절편이 양수 ⇨ $c>0$
y절편이 음수 ⇨ $c<0$

개념확인 **01** 다음 이차함수의 그래프의 꼭짓점의 좌표와 축의 방정식을 차례로 구하여라.

(1) $y=-x^2-4x+1$　　　(2) $y=2x^2+12x+15$

개념 ② 이차함수의 식 구하기

(1) 꼭짓점 $(p,\ q)$와 그래프 위의 다른 한 점을 알 때

① 이차함수의 식을 $y=a(x-p)^2+q$로 놓는다.

② 이 식에 한 점의 좌표를 대입하여 a의 값을 구한다.

(2) 축의 방정식 $x=p$와 그래프 위의 두 점을 알 때

① 이차함수의 식을 $y=a(x-p)^2+q$로 놓는다.

② 이 식에 두 점의 좌표를 각각 대입하여 a와 q의 값을 구한다.

(3) 그래프 위의 서로 다른 세 점을 알 때

① 이차함수의 식을 $y=ax^2+bx+c$로 놓는다.

② 이 식에 세 점의 좌표를 대입하여 a, b, c의 값을 구한다.

개념 α

▸ x축과 두 점 $(m,\ 0)$, $(n,\ 0)$에서 만나고, 그래프 위의 다른 한 점을 알 때 이차함수의 식 구하기
① 이차함수의 식을 $y=a(x-m)(x-n)$으로 놓는다.
② 이 식에 한 점의 좌표를 대입하여 a의 값을 구한다.

개념확인 **02** 꼭짓점의 좌표가 $(-1,\ 4)$이고, 점 $(-2,\ 1)$을 지나는 포물선을 그래프로 하는 이차함수의 식을 $y=ax^2+bx+c$의 꼴로 나타내어라.

개념확인 **03** 세 점 $(-2,\ -3)$, $(0,\ 5)$, $(3,\ 2)$를 지나는 포물선을 그래프로 하는 이차함수의 식을 $y=ax^2+bx+c$의 꼴로 나타내어라.

정답 및 풀이 32쪽

핵심유형 1 이차함수 $y=ax^2+bx+c$의 그래프 개념❶

이차함수 $y=-x^2-4x+3$의 그래프에 대한 다음 설명 중 옳지 않은 것은?

① 위로 볼록한 포물선이다.
② 꼭짓점의 좌표는 $(2, 7)$이다.
③ y축과의 교점의 좌표는 $(0, 3)$이다.
④ 모든 사분면을 지난다.
⑤ $x<-2$일 때, x의 값이 증가하면 y의 값도 증가한다.

GUIDE
이차함수 $y=ax^2+bx+c$의 그래프는 $y=a(x-p)^2+q$의 꼴로 고쳐서 생각한다.

1-1 이차함수 $y=-2x^2+ax-1$의 그래프가 점 $(1, 5)$를 지날 때, 이 그래프의 꼭짓점의 좌표를 구하여라.
(단, a는 상수)

1-2 이차함수 $y=ax^2+bx+c$의 그래프가 오른쪽 그림과 같을 때, a, b, c의 부호는?

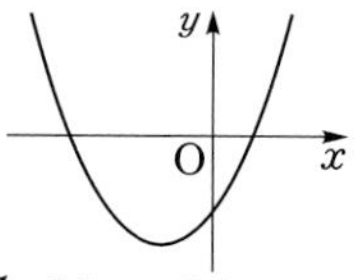

① $a>0$, $b>0$, $c<0$　② $a>0$, $b<0$, $c<0$
③ $a<0$, $b<0$, $c>0$　④ $a<0$, $b>0$, $c>0$
⑤ $a<0$, $b<0$, $c<0$

1-3 다음 중 이차함수 $y=-\frac{1}{2}x^2-2x+2$의 그래프는?

①
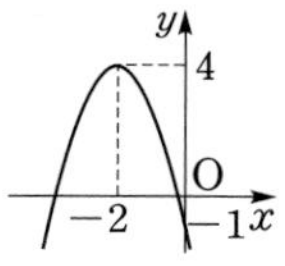

②
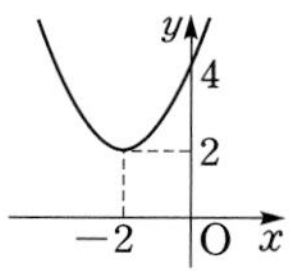

③
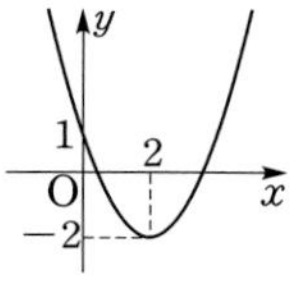

④
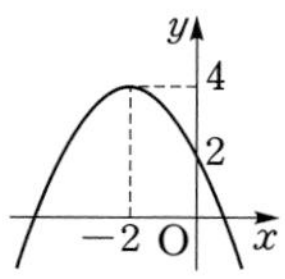

⑤
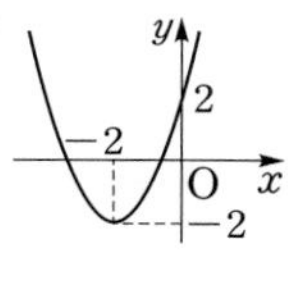

핵심유형 2 이차함수의 식 구하기 개념❷

꼭짓점의 좌표가 $(3, 4)$이고, 점 $(0, -14)$를 지나는 이차함수의 그래프가 점 $(2, m)$을 지날 때, 상수 m의 값은?

① -3　② -2　③ 2
④ 4　⑤ 6

GUIDE
꼭짓점 (p, q)와 다른 한 점을 지나는 이차함수의 식은 $y=a(x-p)^2+q$로 놓고, 이 식에 한 점의 좌표를 대입하여 a의 값을 구한다.

2-1 꼭짓점의 좌표가 $(-2, 3)$이고, 점 $(1, -6)$을 지나는 포물선을 그래프로 하는 이차함수의 식을 $y=ax^2+bx+c$라 할 때, 상수 a, b, c에 대하여 $a+b-c$의 값은?

① -6　② -4　③ -2
④ 3　⑤ 5

2-2 이차함수 $y=2x^2+4x-1$의 그래프와 모양과 폭이 같고, x축과 두 점 $(-1, 0)$, $(3, 0)$에서 만나는 포물선을 그래프로 하는 이차함수의 식은?

① $y=2x^2+x+3$　② $y=2x^2-x+3$
③ $y=2x^2-4x-6$　④ $y=-2x^2+4x+6$
⑤ $y=-2x^2+2x-1$

2-3 세 점 $(0, 0)$, $(-2, 12)$, $(1, -3)$을 지나는 포물선을 그래프로 하는 이차함수의 식은?

① $y=x^2-4x$　② $y=2x^2+3$
③ $y=-x^2+3x$　④ $y=2x^2-x+1$
⑤ $y=-2x^2+3x+1$

기출문제로 실력 다지기

정답 및 풀이 33쪽

01 이차함수 $y=-x^2+6x-5$의 그래프와 x축과의 교점의 x좌표가 각각 p, q이고, y축과의 교점의 y좌표가 r일 때, $p+q+r$의 값은?

① -2　② -1　③ 1
④ 2　⑤ 3

잘나와요

02 다음 중 이차함수 $y=\frac{1}{3}x^2-2x+1$의 그래프가 지나지 <u>않는</u> 사분면은?

① 제1사분면　② 제2사분면
③ 제3사분면　④ 제4사분면
⑤ 없다.

03 이차함수 $y=-3x^2+kx-2$의 그래프가 점 $(2, -2)$를 지날 때, 이 그래프의 꼭짓점의 좌표는?

(단, k는 상수)

① $(-3, -2)$　② $(-2, 1)$　③ $(1, -2)$
④ $(1, 1)$　⑤ $(2, 3)$

내신 up

04 이차함수 $y=-x^2-x+12$의 그래프와 x축과의 교점을 A, B라 할 때, $\overline{\mathrm{AB}}$의 길이는?

① 4　② 5　③ 6
④ 7　⑤ 8

05 이차함수 $y=-\frac{1}{2}x^2+2x+k-3$의 그래프가 x축과 한 점에서 만날 때, 상수 k의 값을 구하여라.

06 다음 중 이차함수 $y=2x^2-4x-1$의 그래프에 대한 설명으로 옳지 <u>않은</u> 것을 모두 고르면? (정답 2개)

① 꼭짓점의 좌표는 $(1, -3)$이다.
② y축과의 교점의 좌표는 $(0, -1)$이다.
③ $x<1$일 때 x의 값이 증가하면 y의 값도 증가한다.
④ 제 1사분면을 지나지 않는다.
⑤ y의 값의 범위는 $y\geq-3$이다.

07 이차함수 $y=ax^2+bx+c$의 그래프가 오른쪽 그림과 같을 때, 다음 중 이차함수 $y=cx^2+bx+a$의 그래프는?

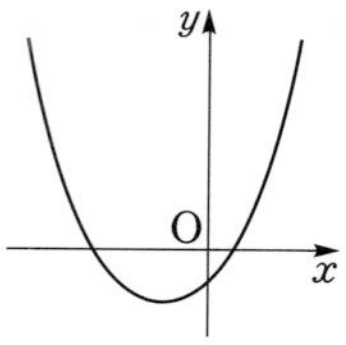

①
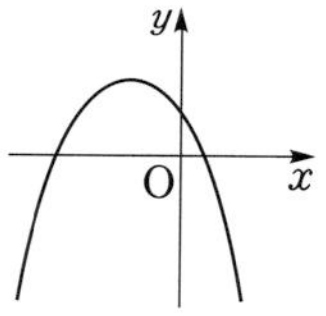

②
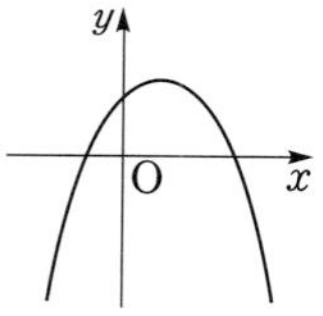

③
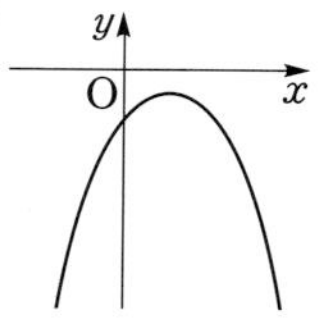

④
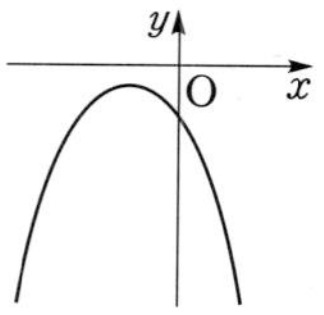

⑤
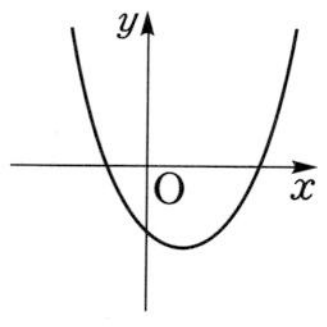

08 이차함수 $y=-x^2+4x+3$의 그래프와 꼭짓점의 좌표가 같고, 점 $(3, 5)$를 지나는 포물선을 그래프로 하는 이차함수의 식은?

① $y=x^2+x+3$　② $y=2x^2-x+5$
③ $y=2x^2-3x+5$　④ $y=-2x^2+8x-1$
⑤ $y=3x^2-2x+3$

잘나와요
09 축의 방정식이 $x=-2$이고 두 점 $(0, 1)$, $(2, -5)$를 지나는 이차함수의 그래프의 꼭짓점의 좌표는?

① $(-4, -3)$　② $(-3, 1)$　③ $(-2, 3)$
④ $(2, 3)$　⑤ $(3, 5)$

10 세 점 $(-2, 1)$, $(0, 1)$, $(2, 17)$을 지나는 이차함수의 그래프의 꼭짓점의 좌표는?

① $(-3, -2)$　② $(-1, -1)$　③ $(1, -3)$
④ $(2, 3)$　⑤ $(3, 5)$

11 오른쪽 그림은 이차함수 $y=ax^2+bx+c$의 그래프일 때, 상수 a, b, c에 대하여 $a+b+c$의 값은?

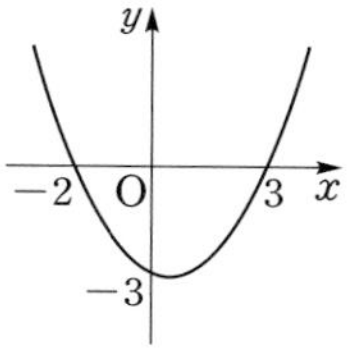

① -5　② -3
③ -1　④ 2
⑤ 4

12 꼭짓점의 좌표가 $(1, -4)$이고, 점 $(2, -1)$을 지나는 포물선을 그래프로 하는 이차함수의 식을 $y=ax^2+bx+c$라 할 때, 상수 a, b, c에 대하여 $a+b-c$의 값은?

① -4　② -2　③ 2
④ 4　⑤ 6

서·술·형·문·제　풀이 과정을 자세히 쓰시오.

13 이차함수 $y=2x^2-7x+6$의 그래프와 x축과의 교점의 좌표를 각각 $(m, 0)$, $(n, 0)$, y축과의 교점의 좌표를 $(0, k)$라 할 때, 상수 m, n, k에 대하여 $m+n+k$의 값을 구하여라.

[단계] ❶ m, n의 값 구하기
❷ k의 값 구하기
❸ $m+n+k$의 값 구하기

답 ____________

14 오른쪽 그림은 이차함수 $y=-x^2+4x+5$의 그래프이다. x축과의 두 교점을 A, B라 하고, 꼭짓점을 C라 할 때, △ABC의 넓이를 구하여라.

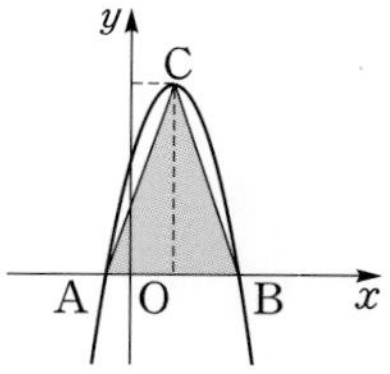

답 ____________

138쪽 기출문제로 내신대비 로 반복학습하세요!

HOLLYWOOD

숨마쿰라우데® 중학수학 실전문제집

Part 2

내신만점 도전편

3-상

기출문제로 내신대비

본문의 각 강마다 있는 [기출문제로 실력 다지기]의 유사 문제를 실어 놓았습니다. 문제를 잘 이해했는지 내 실력을 다시 한 번 점검해 보세요.

내신만점 도전하기

중간 · 기말고사를 대비할 수 있도록 중단원별 실전대비 문제를 실어 놓았습니다. 서술형 문제와 고난도 문제를 통해 내신만점에 도전해 보세요.

01 제곱근의 뜻과 성질

기출문제로 내신대비

정답 및 풀이 35쪽

01 다음 중 옳은 것을 모두 고르면? (정답 2개)

① 1의 제곱근은 1개이다.
② 제곱근 6은 $\sqrt{6}$이다.
③ $\sqrt{16}=\pm4$
④ -3은 9의 음의 제곱근이다.
⑤ 음이 아닌 모든 수의 제곱근은 2개이다.

02 $\sqrt{81}$의 제곱근은?

① ±9　② ±3　③ $\sqrt{3}$
④ 9　⑤ 3

03 반지름의 길이의 비가 $1:\sqrt{3}$인 두 원의 넓이의 합이 $40\pi\ \text{cm}^2$일 때, 큰 원의 반지름의 길이는?

① $\sqrt{17}$ cm　② $\sqrt{19}$ cm　③ $\sqrt{23}$ cm
④ $\sqrt{26}$ cm　⑤ $\sqrt{30}$ cm

04 다음 수 중 제곱근을 근호를 사용하지 않고 나타낼 수 없는 것은?

① $\sqrt{0.01}$　② $1.\dot{7}$　③ $\frac{1}{4}$
④ $\frac{81}{4}$　⑤ $\sqrt{256}$

05 다음 중 옳지 않은 것은?

① $(\sqrt{0.2})^2=0.2$　② $-(-\sqrt{12})^2=-12$
③ $-\sqrt{\left(\frac{1}{5}\right)^2}=-\frac{1}{5}$　④ $\left(\sqrt{\frac{3}{4}}\right)^2=\frac{3}{4}$
⑤ $\sqrt{\left(-\frac{4}{9}\right)^2}=-\frac{4}{9}$

06 $\sqrt{9^2}\div(-\sqrt{3})^2+\sqrt{(-7)^2}\times\left(-\sqrt{\frac{1}{7}}\right)^2$을 계산하면?

① -4　② -2　③ 1
④ 2　⑤ 4

07 $2<x<5$일 때, $\sqrt{(2-x)^2}+\sqrt{9(x-5)^2}$을 간단히 하면?

① $-2x+13$　② $-2x$　③ $-x+1$
④ $x-1$　⑤ $2x+13$

08 $\sqrt{210-7x}$가 자연수가 되도록 하는 자연수 x의 개수는?

① 1개　② 2개　③ 3개
④ 4개　⑤ 5개

09 다음 중 두 수의 대소 관계가 옳은 것은?

① $\sqrt{65}<8$
② $-\sqrt{5}<-\sqrt{3}$
③ $0.2>\sqrt{0.2}$
④ $\sqrt{\frac{1}{5}}>\frac{1}{2}$
⑤ $-\sqrt{15}<-4$

10 다음 수 중 두 번째로 작은 수는?

① $-\frac{1}{2}$
② $\sqrt{\frac{1}{2}}$
③ $-\sqrt{3}$
④ $\sqrt{2}$
⑤ $-\sqrt{\frac{1}{2}}$

11 $2<\sqrt{2x+1}<4$를 만족하는 자연수 x의 개수는?

① 3개
② 4개
③ 5개
④ 6개
⑤ 7개

12 $\sqrt{(4-\sqrt{15})^2}-\sqrt{(\sqrt{15}-4)^2}$을 계산하면?

① -4
② $-\sqrt{15}$
③ 0
④ $\sqrt{15}$
⑤ 4

13 자연수 x에 대하여 $\sqrt{x}$ 이하의 자연수의 개수를 $f(x)$라 하자. 예를 들어, $2<\sqrt{5}<3$이므로 $f(5)=2$이다. 이때 $f(125)-f(72)$의 값은?

① 2
② 3
③ 4
④ 5
⑤ 6

서·술·형·문·제

풀이 과정을 자세히 쓰시오.

14 세 수 a, b, c에 대하여 $0<a<b<c$일 때, $\sqrt{(a-b)^2}+\sqrt{(b-c)^2}+\sqrt{(c-a)^2}$을 간단히 하여라.

[단계] ❶ 괄호 안의 식의 부호 각각 정하기
❷ 주어진 식을 간단히 정리하기

답 ______________

15 $\sqrt{135a}$가 자연수가 되도록 하는 a의 값 중 가장 작은 자연수와 $\sqrt{\frac{72b}{5}}$가 자연수가 되도록 하는 b의 값 중 가장 작은 자연수의 합을 구하여라.

답 ______________

02 무리수와 실수

기출문제로 내신대비

정답 및 풀이 36쪽

01 다음 중 순환하지 않는 무한소수로 나타내어지는 것을 모두 고르면? (정답 2개)

① 2.25의 제곱근　② 제곱근 49

③ $\sqrt{0.\dot{4}}$　④ $\sqrt{\dfrac{3}{16}}$

⑤ $\pi-2$

02 다음 정사각형 중 한 변의 길이가 유리수인 것은?

① 넓이가 3인 정사각형
② 넓이가 7인 정사각형
③ 넓이가 9인 정사각형
④ 넓이가 13인 정사각형
⑤ 둘레의 길이가 $12\sqrt{3}$인 정사각형

03 다음 중 옳지 않은 것은?

① 순환소수는 모두 유리수이다.
② 유한소수로 나타낼 수 없는 수를 무리수라고 한다.
③ 무리수는 $\dfrac{(\text{정수})}{(0\text{이 아닌 정수})}$ 꼴로 나타낼 수 없다.
④ 근호를 사용하여 나타낸 수 중에는 무리수가 아닌 것도 있다.
⑤ 순환하지 않는 무한소수는 모두 무리수이다.

04 다음 그림과 같이 수직선 위에 한 변의 길이가 1인 세 정사각형이 있을 때, $-1+\sqrt{2}$에 대응하는 점은?

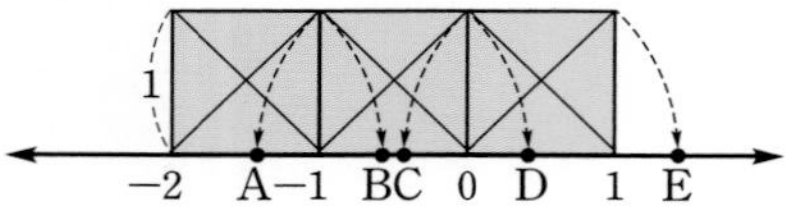

① 점 A　② 점 B　③ 점 C
④ 점 D　⑤ 점 E

05 오른쪽 그림에서 □ABCD는 한 변의 길이가 1인 정사각형이고, $\overline{AC}=\overline{AE}$이다. 점 E에 대응하는 수가 3일 때, 점 D에 대응하는 수는?

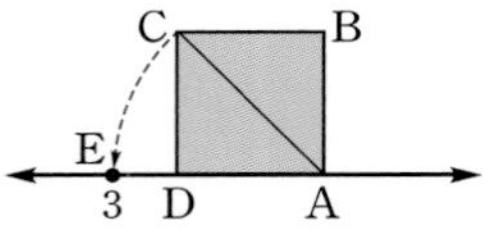

① $2-\sqrt{2}$　② 4　③ $2+\sqrt{2}$
④ $3-\sqrt{2}$　⑤ 5

06 다음 그림에서 모눈 한 칸은 한 변의 길이가 1인 정사각형이다. 네 점 A, B, C, D에 대하여 옳은 것은?

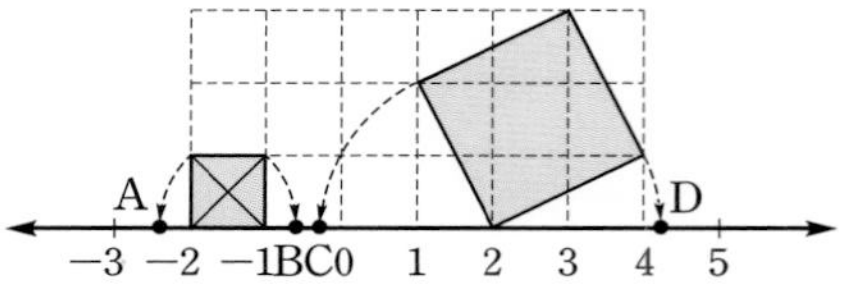

① A$(1-\sqrt{2})$　② B$(-2+\sqrt{5})$
③ C$(2-\sqrt{2})$　④ D$(2+\sqrt{5})$
⑤ $\overline{CD}=4\sqrt{5}$

07 다음 보기에서 옳은 것은 모두 몇 개인가?

보기
ㄱ. $\sqrt{7}$과 $\sqrt{13}$ 사이에는 1개의 자연수가 있다.
ㄴ. 1과 2 사이에는 무수히 많은 무리수가 있다.
ㄷ. $-\sqrt{3}$과 2 사이에는 5개의 유리수가 있다.
ㄹ. $\dfrac{1}{3}$과 $\dfrac{1}{2}$ 사이에는 무수히 많은 실수가 있다.

① 0개　② 1개　③ 2개
④ 3개　⑤ 4개

08 다음 중 $\sqrt{3}$과 3 사이에 있는 수가 아닌 것은?

① $\sqrt{3}+1$　② $3-\sqrt{3}$　③ $\dfrac{3+\sqrt{3}}{2}$
④ $\sqrt{8}$　⑤ $\sqrt{3}+0.2$

09 다음 중 두 실수의 대소 관계가 옳지 <u>않은</u> 것은?

① $\sqrt{10}-2>1$
② $\sqrt{8}-2>-2+\sqrt{7}$
③ $2-\sqrt{3}<\sqrt{5}-\sqrt{3}$
④ $\sqrt{7}+3>\sqrt{7}+\sqrt{10}$
⑤ $5-\sqrt{\frac{1}{3}}<5-\sqrt{\frac{1}{5}}$

10 $A=1$, $B=\sqrt{3}-1$, $C=\sqrt{5}-1$일 때, 세 수 A, B, C의 대소 관계가 옳은 것은?

① $A>B>C$ ② $B>A>C$ ③ $B>C>A$
④ $C>A>B$ ⑤ $C>B>A$

11 다음 수직선 위의 점 중에서 $\sqrt{2}-1$에 대응하는 점은?

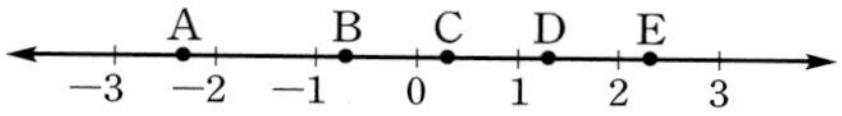

① 점 A ② 점 B ③ 점 C
④ 점 D ⑤ 점 E

12 오른쪽 그림과 같이 수직선 위에 $\overline{AB}=1$, $\overline{BC}=1$, $\overline{AC}=\sqrt{2}$인 직각삼각형 ABC가 있다. 직각삼각형 ABC를 오른쪽으로 굴렸을 때, 꼭짓점 B가 처음으로 수직선과 다시 만나는 점에 대응하는 수는?

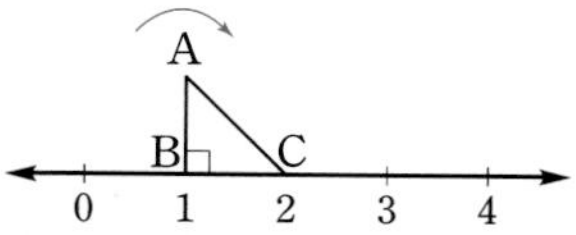

① 2 ② $2+\sqrt{2}$ ③ $3-\sqrt{2}$
④ 3 ⑤ $3+\sqrt{2}$

서·술·형·문·제

풀이 과정을 자세히 쓰시오.

13 다음 그림에서 □ABCD와 □EFGH는 정사각형이고, $\overline{FE}=\overline{FP}$, $\overline{FG}=\overline{FQ}$이다. 점 P에 대응하는 수는 a이고, 점 Q에 대응하는 수는 b일 때, $a+b$의 값을 구하여라.

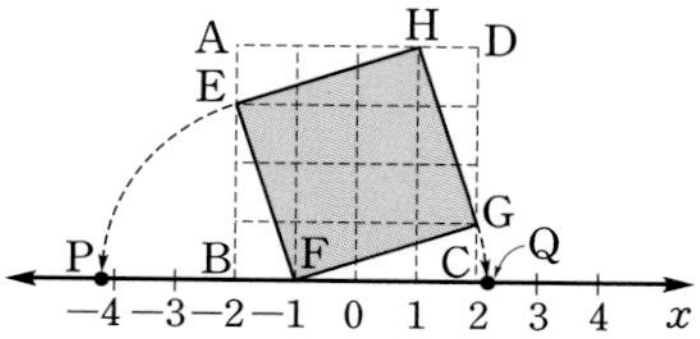

[단계] ❶ $\overline{EF}$, $\overline{FG}$의 길이 구하기
❷ 점 P에 대응하는 수 구하기
❸ 점 Q에 대응하는 수 구하기
❹ $a+b$의 값 구하기

답 ____________

14 다음 수를 작은 것부터 차례로 나열하여라.

$\sqrt{2}$, $-\frac{5}{4}$, $\sqrt{3}+1$, $\sqrt{2}+1$, $1-\sqrt{3}$

답 ____________

03 제곱근의 곱셈과 나눗셈

기출문제로 내신대비

정답 및 풀이 37쪽

01 $4\sqrt{2}\times5\sqrt{6}$을 계산하면?

① $20\sqrt{3}$　② $20\sqrt{6}$　③ $40\sqrt{2}$　④ $40\sqrt{3}$　⑤ $40\sqrt{6}$

02 오른쪽 그림의 정사각형 ABCD의 넓이는 144이다. □ABCD의 각 변의 중점을 연결하여 만든 사각형 EFGH의 둘레의 길이는?

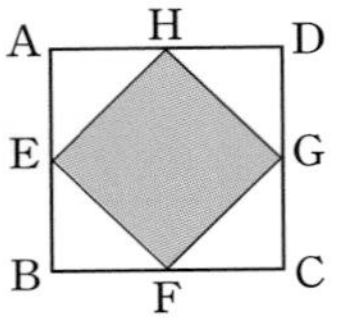

① $12\sqrt{2}$　② $15\sqrt{2}$　③ $18\sqrt{2}$　④ $21\sqrt{2}$　⑤ $24\sqrt{2}$

03 $3\sqrt{2}\div\frac{\sqrt{5}}{\sqrt{8}}\div\frac{1}{\sqrt{40}}=n\sqrt{2}$일 때, 자연수 n의 값은?

① 24　② 25　③ 26　④ 27　⑤ 28

04 $\sqrt{75}=a\sqrt{3}$, $4\sqrt{5}=\sqrt{b}$일 때, 유리수 a, b에 대하여 $b-a$의 값은?

① 24　② 36　③ 48　④ 60　⑤ 75

05 $\sqrt{15}\times\sqrt{18}\times\sqrt{20}=a\sqrt{6}$일 때, 유리수 a의 값은?

① 20　② 24　③ 28　④ 30　⑤ 32

06 $\sqrt{2}=a$, $\sqrt{5}=b$일 때, $\sqrt{180}$을 a, b를 이용하여 나타내면?

① $3ab$　② $3ab^2$　③ a^2b　④ $3a^2b$　⑤ a^2b^2

07 $a>0$, $b>0$이고 $ab=8$일 때, $a\sqrt{\frac{2b}{a}}+b\sqrt{\frac{a}{8b}}$의 값은?

① 3　② 4　③ 5　④ 6　⑤ 7

08 $\frac{12}{\sqrt{18}}=(a-1)\sqrt{2}$일 때, 유리수 a의 값은?

① 1　② 2　③ 3　④ 4　⑤ 5

09 다음 중 분모를 유리화한 것으로 옳지 않은 것은?

① $\frac{1}{\sqrt{3}}=\frac{\sqrt{3}}{3}$　② $\frac{\sqrt{3}}{\sqrt{5}}=\frac{\sqrt{15}}{5}$

③ $\frac{6}{\sqrt{2}}=\frac{3\sqrt{2}}{2}$　④ $\frac{\sqrt{11}}{\sqrt{3}}=\frac{\sqrt{33}}{3}$

⑤ $\frac{3}{2\sqrt{5}}=\frac{3\sqrt{5}}{10}$

10 $\frac{a}{\sqrt{18}}=\frac{3}{2}\sqrt{2}$, $\frac{b}{\sqrt{24}}=\frac{2}{3}\sqrt{6}$일 때, 자연수 a, b에 대하여 $a+b$의 값은?

① 13　② 14　③ 15
④ 16　⑤ 17

11 $a>0$, $b>0$이고 $a+b=12$, $ab=3$일 때, $\sqrt{\frac{b}{a}}+\sqrt{\frac{a}{b}}$의 값은?

① $2\sqrt{3}$　② 4　③ $3\sqrt{3}$
④ $4\sqrt{3}$　⑤ 6

12 $\sqrt{108}\div2\sqrt{3}\times\sqrt{54}$를 간단히 하면?

① $3\sqrt{2}$　② $4\sqrt{2}$　③ $3\sqrt{6}$
④ $6\sqrt{3}$　⑤ $9\sqrt{6}$

13 오른쪽 그림에서 $\overline{DE}\mathbin{/\!/}\overline{BC}$이고, □DBCE의 넓이가 △ABC의 넓이의 $\frac{1}{3}$일 때, $\overline{DE}$의 길이는?

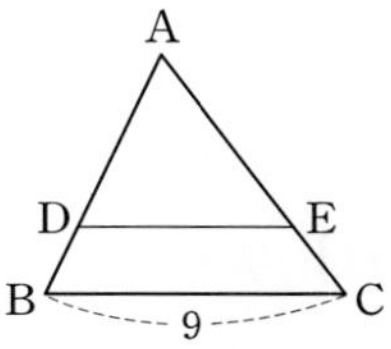

① $3\sqrt{2}$　② $3\sqrt{3}$　③ $3\sqrt{6}$
④ $4\sqrt{2}$　⑤ $4\sqrt{6}$

서·술·형·문·제

풀이 과정을 자세히 쓰시오.

14 $\sqrt{500}$은 $\sqrt{5}$의 a배이고, $\sqrt{0.05}$는 $\sqrt{20}$의 b배일 때, ab의 값을 구하여라.

[단계] ❶ a의 값 구하기
❷ b의 값 구하기
❸ ab의 값 구하기

답 ____________

15 다음 그림에서 삼각형과 정사각형의 넓이의 비가 4 : 9일 때, 정사각형의 둘레의 길이를 구하여라.

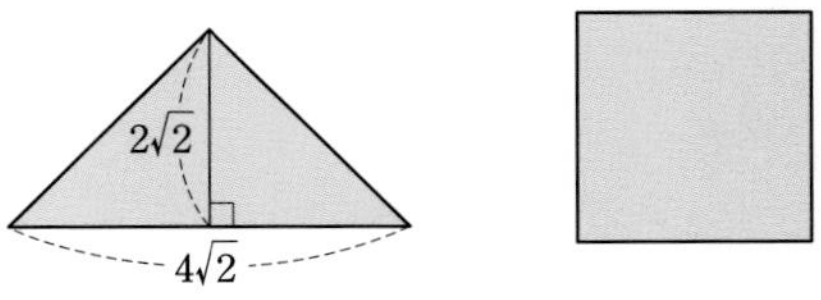

답 ____________

04 제곱근의 덧셈과 뺄셈

기출문제로 내신대비

정답 및 풀이 38쪽

01 두 수 A, B가 다음과 같을 때, $B-A$의 값을 구하여라.

$A=2\sqrt{3}-5\sqrt{3}+4\sqrt{3}$
$B=\sqrt{3}-3\sqrt{2}+3\sqrt{3}-\sqrt{2}$

02 $\sqrt{8}+\sqrt{45}+\sqrt{18}-\sqrt{20}=a\sqrt{2}+b\sqrt{5}$일 때, 유리수 a, b에 대하여 $a+b$의 값은?

① 4 ② 5 ③ 6
④ 7 ⑤ 8

03 $2\sqrt{a}+2=4\sqrt{a}-4$일 때, 자연수 a의 값은?

① 3 ② 6 ③ 9
④ 12 ⑤ 15

04 $\sqrt{(\sqrt{5}-2)^2}+\sqrt{(4-2\sqrt{5})^2}$을 간단히 하여라.

05 다음 그림과 같이 수직선 위에 한 변의 길이가 1인 두 정사각형이 있다. 두 점 P, Q에 대응하는 수를 각각 a, b라 할 때, $2a-\sqrt{2}b$의 값은? (단, $\overline{AC}=\overline{AP}$, $\overline{BD}=\overline{BQ}$)

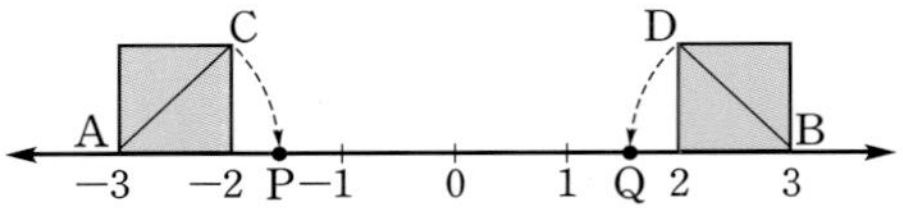

① $-4\sqrt{2}$ ② $-4-\sqrt{2}$ ③ $-2\sqrt{2}$
④ $-2-\sqrt{2}$ ⑤ $-2+\sqrt{2}$

06 다음 중 두 수의 대소 관계가 옳지 <u>않은</u> 것은?

① $2-\sqrt{2}>\sqrt{2}-1$ ② $4+\sqrt{5}>\sqrt{5}+\sqrt{15}$
③ $3-\sqrt{8}<3-\sqrt{5}$ ④ $3<\sqrt{17}-1$
⑤ $-\sqrt{2}<-5\sqrt{2}+4$

07 $\sqrt{2}(\sqrt{6}-\sqrt{3})-\sqrt{2}(\sqrt{6}+\sqrt{3})$을 간단히 하면?

① $-2\sqrt{6}$ ② $-\sqrt{2}$ ③ 0
④ $\sqrt{2}$ ⑤ $2\sqrt{6}$

08 $\sqrt{3}(4\sqrt{3}-1)-\sqrt{27}(a+\sqrt{3})$이 유리수가 되도록 하는 유리수 a의 값은?

① -1 ② $-\frac{1}{3}$ ③ $\frac{1}{3}$
④ $\frac{1}{2}$ ⑤ 1

09 $x=\dfrac{\sqrt{6}+\sqrt{5}}{\sqrt{2}}$, $y=\dfrac{\sqrt{6}-\sqrt{5}}{\sqrt{2}}$일 때, $\dfrac{x+y}{x-y}$의 값을 구하여라.

10 $(\sqrt{32}-3\sqrt{2})\div\sqrt{2}+\dfrac{4}{\sqrt{2}}(\sqrt{2}-\sqrt{3})$을 간단히 하면?

① $5-\sqrt{6}$ ② $5+\sqrt{6}$ ③ $5-2\sqrt{6}$
④ $5+2\sqrt{6}$ ⑤ $5-3\sqrt{6}$

11 가로의 길이가 $(\sqrt{32}-\sqrt{6})$ cm, 세로의 길이가 $(\sqrt{24}+\sqrt{8})$ cm인 직사각형의 둘레의 길이를 구하여라.

12 $\sqrt{3.29}=1.814$, $\sqrt{32.9}=5.736$일 때, 다음 중 옳지 <u>않은</u> 것은?

① $\sqrt{329}=18.14$ ② $\sqrt{3290}=181.4$
③ $\sqrt{0.329}=0.5736$ ④ $\sqrt{0.0329}=0.1814$
⑤ $\sqrt{0.00329}=0.05736$

13 $4-\sqrt{2}$의 소수 부분을 a, $\sqrt{8}$의 소수 부분을 b라 할 때, $a-b$의 값은?

① $-5-2\sqrt{2}$ ② $-4+3\sqrt{2}$ ③ $4+3\sqrt{2}$
④ $5-2\sqrt{2}$ ⑤ $4-3\sqrt{2}$

서·술·형·문·제

풀이 과정을 자세히 쓰시오.

14 다음 그림과 같은 세 정사각형 (가), (나), (다)의 넓이가 각각 3, 12, 27일 때, $\overline{AC}+\overline{CD}$의 길이를 구하여라.

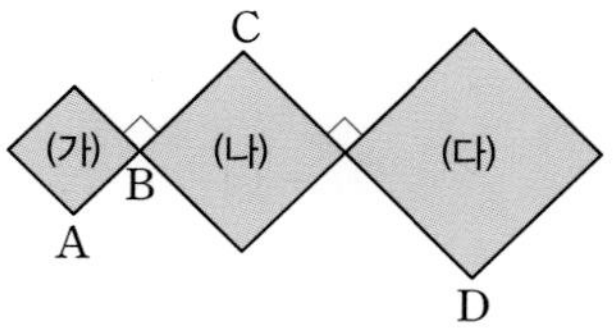

[단계] ❶ 세 정사각형의 한 변의 길이 구하기
❷ $\overline{AC}$, $\overline{CD}$의 길이 구하기
❸ $\overline{AC}+\overline{CD}$의 길이 구하기

답 ____________

15 $\sqrt{a}$의 정수 부분을 $[\sqrt{a}]$, 소수 부분을 $<\sqrt{a}>$로 나타내기로 약속하자. 예를 들어, $\sqrt{5}$는 $2<\sqrt{5}<3$이므로 $[\sqrt{5}]=2$, $<\sqrt{5}>=\sqrt{5}-2$이다. 이때 $\dfrac{15}{[\sqrt{7}]+2<\sqrt{3}>}$의 값을 구하여라.

답 ____________

정답 및 풀이 39쪽

01 $\sqrt{(-4)^2}$의 양의 제곱근을 a, 25의 음의 제곱근을 b라 할 때, $b-a$의 값은?

① 7　② -7　③ 1
④ -1　⑤ 3

02 $-\sqrt{16}-(-\sqrt{5})^2+\sqrt{(-7)^2}-\sqrt{144}$를 계산하면?

① -18　② -14　③ 0
④ 4　⑤ 14

03 다음 보기 중 $\sqrt{24x}$가 자연수가 되도록 하는 x의 값으로 적당한 것을 모두 고른 것은?

보기
ㄱ. 6　ㄴ. 12　ㄷ. 18
ㄹ. 24　ㅁ. 54

① ㄱ, ㄹ, ㅁ　② ㄱ, ㄷ, ㅁ　③ ㄴ, ㄷ, ㄹ
④ ㄱ, ㄷ, ㄹ　⑤ ㄷ, ㄹ, ㅁ

04 $\frac{1}{\sqrt{3}}<\frac{\sqrt{x}}{6}<\frac{1}{\sqrt{2}}$을 만족하는 정수 x의 개수는?

① 4개　② 5개　③ 6개
④ 7개　⑤ 8개

05 다음 수 중 무리수는 모두 몇 개인가?

$\sqrt{\frac{9}{49}}$, $\sqrt{1000}$, $-\pi+3$, $\sqrt{0.04}$, $\sqrt{18}$, 3.14

① 2개　② 3개　③ 4개
④ 5개　⑤ 6개

06 다음 수직선 위의 점 중에서 $1-\sqrt{2}$에 대응하는 점은?

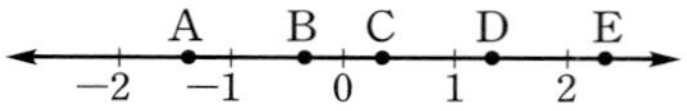

① 점 A　② 점 B　③ 점 C
④ 점 D　⑤ 점 E

07 다음 그림의 두 도형의 넓이가 서로 같을 때, 정사각형 PQRS의 한 변의 길이는?

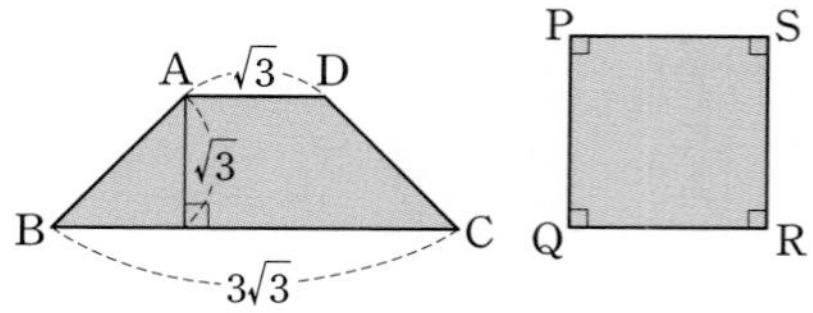

① $\sqrt{3}$　② 2　③ $\sqrt{6}$
④ 3　⑤ $2\sqrt{2}$

08 두 수 a, b에 대하여 $a-b>0$, $ab<0$일 때, $\sqrt{a^2}+|b|-\sqrt{(b-a)^2}$을 간단히 하면?

① $-2a-2b$　② $-2a$　③ 0
④ $2a$　⑤ $2b$

09 $\sqrt{2}\times\sqrt{a}\times\sqrt{6}\times\sqrt{3a}=30$일 때, 양의 유리수 a의 값은?

① 2　② 3　③ 4　④ 5　⑤ 6

10 $\sqrt{5}=a$, $\sqrt{50}=b$일 때, $\sqrt{0.05}$를 a 또는 b를 사용하여 나타내면?

① $\frac{a}{10}$　② $\frac{b}{10}$　③ $\frac{a}{20}$　④ $\frac{b}{20}$　⑤ $\frac{a}{100}$

11 $\sqrt{27}+\sqrt{75}-\sqrt{45}+\sqrt{80}=a\sqrt{3}+b\sqrt{5}$일 때, 유리수 a, b에 대하여 $a+b$의 값은?

① 5　② 6　③ 7　④ 8　⑤ 9

12 $\frac{1}{\sqrt{5}}(\sqrt{2}-\sqrt{10})-\left(\sqrt{10}+\frac{\sqrt{50}}{5}\right)\div\sqrt{5}$를 계산하면?

① $\sqrt{5}-2\sqrt{2}$　② $-2\sqrt{2}$　③ $2\sqrt{2}$　④ $-2\sqrt{2}+\frac{2\sqrt{10}}{5}$　⑤ $2\sqrt{2}+\frac{2\sqrt{10}}{5}$

13 $a>0$, $b>0$이고 $ab=2$일 때, $a\sqrt{\frac{2b}{a}}+b\sqrt{\frac{8a}{b}}$의 값은?

① 3　② 4　③ 5　④ 6　⑤ 7

14 다음 중 실수의 대소 관계가 옳지 <u>않은</u> 것은?

① $2-\sqrt{3}<\sqrt{5}-\sqrt{3}$　② $-4\sqrt{3}>-7$　③ $\sqrt{18}<2\sqrt{2}+1$　④ $-\frac{2}{3}>-\sqrt{3}$　⑤ $2\sqrt{2}-1>2-\sqrt{2}$

15 다음 중 $\sqrt{2}=1.414$임을 이용하여 제곱근의 값을 구할 수 <u>없는</u> 것은?

① $\sqrt{0.02}$　② $\sqrt{0.5}$　③ $\sqrt{20}$　④ $\sqrt{200}$　⑤ $\sqrt{20000}$

16 $2+\sqrt{3}$의 정수 부분을 a, 소수 부분을 b라 할 때, $a+3b$의 값은?

① $\sqrt{3}$　② $2\sqrt{2}$　③ 3　④ $2\sqrt{3}$　⑤ $3\sqrt{3}$

17 오른쪽 그림과 같이 한 변의 길이가 x인 정사각형이 합동인 직각삼각형 4개와 정사각형 1개로 나누어질 때, x의 값을 구하여라.

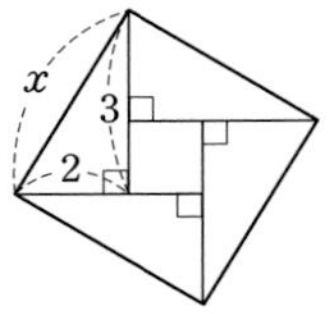

서술형

18 서로 다른 두 개의 주사위를 동시에 던져서 나오는 눈의 수를 각각 a, b라 할 때, $\sqrt{12ab}$가 자연수가 될 확률을 구하여라.

19 $\sqrt{1}$, $\sqrt{1+3}$, $\sqrt{1+3+5}$, $\sqrt{1+3+5+7}$, …과 같은 규칙으로 수를 나열할 때, 50번째 수를 근호를 사용하지 않고 나타내어라.

20 반지름의 길이가 $6\sqrt{2}$이고 중심각의 크기가 $60°$인 부채꼴이 수직선의 원점 위에 다음 그림과 같이 놓여 있다. 이 부채꼴을 수직선 위에서 시계 방향으로 한 바퀴 굴렸을 때 점 P가 다시 수직선 위에 닿는 지점을 Q라 하자. 이때 점 Q에 대응하는 수를 구하여라.

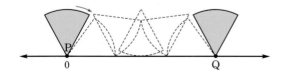

21 오른쪽 그림은 가로, 세로의 길이가 각각 $\sqrt{5}-1$, 1인 직사각형을 정사각형으로 차례로 분할한 다음, 정사각형의 한 꼭짓점을 중심으로 하고, 그 한 변의 길이를 반지름으로 하는 사분원 A, B, C를 그린 것이다. 세 개의 사분원 A, B, C의 호의 길이의 합을 구하여라.

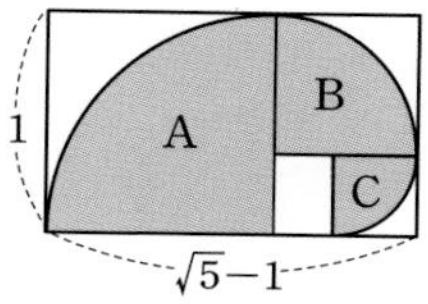

22 $\sqrt{12}\times x=\sqrt{108}$, $\sqrt{92-y}=4\sqrt{5}$일 때, 유리수 x, y에 대하여 xy의 값을 구하여라.

서술형

23 $\sqrt{24}\left(\frac{1}{\sqrt{3}}-\frac{1}{\sqrt{6}}\right)+\frac{a}{\sqrt{2}}(\sqrt{8}-2)$가 유리수가 되도록 하는 유리수 a의 값을 구하여라.

24 오른쪽 그림에서 □ABCD는 가로의 길이가 $7\sqrt{2}$ cm, 세로의 길이가 $\sqrt{30}$ cm인 직사각형이고, □FBGI는 넓이가 18 cm^2인 정사각형이다. 이때 직사각형 EIHD의 넓이를 구하여라.

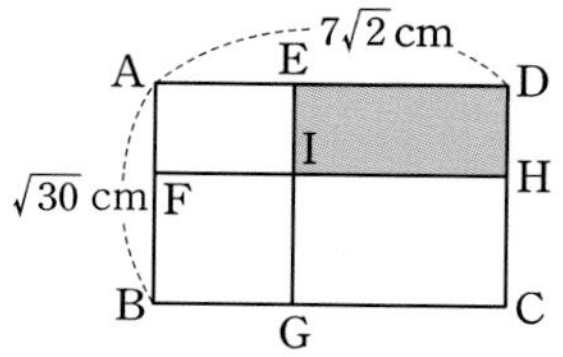

05 곱셈 공식

기출문제로 내신대비

정답 및 풀이 41쪽

01 $(2a-3b)(3a-2b)$를 전개하면?

① $6a^2-9ab+6b^2$ ② $6a^2-11ab+6b^2$
③ $6a^2-13ab+6b^2$ ④ $6a^2+13ab-6b^2$
⑤ $6a^2+15ab-6b^2$

02 $(3x+y)(x-\square y+2)$의 전개식에서 xy의 계수가 -8일 때, □ 안에 들어갈 알맞은 수는?

① -3 ② -2 ③ -1
④ 2 ⑤ 3

03 다음 중 옳은 것을 모두 고르면? (정답 2개)

① $\left(2x+\frac{1}{2}\right)^2=4x^2+2x+\frac{1}{4}$
② $(2a-5b)^2=4a^2-25b^2$
③ $(-5x+3)(-5x-3)=25x^2+9$
④ $(-x+3)(x-2)=-x^2+5x-6$
⑤ $(3x-4)(2x+5)=6x^2-20$

04 다음 두 등식을 만족시키는 자연수 a, b, c, d에 대하여 $a+b+c+d$의 값은?

$$(ax+1)^2=9x^2+bx+1$$
$$(x-c)^2=x^2-14x+d$$

① 60 ② 63 ③ 65
④ 68 ⑤ 70

05 다음 중 $(-2+4x)^2$과 전개식이 같은 것은?

① $-2(1+2x)^2$ ② $2(1+2x)^2$
③ $2(1-2x)^2$ ④ $4(1+2x)^2$
⑤ $4(1-2x)^2$

06 $(x-1)(x+1)(x^2+1)(x^4+1)$을 전개하여라.

07 오른쪽 그림과 같이 한 변의 길이가 x인 정사각형에서 가로의 길이는 $2y$만큼 늘이고 세로의 길이는 y만큼 줄였다. 이때 색칠한 직사각형의 넓이는?

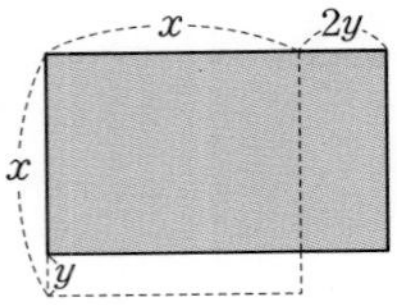

① x^2-y^2 ② x^2+y^2 ③ $x^2+xy-2y^2$
④ x^2+xy+y^2 ⑤ $x^2+2xy-y^2$

08 $(3x+2)(x-1)$을 전개하는데 민채는 3을 a로 잘못 보아 ax^2-6x-2로 전개하였고, 준호는 1을 b로 잘못 보아 $3x^2-10x+c$로 전개하였다. 이때 상수 a, b, c에 대하여 $a+b+c$의 값은?

① -4 ② -2 ③ 2
④ 4 ⑤ 6

09 $(2x+A)(Bx-2)=6x^2+Cx-10$일 때, 상수 A, B, C에 대하여 $A-B-C$의 값은?

① -9　② -8　③ -7
④ -6　⑤ -5

10 $(x-4)(x+3)-2(x-2)(x+5)$의 전개식에서 x의 계수를 a, 상수항을 b라 할 때, $a+b$의 값은?

① -3　② -1　③ 1
④ 3　⑤ 5

11 오른쪽 그림과 같이 가로, 세로의 길이가 각각 $4a$ m, $3a$ m인 직사각형 모양의 화단 안에 너비가 2 m인 길이 있다. 길을 제외한 화단의 넓이는?

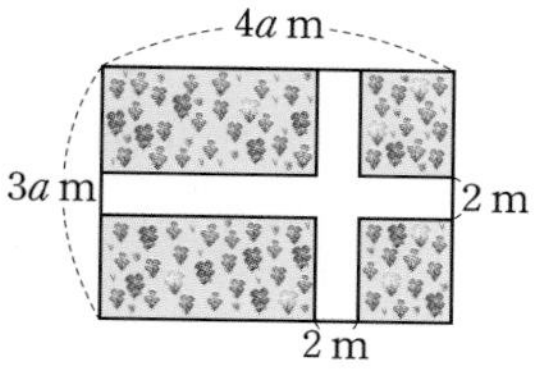

① $8a^2-6a+1$　② $10a^2-4a+2$
③ $10a^2-8a+4$　④ $12a^2-6a+1$
⑤ $12a^2-14a+4$

12 다음은 연속하는 두 홀수의 제곱의 차가 8의 배수가 됨을 설명한 것이다. ①~⑤에 알맞은 것이 아닌 것은?

> 연속하는 두 홀수를 각각 $2n+1$, ①이라 하자.
> $(2n+1)^2-(②)^2$
> $=4n^2+4n+1-(③n^2-④n+1)$
> $=⑤n$
> 따라서 연속하는 두 홀수의 제곱의 차는 8의 배수가 된다.

① $2n-1$　② $2n-1$　③ 4
④ 2　⑤ 8

13 두 자연수 x, y가 있다. x를 6으로 나누면 나머지가 2이고, y를 6으로 나누면 나머지가 5이다. 이때 xy를 6으로 나누었을 때의 나머지는?

① 1　② 2　③ 3
④ 4　⑤ 5

서·술·형·문·제

풀이 과정을 자세히 쓰시오.

14 $(3x+5)(x+4)-2(x-1)(x+5)$를 전개한 식에서 x^2의 계수를 A, x의 계수를 B, 상수항을 C라 할 때, $A+B+C$의 값을 구하여라.

> [단계] ❶ 주어진 다항식 전개하기
> ❷ A, B, C의 값 각각 구하기
> ❸ $A+B+C$의 값 구하기

답 ______________

15 오른쪽 그림과 같이 가로, 세로의 길이가 a, b인 직사각형 ABCD에서 $\overline{AB}$가 $\overline{EB}$에, $\overline{DF}$가 $\overline{HF}$에 오도록 접었을 때, 사각형 HECG의 넓이를 구하여라.

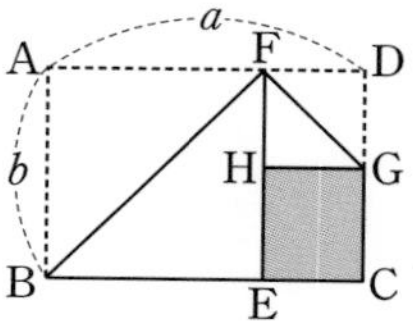

답 ______________

06 곱셈 공식의 활용

기출문제로 내신대비

정답 및 풀이 42쪽

01 $(2x+y-3)(2x-y-3)=ax^2+by^2+cx+d$일 때, $a+b-c+d$의 값은?

① 2 ② 22 ③ 23
④ 24 ⑤ 25

02 $(3x-2y-1)^2$의 전개식에서 x의 계수를 a, xy의 계수를 b라 할 때, $a+b$의 값은?

① -21 ② -18 ③ -11
④ -8 ⑤ -3

03 $x^2=14$일 때, $(x-2)(x+5)(x+2)(x-5)$의 값은?

① -110 ② -90 ③ -70
④ -50 ⑤ -30

04 곱셈 공식을 이용하여 $\dfrac{103\times105+1}{104}$을 계산하면?

① 103 ② 104 ③ 105
④ $\dfrac{1}{104}$ ⑤ $\dfrac{1}{105}$

05 198^2과 48×52를 계산할 때 이용하면 가장 편리한 곱셈 공식을 다음 보기에서 차례로 고른 것은? (단, a, b는 자연수이다.)

보기
ㄱ. $(a+b)^2=a^2+2ab+b^2$
ㄴ. $(a-b)^2=a^2-2ab+b^2$
ㄷ. $(a+b)(a-b)=a^2-b^2$
ㄹ. $(x+a)(x+b)=x^2+(a+b)x+ab$

① ㄱ, ㄷ ② ㄱ, ㄹ ③ ㄴ, ㄷ
④ ㄴ, ㄹ ⑤ ㄷ, ㄹ

06 $15\times17\times(4^4+1)+1=4^n$일 때, 자연수 n의 값을 구하여라.

07 다음 식을 간단히 하여라.

$$(2-\sqrt{3})^9(2+\sqrt{3})^{10}$$

08 오른쪽 그림과 같은 삼각형의 넓이는?

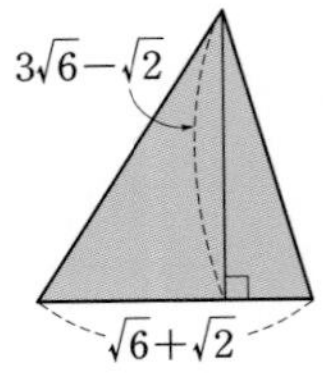

① $4+\sqrt{3}$ ② $4+2\sqrt{3}$
③ $8+\sqrt{3}$ ④ $8+2\sqrt{3}$
⑤ $16+\sqrt{3}$

09 $\frac{\sqrt{6}+\sqrt{2}}{\sqrt{6}-\sqrt{2}}=a+b\sqrt{3}$일 때 유리수 a, b에 대하여 $a+b$의 값은?

① -1　② 1　③ 2
④ 3　⑤ 4

10 $x=\frac{1}{\sqrt{2}+1}$, $y=\frac{1}{\sqrt{2}-1}$일 때, $x^2+3xy+y^2$의 값은?

① 7　② 8　③ 9
④ 10　⑤ 11

11 $x+y=4$, $xy=2$일 때, $\frac{y}{x}+\frac{x}{y}$의 값은?

① 5　② 6　③ 7
④ 8　⑤ 9

12 $a^2+b^2=8$, $a+b=2$일 때, $\frac{1}{a}+\frac{1}{b}$의 값은?

① -2　② -1　③ 1
④ 2　⑤ 3

13 $x^2-3x-1=0$일 때, $x^2+\frac{1}{x^2}$의 값은?

① 7　② 9　③ 11
④ 13　⑤ 15

서·술·형·문·제　풀이 과정을 자세히 쓰시오.

14 $f(x)=\sqrt{x}+\sqrt{x+1}$일 때,

$\frac{1}{f(1)}+\frac{1}{f(2)}+\frac{1}{f(3)}+\cdots+\frac{1}{f(99)}$의 값을 구하여라.

[단계] ❶ $\frac{1}{f(x)}$의 분모를 유리화하기
❷ 주어진 식의 값 구하기

답 ____________

15 길이가 64 cm인 끈을 적당히 두 개로 잘라서 한 변의 길이가 각각 a cm, b cm인 두 정사각형을 만들었다. $0<b<a$이고, 두 정사각형의 넓이의 합이 136 cm^2일 때, $a-b$의 값을 구하여라.

답 ____________

정답 및 풀이 43쪽

01 다음 중 □ 안에 들어갈 수가 가장 큰 것은?

① $(x+3)(x-7)=x^2-4x-\square$
② $(2x-5)^2=4x^2-\square x+25$
③ $(-a+5)(5+a)=\square-a^2$
④ $(3a-4)(2a+5)=6a^2+7a-\square$
⑤ $(-x-4y)^2=x^2+8xy+\square y^2$

02 $(x-4)^2-(x+2)(x-2)$를 간단히 하였을 때, x의 계수를 a, 상수항을 b라 하자. 이때 $a+b$의 값은?

① -28 ② -16 ③ -12
④ 12 ⑤ 16

03 $(3x-a)(bx+2)=15x^2+cx-8$일 때, 상수 a, b, c에 대하여 $a+b+c$의 값은?

① -5 ② -4 ③ -3
④ -2 ⑤ -1

04 $(3x+4)(x-2)$를 전개하는데 다현이는 3을 a로 잘못 보아 ax^2-6x-8로 전개하였고, 하영이는 -2를 b로 잘못 보아 $3x^2+10x+c$로 전개하였다. 이때 $a+b+c$의 값은? (단, a, b, c는 상수)

① 13 ② 14 ③ 15
④ 16 ⑤ 17

05 98×102를 계산하기 위하여 이용할 수 있는 곱셈 공식으로 가장 편리한 것은?

① $(a+b)^2=a^2+2ab+b^2$
② $(a-b)^2=a^2-2ab+b^2$
③ $(a+b)(a-b)=a^2-b^2$
④ $(x+a)(x+b)=x^2+(a+b)x+ab$
⑤ $(ax+b)(cx+d)=acx^2+(ad+bc)x+bd$

06 $(1+x-2y)(1-x+2y)$를 전개하면?

① $-x^2+4xy-4y^2-1$ ② $-x^2+4xy-4y^2+1$
③ $x^2-4xy-y^2-1$ ④ $x^2-4xy+y^2-1$
⑤ $2x^2+2xy-y^2+1$

07 $f(x)=\dfrac{1}{\sqrt{2x+1}+\sqrt{2x-1}}$일 때,
$f(1)+f(2)+f(3)+\cdots+f(60)$의 값을 구하여라.

08 $a+b=4$, $ab=-2$일 때, $a^2+3ab+b^2$의 값은?

① 10 ② 11 ③ 12
④ 13 ⑤ 14

09 오른쪽 그림과 같이 한 변의 길이가 각각 a, b인 정사각형 ABCD, CEFG가 있다. $\overline{BE}$의 중점을 H라 할 때, $\overline{BH}$, $\overline{CH}$를 각각 한 변으로 하는 정사각형의 넓이를 S, R라 하자. 이때 $S+R$를 a, b에 대한 식으로 나타내어라.

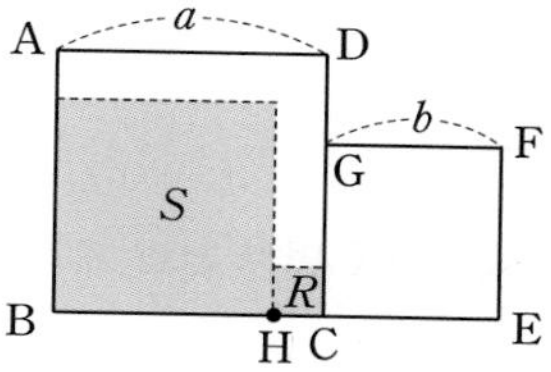

10 $a+b=5$, $ab=3$, $x+y=-4$, $xy=2$이고 $m=ax+by$, $n=bx+ay$일 때, m^2+n^2의 값을 구하여라.

11 $x+y=4$, $xy=2$, $0<y<x$일 때, $\dfrac{\sqrt{x}+\sqrt{y}}{\sqrt{x}-\sqrt{y}}$의 값을 구하여라.

12 네 실수 a, b, c, d에 대하여 $a+b=\dfrac{4}{3-2\sqrt{2}}$, $c+d=\dfrac{4}{3+2\sqrt{2}}$, $ac=bd=2$일 때, $ad+bc$의 값을 구하여라.

07 인수분해와 인수분해 공식(1)

기출문제로 내신대비

정답 및 풀이 44쪽

01 다음 식에 대하여 보기 중 바르게 설명한 것의 개수는?

$$8x^2y-4xy \underset{㉡}{\overset{㉠}{\rightleftarrows}} 4xy(2x-1)$$

보기
ㄱ. ㉠의 과정을 인수분해한다고 한다.
ㄴ. ㉡의 과정을 전개한다고 한다.
ㄷ. $4xy$는 $8x^2y$, $-4xy$의 공통인수이다.
ㄹ. $4x$, y, $2(2x-1)$은 모두 $8x^2y-4xy$의 인수이다.

① 0개 ② 1개 ③ 2개 ④ 3개 ⑤ 4개

02 다음 중 다항식 $2x(x-4)(x+1)$의 인수가 아닌 것은?

① $2x$ ② x^2 ③ $2(x-4)$ ④ $x(x+1)$ ⑤ $2x(x-4)(x+1)$

03 $x-3$과 $2x-1$이 $2x^2+ax+b$의 인수일 때, 상수 a, b에 대하여 $a+b$의 값은?

① -5 ② -4 ③ -3 ④ -2 ⑤ -1

04 다음 중 $x-1$을 인수로 갖는 다항식은?

① $x+1$ ② $2x-6$ ③ x^2-2x ④ $x(x^2-1)$ ⑤ $(x+1)(y-1)$

05 다음 등식을 만족시키는 상수 A, B에 대하여 $A+B$의 값은?

$$x^2-6x+3+A=(x+B)^2$$

① 1 ② 2 ③ 3 ④ 4 ⑤ 5

06 다음 중 이차식 x^2+mx+n이 완전제곱식이 되도록 하는 상수 m, n의 값이 아닌 것은?

① $m=-3$, $n=\frac{9}{4}$ ② $m=-4$, $n=4$ ③ $m=\frac{1}{2}$, $n=\frac{1}{2}$ ④ $m=8$, $n=16$ ⑤ $m=10$, $n=25$

07 $9x^2+(3+a)x+16$이 완전제곱식이 되도록 하는 상수 a의 값이 두 개일 때, 그 두 수의 합은?

① -48 ② -6 ③ 6 ④ 24 ⑤ 48

08 $-2<x<3$일 때, $\sqrt{x^2+4x+4}+\sqrt{4x^2-24x+36}$을 간단히 하면?

① $-3x-8$ ② $-x-8$ ③ $-x+8$ ④ $x-8$ ⑤ $x+8$

09 $9x^2-81=A(x+B)(x-B)$일 때, 자연수 A, B에 대하여 AB의 값은?

① 18 ② 24 ③ 27
④ 36 ⑤ 45

10 $\frac{1}{4}x^2-a$가 $\frac{1}{2}x+5$를 인수로 가질 때, 상수 a의 값은?

① 9 ② 16 ③ 25
④ 36 ⑤ 49

11 다음 중 x^4-1의 인수가 아닌 것은?

① $x-1$ ② $x+1$ ③ x^2-1
④ x^2+1 ⑤ x^2+x-1

12 $x^2-y^2=36$, $x+y=18$일 때, $3x-2y$의 값은?

① 10 ② 11 ③ 12
④ 13 ⑤ 14

13 n이 자연수일 때, $8n^3-2n$은 어떤 수의 배수인가?

① 4의 배수 ② 6의 배수 ③ 8의 배수
④ 10의 배수 ⑤ 12의 배수

서·술·형·문·제

풀이 과정을 자세히 쓰시오.

14 두 식 $\frac{1}{16}x^2+Ax+\frac{1}{9}$, $x^2+12x+B$가 모두 완전제곱식으로 인수분해될 때, 양수 A, B에 대하여 $6A+B$의 값을 구하여라.

[단계] ❶ A의 값 구하기
❷ B의 값 구하기
❸ $6A+B$의 값 구하기

답 ______

15 $f(x)=1-\frac{1}{x^2}$일 때, $f(2)\times f(3)\times\cdots\times f(9)$의 값을 구하여라.

답 ______

08 인수분해 공식(2)

기출문제로 내신대비

정답 및 풀이 45쪽

01 x^2-x-20이 x의 계수가 1인 두 일차식의 곱으로 인수분해될 때, 두 일차식의 합은?

① $2x-3$　② $2x-1$　③ $2x$
④ $2x+1$　⑤ $2x+3$

02 $x^2+Ax-12=(x+a)(x+b)$일 때, 다음 중 상수 A의 값이 될 수 없는 것은? (단, a, b는 정수)

① -13　② -11　③ -1
④ 4　⑤ 11

03 다음 그림의 직사각형을 모두 이용하여 하나의 큰 직사각형을 만들 때, 그 직사각형의 둘레의 길이는?

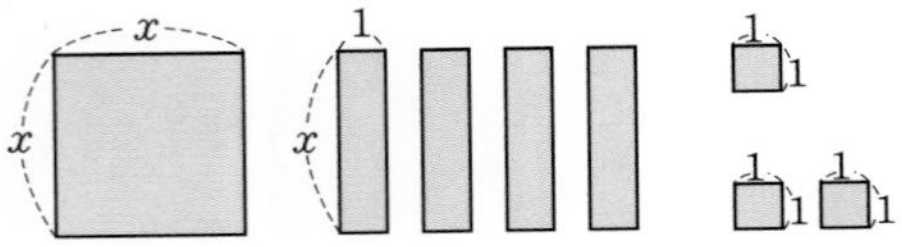

① $2x+4$　② $2x+8$　③ $4x+4$
④ $4x+8$　⑤ $6x+4$

04 다항식 $(x+2)(x-4)-7$을 인수분해하면?

① $(x-6)(x+2)$　② $(x-5)(x-3)$
③ $(x-5)(x+3)$　④ $(x+3)(x+5)$
⑤ $(x+2)(x+6)$

05 다항식 ax^2+3x-2가 $(4x-1)(bx+2)$로 인수분해될 때, 상수 a, b에 대하여 $a+b$의 값은?

① 15　② 18　③ 20
④ 23　⑤ 25

06 $6x^2+ax-6$이 $3x-2$로 나누어 떨어질 때, 상수 a의 값은?

① 2　② 3　③ 4
④ 5　⑤ 6

07 $6x^2+3x-18$이 $3x+6$으로 나누어 떨어지고, 그때의 몫이 $ax+b$일 때, 상수 a, b에 대하여 $a-b$의 값은?

① 1　② 2　③ 3
④ 4　⑤ 5

08 다음 중 인수분해한 것이 옳지 않은 것은?

① $x^2-14x+49=(x-7)^2$
② $x^2-25=(x+5)(x-5)$
③ $x^2+2x-15=(x+5)(x-3)$
④ $4x^2+4x-15=(x-3)(4x+5)$
⑤ $3x^2+xy-10y^2=(x+2y)(3x-5y)$

09 다음 중 유리수의 범위에서 인수분해할 수 없는 식은?

① $2x^2-6x$ ② x^2-8 ③ x^2-4x+4
④ x^2-2x-8 ⑤ $9x^2+6x+1$

10 다음 중 $x-3$을 인수로 갖지 않는 것은?

① $2x^2-7x+3$ ② x^2-6x+9
③ $4x^2-11x-3$ ④ $3x^2+8x-3$
⑤ $2x^2-13x+21$

11 두 다항식 $x^2-mx+12$와 $3x^2-2x-n$에 공통으로 들어 있는 인수가 $x-2$일 때, 두 상수 m, n에 대하여 $m+n$의 값은?

① 0 ② 4 ③ 8
④ 12 ⑤ 16

12 뒷면에 x에 대한 일차식이 적혀 있는 세 장의 카드 A, B, C가 있다. A와 B를 뽑아 뒷면에 적힌 일차식을 곱했더니 $2x^2-7x+6$이었고, B와 C를 뽑아 뒷면에 적힌 일차식을 곱했더니 x^2-x-2이었다. 이때 A와 C를 뽑아 뒷면에 적힌 일차식을 곱한 결과는?

① x^2+x-3 ② $2x^2-x-3$
③ $2x^2-8x+3$ ④ x^2-x-4
⑤ $2x^2+x-3$

13 다음 그림의 두 도형 (가), (나)의 넓이가 같을 때, (나)의 세로의 길이는?

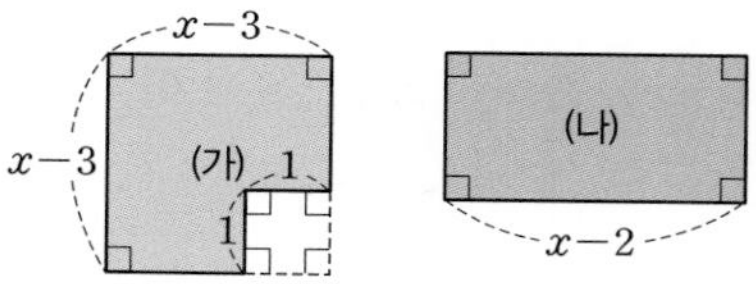

① $x-4$ ② $x-2$ ③ $x+1$
④ $x+2$ ⑤ $x+4$

서·술·형·문·제

풀이 과정을 자세히 쓰시오.

14 다항식 $3x^2+(a+5)x-6$이 $3x-2$를 인수로 가질 때, ax^2+4x+2를 인수분해하면 $b(x+1)^2$이다. 이때 상수 a, b에 대하여 $a+b$의 값을 구하여라.

[단계] ❶ a의 값 구하기
❷ b의 값 구하기
❸ $a+b$의 값 구하기

답 ____________

15 x^2의 계수가 1인 어떤 이차식을 동은이는 x의 계수를 잘못 보고 인수분해하여 $(x-6)(x+3)$이 되었고, 슬기는 상수항을 잘못 보고 인수분해하여 $(x-8)(x+1)$이 되었다. 처음의 이차식을 바르게 인수분해하여라.

답 ____________

09 인수분해 공식의 활용

기출문제로 내신대비

정답 및 풀이 46쪽

01 다항식 $ax^2-2ax-3a$의 인수가 아닌 것은?

① a ② $x+1$ ③ $x+3$
④ $a(x+1)$ ⑤ x^2-2x-3

02 $a^2-ac+b(c-a)+(b-a)(b-c)$를 인수분해하면?

① $(a-b)(b-c)$ ② $(a+b)(a-c)$
③ $(a-b)^2$ ④ $(b+c)^2$
⑤ $(a-2b)(b-2c)$

03 다음 중 두 다항식 $xy-3x+y-3$, $x^2+x-xy-y$의 공통인수는?

① $x-1$ ② $x+1$ ③ $y-3$
④ $x-y$ ⑤ $y+1$

04 $4x^2+4xy+y^2-9$를 인수분해하면 x, y의 계수가 각각 자연수인 두 일차식의 곱으로 인수분해될 때, 두 일차식의 합은?

① $4x+4y$ ② $4x+2y$ ③ $4x+y$
④ $x+2y$ ⑤ $x+4y$

05 $x^2-xy-x-2y-6$의 인수인 것은?

① $x-2$ ② $x-3$ ③ $x-y-3$
④ $x-y+2$ ⑤ $x-y+3$

06 $(3x-4)^2-(x+3)^2=(ax-1)(2x+b)$일 때, 상수 a, b에 대하여 $a-b$의 값은?

① -9 ② -3 ③ -1
④ 5 ⑤ 11

07 $(3x+2)^2-2(3x+2)-3$을 인수분해하면?

① $(3x-1)(3x+7)$ ② $3(3x-1)(x+1)$
③ $-3x(x+3)$ ④ $(x+3)(x-3)$
⑤ $(3x-1)(x+3)$

08 $2002\times2004+1=A^2$일 때, 양수 A의 값은?

① 2001 ② 2002 ③ 2003
④ 2004 ⑤ 2005

09 $1^2-2^2+3^2-4^2+5^2-6^2+7^2-8^2+9^2-10^2$의 값은?

① -58　② -55　③ -52
④ -49　⑤ -46

10 $a=2+\sqrt{3}$일 때, $\dfrac{a^2-4a+3}{a-2}$의 값은?

① $\dfrac{\sqrt{3}}{3}$　② $\dfrac{2\sqrt{3}}{3}$　③ $\sqrt{3}$
④ $\dfrac{4\sqrt{3}}{3}$　⑤ $2\sqrt{3}$

11 $x=\dfrac{\sqrt{7}+\sqrt{3}}{\sqrt{7}-\sqrt{3}}$, $y=\dfrac{\sqrt{7}-\sqrt{3}}{\sqrt{7}+\sqrt{3}}$일 때, $x^2-2xy+y^2$의 값은?

① $\sqrt{21}$　② 21　③ 25
④ 84　⑤ 100

12 오른쪽 그림에서 세 원의 중심은 모두 선분 PR 위에 있고 점 S는 선분 QR의 중점이다. $\overline{QS}=a$이고, 선분 PS를 지름으로 하는 원의 둘레의 길이를 l이라 할 때, 색칠한 부분의 넓이를 a와 l을 사용하여 나타내면?

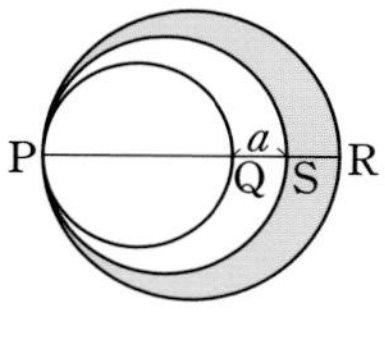

① $\dfrac{al}{2}+\dfrac{a^2\pi}{2}$　② $\dfrac{al}{2}+\dfrac{a^2\pi}{4}$　③ $al+\dfrac{a^2\pi}{4}$
④ $al+\dfrac{a^2\pi}{2}$　⑤ $al+a^2\pi$

13 반지름의 길이가 각각 22 cm, 14 cm인 원 모양의 피자를 각각 8등분하였다. 이때 큰 피자 한 조각의 넓이는 작은 피자 한 조각의 넓이보다 얼마만큼 더 넓은가?

① 12π cm^2　② 20π cm^2　③ 28π cm^2
④ 36π cm^2　⑤ 42π cm^2

서·술·형·문·제　　풀이 과정을 자세히 쓰시오.

14 x^2-4x-y^2-4y를 인수분해하면 $(x+ay)(x+by+c)$일 때, 상수 a, b, c에 대하여 $a+b-c$의 값을 구하여라.

[단계] ❶ x^2-4x-y^2-4y를 인수분해하기
❷ a, b, c의 값 각각 구하기
❸ $a+b-c$의 값 구하기

답 ________

15 한 변의 길이가 각각 x, y인 두 정사각형의 넓이의 차가 10이고, 둘레의 길이의 차가 8일 때, 두 정사각형의 둘레의 길이의 합을 구하여라. (단, $x>y$)

답 ________

정답 및 풀이 47쪽

01 다음 중 x^2y-y의 인수가 <u>아닌</u> 것은?

① y ② $x-1$ ③ $x+1$
④ $y(x+1)$ ⑤ $(x-1)^2$

02 다음 중 인수분해한 것이 옳지 <u>않은</u> 것은?

① $x^2-6x+9=(x-3)^2$
② $x^2-4=(x+2)(x-2)$
③ $x^2+2x-15=(x+3)(x-5)$
④ $ax-ay=a(x-y)$
⑤ $2x^2+x-3=(x-1)(2x+3)$

03 다음 식이 완전제곱식이 되도록 □ 안에 알맞은 양수를 넣을 때, □ 안의 수가 가장 큰 것은?

① $x^2-8x+\square$ ② $x^2+\square xy+36y^2$
③ $x^2-4x+\square$ ④ $x^2-6xy+\square y^2$
⑤ $9x^2+\square xy+4y^2$

04 연속한 두 홀수 $2n-1$, $2n+1$의 제곱의 차는 □의 배수가 된다고 한다. 이때 □ 안에 적당한 수는?
(단, n은 자연수)

① 3 ② 5 ③ 8
④ 16 ⑤ 24

05 다음 그림의 직사각형을 모두 이용하여 하나의 큰 직사각형을 만들려고 한다. 이때 만든 직사각형의 가로의 길이와 세로의 길이의 합은?

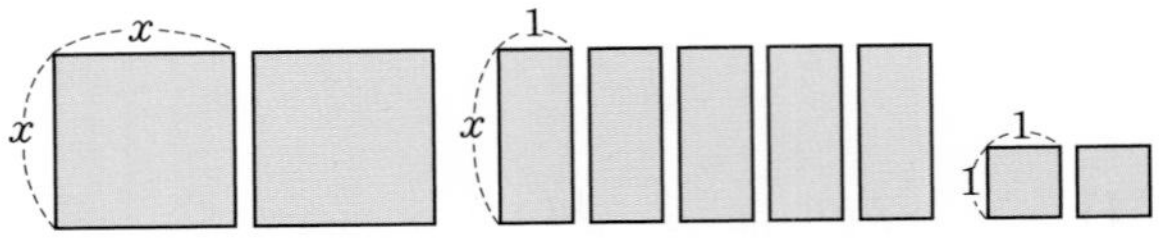

① $2x+3$ ② $2x+4$ ③ $3x+1$
④ $3x+3$ ⑤ $3x+4$

06 다음 두 다항식의 공통인수는?

$6x^2-8x-40$, $(x-3)^2+2(x-3)-15$

① $x-2$ ② $x+2$ ③ $x-6$
④ $x+6$ ⑤ $3x-10$

07 ax^2-x+b가 $x+1$과 $2x-3$으로 나누어 떨어질 때, 상수 a, b에 대하여 $a+b$의 값은?

① -3 ② -2 ③ -1
④ 0 ⑤ 1

08 x^2의 계수가 1인 어떤 이차식을 A는 x의 계수를 잘못 보고 $(x+2)(x-6)$으로 인수분해하였고, B는 상수항을 잘못 보고 $(x+3)(x-2)$로 인수분해하였다. 처음의 이차식을 바르게 인수분해한 것은?

① $(x+2)(x-4)$ ② $(x+4)(x-3)$
③ $(x+6)(x-3)$ ④ $(x+1)(x-5)$
⑤ $(x-3)(x-2)$

09 오른쪽 그림에서 색칠한 도형의 넓이가 $2x^2+5x+1$일 때, 다항식 A는?

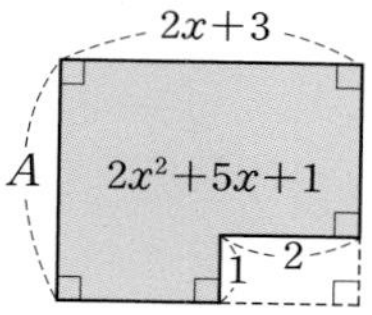

① $x-3$ ② $x-1$ ③ x ④ $x+1$ ⑤ $x+2$

10 $6(2x-1)^2-(2x-1)$을 인수분해하면 $(2x+a)(bx-7)$일 때, 상수 a, b에 대하여 $a+b$의 값은?

① 7 ② 8 ③ 9 ④ 10 ⑤ 11

11 $4x^2-y^2+2y-1$이 x의 계수가 자연수인 두 일차식의 곱으로 인수분해될 때, 이 두 일차식의 합은?

① $-4x+2y-2$ ② $-4x+2$ ③ $4x$ ④ $2y$ ⑤ $4x-2y+2$

12 $3(x+1)^2-4(x+1)(y-2)+(y-2)^2$의 인수인 것을 모두 고르면? (정답 2개)

① $3x-y+5$ ② $3x-y+3$ ③ $3x+y+5$ ④ $x-y+3$ ⑤ $x-y+5$

13 $98^2-1=99\times97$임을 설명하는 데 가장 알맞은 인수분해 공식은?

① $a^2+2ab+b^2=(a+b)^2$
② $a^2-2ab+b^2=(a-b)^2$
③ $a^2-b^2=(a+b)(a-b)$
④ $x^2+(a+b)x+ab=(x+a)(x+b)$
⑤ $acx^2+(ad+bc)x+bd=(ax+b)(cx+d)$

14 $42^2-2\times42\times38+38^2$의 값은?

① 13 ② 14 ③ 15 ④ 16 ⑤ 17

15 $x=\dfrac{1}{5-2\sqrt{6}}$일 때, $x^2-10x+25$의 값은?

① $\dfrac{1}{24}$ ② $2\sqrt{6}$ ③ 5 ④ 24 ⑤ 25

16 $x+y=9$, $x-y=\sqrt{6}$일 때, $x^2-y^2-8x+8y$의 값은?

① 2 ② $\sqrt{6}$ ③ 3 ④ $2\sqrt{6}$ ⑤ $3\sqrt{6}$

17 $\sqrt{n^2+99}=m$이고 m, n이 자연수일 때, n의 값을 모두 구하여라. (단, $m>n$)

서술형

18 $1<a<3$에 대하여 $\sqrt{x}=a-1$일 때, $\sqrt{x+6a+3}+\sqrt{x-4a+8}$을 간단히 하여라.

19 자연수 $5^{16}-1$은 20과 30 사이의 두 자연수에 의하여 나누어 떨어진다. 이 두 자연수를 구하여라.

20 50개의 다항식 x^2-x-1, x^2-x-2, x^2-x-3, $\cdots$, x^2-x-50 중에서 x의 계수와 상수항이 모두 정수인 두 일차식의 곱으로 인수분해되는 것은 모두 몇 개인지 구하여라.

21 세 항 x, y, z에 대하여 $[x, y, z]=x^2+yz$라 할 때, $[x, y, z]-[y, z, x]$를 인수분해하여라.

서술형

22 $xy-3x-3y+2=0$을 만족시키는 정수 x, y는 모두 몇 쌍인지 구하여라.

23 $(x+1)(x+2)(x+3)(x+4)-15$를 인수분해하면 $(x^2+ax+b)(x^2+cx+d)$일 때, $a+b+c+d$의 값을 구하여라. (단, a, b, c, d는 상수)

24 $21^2+6\times21+9$의 약수의 개수를 구하여라.

10 이차방정식의 뜻과 해

기출문제로 내신대비

정답 및 풀이 49쪽

01 다음 중 x에 대한 이차방정식은?

① x^2-x+2 ② $0\cdot x^2+x=0$

③ $x^2-\frac{1}{2}x=x^2$ ④ $x^2-1=0$

⑤ $x^3+2x-1=0$

02 $(ax+1)(3x-2)=6x^2+2$가 x에 대한 이차방정식일 때, 상수 a의 값으로 적당하지 않은 것은?

① -2 ② -1 ③ 1

④ 2 ⑤ 3

03 이차방정식 $3x^2-x+1=x^2+3x-2$를 $ax^2+bx+c=0$의 꼴로 나타낼 때, 정수 a, b, c에 대하여 $a+b+c$의 값은? (단, a는 최소의 양의 정수)

① -4 ② -2 ③ 1

④ 3 ⑤ 5

04 다음 이차방정식 중에서 $x=3$을 해로 갖는 것은?

① $x^2+3x=0$ ② $x^2=x-2$

③ $x^2+5x-24=0$ ④ $x^2-8x+16=0$

⑤ $(x+3)(x-4)=0$

05 다음 [ ] 안의 수가 주어진 이차방정식의 해인 것은?

① $x^2+x=0$ [1]

② $x^2+x-2=0$ [-1]

③ $x^2-6x+3=0$ [3]

④ $x(x+3)=x-1$ [-1]

⑤ $(x+1)(x-3)=-3$ [-1]

06 x의 값이 -3, -2, -1, 0, 1일 때, 이차방정식 $x^2-3x-4=0$의 해는?

① $x=-2$ ② $x=-1$

③ $x=1$ ④ $x=-1$ 또는 $x=1$

⑤ $x=0$ 또는 $x=2$

07 x의 값이 -2, -1, 0, 1, 2일 때, 이차방정식 $x^2+3x+2=0$을 참이 되게 하는 x의 값의 합은?

① -3 ② -2 ③ -1

④ 1 ⑤ 2

08 x의 값이 $2(x-1)\le x+1$을 만족하는 자연수일 때, 이차방정식 $(x-2)^2=x$의 해는?

① $x=-2$ ② $x=-1$ ③ $x=1$

④ $x=2$ ⑤ $x=3$

09 이차방정식 $x^2-5x+a=0$의 한 근이 $x=2$일 때, 상수 a의 값은?

① -5 ② -3 ③ 2
④ 4 ⑤ 6

10 두 이차방정식 $x^2-2x+a=0$, $3x^2+bx-2=0$의 공통인 근이 $x=-1$일 때, 상수 a, b에 대하여 $a+b$의 값은?

① -4 ② -2 ③ 1
④ 3 ⑤ 5

11 이차방정식 $x^2-px+10=0$의 한 근이 $x=2$이고, 이차방정식 $x^2-3x+4q=0$의 한 근이 $x=p$일 때, $p+q$의 값은? (단, p, q는 상수)

① -5 ② -3 ③ 0
④ 4 ⑤ 7

12 이차방정식 $x^2-4x-1=0$의 한 근을 $x=k$라 할 때, $2k^2-8k+a=5$가 되는 상수 a의 값은?

① 1 ② 3 ③ 5
④ 7 ⑤ 9

13 이차방정식 $x^2-5x-1=0$의 한 근이 $x=a$일 때, $a-\frac{1}{a}$의 값은?

① -5 ② -3 ③ 1
④ 3 ⑤ 5

서·술·형·문·제

풀이 과정을 자세히 쓰시오.

14 x의 값이 $-3<x\le1$을 만족하는 정수일 때, 이차방정식 $2x^2+x-1=0$의 해를 구하여라.

[단계] ❶ $-3<x\le1$을 만족하는 정수 구하기
❷ x의 값을 대입하여 성립하는 등식 찾기
❸ 이차방정식의 해 구하기

답 ________________

15 이차방정식 $x^2+x-1=0$의 한 근이 $x=k$일 때, $\frac{2k}{1-k^2}+\frac{3k^2}{1-k}$의 값을 구하여라.

답 ________________

11 이차방정식의 풀이

기출문제로 내신대비

정답 및 풀이 50쪽

01 다음 이차방정식 중 해가 $x=1$ 또는 $x=-\frac{1}{2}$인 것은?

① $(x+1)\left(x-\frac{1}{2}\right)=0$　② $2x^2+x-1=0$

③ $2x^2-x-1=0$　④ $\frac{1}{2}(x^2-1)=0$

⑤ $-\frac{1}{2}(x^2+x-2)=0$

02 이차방정식 $(2x+1)(x-3)=x^2-9$의 해는?

① $x=-1$ 또는 $x=2$　② $x=1$ 또는 $x=-2$

③ $x=-2$ 또는 $x=3$　④ $x=2$ 또는 $x=-3$

⑤ $x=2$ 또는 $x=3$

03 이차방정식 $6x^2+7x-3=0$의 두 근의 합을 A, 두 근의 곱을 B라 할 때, $A+B$의 값은?

① $-\frac{5}{3}$　② $-\frac{3}{2}$　③ $\frac{5}{2}$

④ $\frac{7}{3}$　⑤ $\frac{13}{4}$

04 이차방정식 $3x^2-16x-12=0$의 두 근의 곱이 이차방정식 $x^2+3x+k=0$의 한 근일 때, 상수 k의 값은?

① -4　② -2　③ 2

④ 4　⑤ 6

05 다음 두 이차방정식의 공통인 해는?

$$2x^2+x-3=0,\ (x-2)^2=x$$

① $x=-3$　② $x=-2$　③ $x=-1$

④ $x=1$　⑤ $x=2$

06 이차방정식 $x^2-10x+4m+5=0$이 중근을 갖도록 하는 상수 m의 값은?

① -5　② -3　③ 3

④ 5　⑤ 7

07 이차방정식 $x^2-2(m+1)x+16=0$이 중근을 갖도록 하는 모든 상수 m의 값의 합은?

① -8　② -2　③ 2

④ 4　⑤ 8

08 이차방정식 $16x^2-25=0$의 해는?

① $x=\pm\frac{\sqrt{5}}{4}$　② $x=\pm\frac{4}{5}$　③ $x=\pm\frac{5}{4}$

④ $x=\pm\frac{\sqrt{5}}{2}$　⑤ $x=\pm\frac{5}{2}$

09 이차방정식 $(x+1)^2-\frac{3}{4}=0$을 풀면?

① $x=-2\pm\sqrt{3}$
② $x=2\pm\sqrt{3}$
③ $x=\frac{-2\pm\sqrt{3}}{2}$
④ $x=\frac{2\pm\sqrt{3}}{2}$
⑤ $x=\frac{-2\pm\sqrt{3}}{4}$

10 이차방정식 $3(x+2)^2-21=0$을 풀면?

① $x=2\pm\sqrt{3}$
② $x=-2\pm\sqrt{3}$
③ $x=2\pm\sqrt{7}$
④ $x=-2\pm\sqrt{7}$
⑤ $x=3\pm\sqrt{3}$

11 이차방정식 $4(x-a)^2-20=0$의 해가 $x=3\pm\sqrt{b}$일 때, 상수 a, b에 대하여 $a+b$의 값은?

① -5 ② -3 ③ 3
④ 5 ⑤ 8

12 이차방정식 $2x^2-3x+1=0$을 $(x-p)^2=q$의 꼴로 나타낼 때, 상수 p, q에 대하여 $p+q$의 값은?

① $-\frac{3}{2}$ ② $-\frac{3}{5}$ ③ $\frac{13}{16}$
④ $\frac{11}{7}$ ⑤ $\frac{7}{4}$

13 이차방정식 $x^2+10x-7=p$의 해가 $x=a\pm2\sqrt{10}$일 때, 유리수 a, p에 대하여 $a+p$의 값은?

① -13 ② -3 ③ 3
④ 5 ⑤ 13

서·술·형·문·제

풀이 과정을 자세히 쓰시오.

14 x에 대한 이차방정식 $x^2+(a+2)x+2a=0$의 x의 계수와 상수항을 바꾸어 놓은 이차방정식을 풀었더니 한 근이 $x=-1$이었다. 처음 이차방정식의 해를 구하여라.

(단, a는 상수)

[단계] ❶ a의 값 구하기
❷ 처음 이차방정식 구하기
❸ 처음 이차방정식의 해 구하기

답 ____________

15 두 이차방정식 $2x^2-7x+3=0$, $3x^2-8x-3=0$의 공통인 근이 이차방정식 $4x^2+ax-9=0$의 한 근일 때, 다른 한 근을 구하여라.

답 ____________

12 이차방정식의 근의 공식과 활용

기출문제로 내신대비

정답 및 풀이 52쪽

01 이차방정식 $(x+3)(x-4)=-7x-11$의 해는?

① $x=3\pm\sqrt{10}$　② $x=-3\pm\sqrt{10}$　③ $x=-3\pm2\sqrt{10}$　④ $x=\frac{-3\pm\sqrt{10}}{2}$　⑤ $x=\frac{3\pm\sqrt{10}}{2}$

02 이차방정식 $5x^2+2x-1=0$의 근이 $x=\frac{A\pm\sqrt{B}}{5}$일 때, $A+B$의 값은? (단, A, B는 유리수)

① 3　② 5　③ 7　④ 9　⑤ 11

03 이차방정식 $\frac{1}{3}x^2+\frac{1}{6}x-\frac{1}{4}=0$을 풀면?

① $x=\frac{1\pm\sqrt{10}}{2}$　② $x=\frac{-1\pm\sqrt{10}}{2}$　③ $x=\frac{1\pm\sqrt{13}}{4}$　④ $x=\frac{-1\pm\sqrt{13}}{4}$　⑤ $x=\frac{3\pm\sqrt{15}}{4}$

04 이차방정식 $0.2x^2+\frac{1}{10}x-\frac{2}{5}=0$의 근이 $x=\frac{p\pm\sqrt{3q}}{4}$일 때, 유리수 p, q에 대하여 $p+q$의 값은?

① 6　② 7　③ 8　④ 9　⑤ 10

05 이차방정식 $0.3x^2-0.5x+0.2=0$의 두 근의 차는?

① $\frac{1}{3}$　② $\frac{1}{2}$　③ $\frac{2}{3}$　④ $\frac{4}{3}$　⑤ 2

06 이차방정식 $2(x+2)^2+3(x+2)-5=0$의 모든 해의 합은?

① -6　② $-\frac{11}{2}$　③ -5　④ $-\frac{9}{2}$　⑤ -4

07 다음 이차방정식 중 서로 다른 두 개의 근을 갖는 것은?

① $x^2-3x+5=0$　② $x^2+6x+9=0$　③ $x^2-5x-4=0$　④ $2x^2+3x+6=0$　⑤ $3x^2-6x+3=0$

08 이차방정식 $9x^2-12x+k=0$이 중근을 가질 때, 상수 k의 값은?

① 4　② 6　③ 9　④ 12　⑤ 15

09 이차방정식 $2x^2+ax+b=0$의 두 근이 -2, 3일 때, 상수 a, b에 대하여 $a-b$의 값은?

① 4　② 6　③ 8
④ 10　⑤ 12

10 다솜이와 민우의 생일은 같은 달이고, 민우의 생일은 다솜이의 생일보다 1주일 후의 같은 요일이라고 한다. 두 사람의 생일의 날짜의 곱이 368일 때, 두 사람의 생일의 날짜의 합은?

① 32일　② 36일　③ 39일
④ 42일　⑤ 45일

11 지면으로부터 30 m 높이의 건물 옥상에서 초속 25 m로 쏘아 올린 폭죽의 t초 후의 지면으로부터의 높이를 h m라 하면 $h=30+25t-5t^2$인 관계가 성립한다. 이 폭죽이 땅에 떨어지는 시간은 폭죽을 쏘아 올린 지 몇 초 후인가?

① 2초 후　② 3초 후　③ 4초 후
④ 5초 후　⑤ 6초 후

12 오른쪽 그림과 같이 가로, 세로의 길이가 각각 24 cm, 20 cm인 직사각형에서 가로의 길이는 매초 1 cm씩 줄어들고, 세로의 길이는 매초 2 cm씩 늘어나고 있다. 넓이가 처음과 같아지는 데 걸리는 시간은?

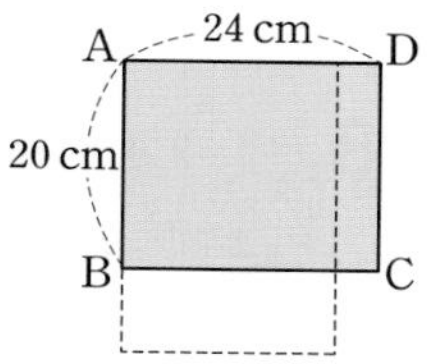

① 8초　② 10초　③ 12초
④ 14초　⑤ 16초

13 오른쪽 그림과 같이 가로의 길이가 세로의 길이보다 5 m 더 긴 직사각형 모양의 밭의 가로, 세로에 각각 폭이 3 m, 2 m인 길을 내었더니 남은 밭의 넓이가 621 m^2이었다. 처음 밭의 가로의 길이를 구하여라.

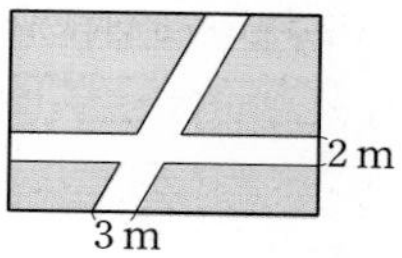

서·술·형·문·제

풀이 과정을 자세히 쓰시오.

14 이차방정식 $x^2+bx+c=0$을 푸는데 민수는 x의 계수를 잘못 보고 풀어 $x=-4$ 또는 $x=3$을 해로 구하였고, 지혜는 상수항을 잘못 보고 풀어 $x=-1$ 또는 $x=5$를 해로 구하였다. 이때 처음 이차방정식의 해를 구하여라.

(단, b, c는 상수)

[단계] ❶ c의 값 구하기
❷ b의 값 구하기
❸ 바른 이차방정식의 해 구하기

답 ______

15 오른쪽 그림과 같이 $\overline{BE}=8$ cm이고, $\overline{BE}$ 위에 한 점 C를 잡을 때, $\overline{BC}$와 $\overline{CE}$를 각각 한 변으로 하는 정사각형 2개를 만들었다. 두 정사각형의 넓이의 합이 34 cm^2일 때, 큰 정사각형의 한 변의 길이를 구하여라.

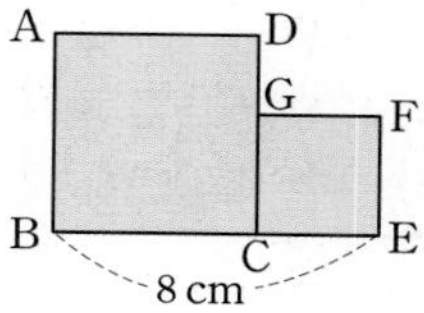

답 ______

단원 테스트

내신만점 도전하기

정답 및 풀이 53쪽

01 다음 보기에서 이차방정식은 모두 몇 개인가?

보기

ㄱ. $x(x-1)=x^2$

ㄴ. $\frac{x^2+1}{2}=3x$

ㄷ. $(x+1)(x-2)=0$

ㄹ. $2x^2=2(x-1)^2$

ㅁ. $(x+3)^2-9=0$

① 1개 ② 2개 ③ 3개 ④ 4개 ⑤ 5개

02 다음 중 [ ] 안의 수가 주어진 이차방정식의 해인 것은?

① $x^2+1=0$ [1]
② $2x^2-3x=0$ [3]
③ $x^2-3x+2=0$ [-2]
④ $3x^2-5x+2=0$ $\left[\frac{1}{3}\right]$
⑤ $2x^2+2x+\frac{1}{2}=0$ $\left[-\frac{1}{2}\right]$

03 이차방정식 $3x^2+7x-6=0$을 풀면?

① $x=-\frac{1}{3}$ 또는 $x=2$
② $x=-3$ 또는 $x=\frac{1}{3}$
③ $x=-\frac{2}{3}$ 또는 $x=3$
④ $x=-3$ 또는 $x=\frac{2}{3}$
⑤ $x=-2$ 또는 $x=3$

04 이차방정식 $6x^2-x-1=0$의 두 근을 m, n이라 할 때, $3m+2n$의 값은? (단, $m<n$)

① $-\frac{11}{3}$ ② -2 ③ 0 ④ 2 ⑤ $\frac{16}{3}$

05 이차방정식 $(2x-1)^2-(x+1)^2=0$을 풀면?

① $x=0$ 또는 $x=2$
② $x=1$ 또는 $x=2$
③ $x=1$ 또는 $x=3$
④ $x=2$ 또는 $x=3$
⑤ $x=2$ 또는 $x=4$

06 이차방정식 $x^2-4x+2a=4x-6$이 중근을 가질 때, 상수 a의 값은?

① -4 ② -2 ③ 1 ④ 3 ⑤ 5

07 이차방정식 $4(x+3)^2-20=0$을 풀면?

① $x=-2\pm\sqrt{3}$
② $x=2\pm\sqrt{3}$
③ $x=-3\pm\sqrt{5}$
④ $x=3\pm\sqrt{5}$
⑤ $x=-4\pm\sqrt{5}$

08 x에 대한 이차방정식 $ax^2+(a^2-1)x+5=0$의 한 근이 $x=-1$일 때, 다른 한 근은? (단, $a>0$)

① $x=-2$ ② $x=-\frac{5}{3}$ ③ $x=1$ ④ $x=\frac{3}{2}$ ⑤ $x=2$

09 이차방정식 $x^2-5x+2=0$을 $(x+a)^2=b$의 꼴로 나타낼 때, 상수 a, b에 대하여 $2a+4b$의 값은?

① 6 ② 8 ③ 10
④ 12 ⑤ 14

10 이차방정식 $ax^2+5x+1=0$의 근이 $x=\frac{-5\pm\sqrt{k}}{6}$일 때, 상수 a, k에 대하여 $a+k$의 값은?

① 10 ② 12 ③ 16
④ 18 ⑤ 20

11 이차방정식 $0.2x^2-0.6x+0.3=0$의 해는?

① $x=\frac{-3\pm\sqrt{3}}{2}$ ② $x=\frac{3\pm\sqrt{3}}{2}$
③ $x=\frac{-6\pm\sqrt{3}}{4}$ ④ $x=\frac{6\pm\sqrt{3}}{4}$
⑤ $x=\frac{-6\pm3\sqrt{3}}{4}$

12 이차방정식 $\frac{1}{3}x^2-\frac{1}{2}x-\frac{1}{6}=0$의 해가 $x=\frac{a\pm\sqrt{b}}{4}$일 때, 유리수 a, b에 대하여 $a+b$의 값은?

① 20 ② 22 ③ 24
④ 26 ⑤ 28

13 이차방정식 $3(x+1)^2-7(x+1)+2=0$을 풀면?

① $x=-2$ 또는 $x=1$ ② $x=-1$ 또는 $x=2$
③ $x=-\frac{2}{3}$ 또는 $x=1$ ④ $x=-1$ 또는 $x=\frac{2}{3}$
⑤ $x=2$ 또는 $x=3$

14 이차방정식 $x^2-4x+k-1=0$이 서로 다른 두 근을 갖도록 하는 가장 큰 정수 k의 값은?

① 3 ② 4 ③ 5
④ 6 ⑤ 7

15 어떤 책을 펼쳤더니 두 면의 쪽수의 곱이 272이었다. 이때 이 두 면의 쪽수의 합은?

① 30 ② 31 ③ 32
④ 33 ⑤ 34

16 오른쪽 그림과 같이 가로, 세로의 길이가 각각 30 m, 20 m인 직사각형 모양의 밭에 폭이 일정한 길을 만들려고 한다. 길의 넓이가 141 m^2가 되도록 할 때, 길의 폭은?

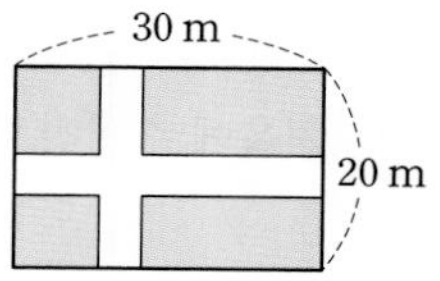

① 2 m ② 2.5 m ③ 3 m
④ 3.5 m ⑤ 4 m

17 서로 다른 두 개의 주사위를 동시에 던져서 나온 눈의 수의 차가 이차방정식 $x^2-6x+8=0$의 해가 될 확률을 구하여라.

18 이차방정식 $\frac{1}{2}(x-3)^2-\frac{1}{3}(x-3)-\frac{1}{6}=0$의 해를 구하여라.

서술형

19 이차방정식 $5x^2-4x-k=0$은 해를 갖고, 이차방정식 $(k-1)x^2+4x-5=0$은 해를 갖지 않을 때, 상수 k의 값의 범위를 구하여라.

서술형

20 x^2의 계수가 1인 이차방정식을 푸는데 동호는 x의 계수를 잘못 보고 풀어 $x=-3$ 또는 $x=4$의 해를 얻었고, 한결이는 상수항을 잘못 보고 풀어 $x=-7$ 또는 $x=3$의 해를 얻었다. 이때 처음에 주어진 이차방정식의 해를 구하여라.

21 이차방정식 $x^2-2ax+10a-4=0$의 한 근이 다른 근보다 4만큼 클 때, 양수 a의 값을 구하여라.

22 지면에서 초속 40 m로 똑바로 위로 던진 공의 t초 후의 높이를 h m라 하면 $h=40t-5t^2$의 관계가 성립한다. 이때 공이 지면으로부터 높이가 60 m 이상인 지점을 지나는 것은 몇 초 동안인지 구하여라.

서술형

23 오른쪽 그림과 같이 세 반원으로 이루어진 도형에서 $\overline{AB}$의 길이가 10 cm이고, 색칠한 부분의 넓이가 6π cm^{2}일 때, $\overline{AC}$의 길이를 구하여라. (단, $\overline{AC}>\overline{CB}$)

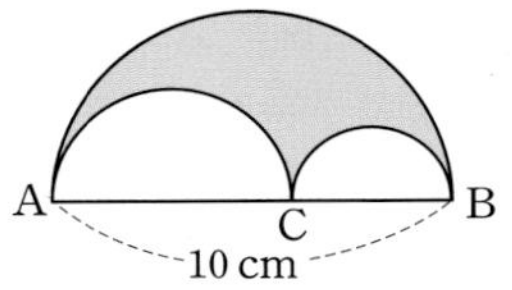

24 오른쪽 그림과 같이 가로의 길이가 18 cm이고, 세로의 길이가 12 cm인 직사각형 ABCD에서 점 P는 점 A에서 점 B를 향해 매초 2 cm의 속력으로, 점 Q는 점 B에서 점 C를 향해 매초 3 cm의 속력으로 움직인다. 두 점 P, Q가 동시에 출발하였을 때, 출발한 지 몇 초 후에 삼각형 PBQ의 넓이가 27 cm^{2}가 되는지 구하여라.

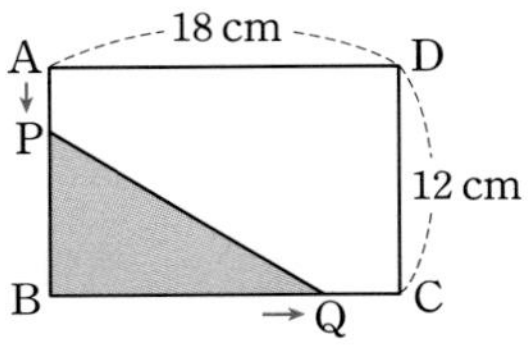

13 이차함수의 뜻과 이차함수 $y=ax^2$의 그래프

기출문제로 내신대비

정답 및 풀이 55쪽

01 다음 중 이차함수인 것은?

① $y=2x$ ② $y=x-1$
③ $y=(x+1)^2-x^2$ ④ $y=1-x^2$
⑤ $y=x^2(x-1)$

02 다음 중 y가 x에 대한 이차함수인 것은?

① 밑변의 길이가 4, 높이가 x인 삼각형의 넓이 y
② 반지름의 길이가 x인 원의 넓이 y
③ 한 변의 길이가 x인 정사각형의 둘레의 길이 y
④ 가로의 길이가 $x+1$, 세로의 길이가 x인 직사각형의 둘레의 길이 y
⑤ 윗변과 아랫변의 길이가 각각 x, $2x$이고 높이가 6인 사다리꼴의 넓이 y

03 이차함수 $f(x)=x^2+2x-3$에서 $f(-1)$의 값은?

① -4 ② -2 ③ 2
④ 4 ⑤ 6

04 이차함수 $f(x)=2x^2-5x-3$에서 $f(a)=-5$일 때, 정수 a의 값은?

① -3 ② -2 ③ -1
④ 1 ⑤ 2

05 이차함수 $f(x)=x^2+ax+b$에 대하여 $f(-1)=4$, $f(2)=1$일 때, 상수 a, b에 대하여 $a+b$의 값은?

① -3 ② -1 ③ 1
④ 2 ⑤ 3

06 다음 중 이차함수 $y=-\frac{3}{2}x^2$의 그래프 위의 점이 <u>아닌</u> 것은?

① $(-4, -24)$ ② $(-2, -6)$ ③ $(0, 0)$
④ $\left(-1, \frac{3}{2}\right)$ ⑤ $(2, -6)$

07 원점을 꼭짓점으로 하고, 점 $(-2, 3)$을 지나는 포물선을 그래프로 하는 이차함수의 식은?

① $y=-2x^2$ ② $y=2x^2$ ③ $y=-\frac{2}{3}x^2$
④ $y=\frac{2}{3}x^2$ ⑤ $y=\frac{3}{4}x^2$

08 다음 중 이차함수 $y=-\frac{1}{2}x^2$의 그래프에 대한 설명으로 옳은 것은?

① 아래로 볼록한 포물선이다.
② 점 $(-2, 2)$를 지난다.
③ $y=-2x^2$의 그래프와 x축에 대칭이다.
④ 제3사분면과 제4사분면을 지난다.
⑤ $x<0$일 때, x의 값이 증가하면 y의 값은 감소한다.

09 다음 중 이차함수 $y=ax^2$의 그래프에 대한 설명으로 옳지 않은 것은? (단, a는 상수)

① 원점을 꼭짓점으로 한다.
② y축에 대칭인 포물선이다.
③ $a<0$일 때, 위로 볼록한 포물선이다.
④ a의 절댓값이 클수록 그래프의 폭이 넓다.
⑤ $y=-ax^2$의 그래프와 x축에 대칭이다.

10 오른쪽 그림과 같은 이차함수의 그래프와 x축에 대칭인 이차함수의 식은?

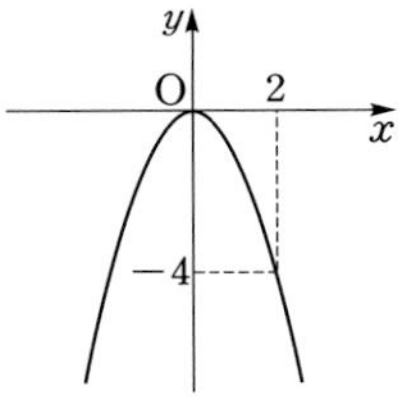

① $y=x^2$　② $y=2x^2$
③ $y=\frac{1}{2}x^2$　④ $y=\frac{1}{3}x^2$
⑤ $y=\frac{3}{4}x^2$

11 다음 이차함수의 그래프 중 아래로 볼록하면서 폭이 가장 넓은 것은?

① $y=-\frac{3}{4}x^2$　② $y=-\frac{1}{3}x^2$　③ $y=\frac{1}{2}x^2$
④ $y=3x^2$　⑤ $y=\frac{4}{3}x^2$

12 두 이차함수 $y=ax^2$, $y=-x^2$의 그래프가 오른쪽 그림과 같을 때, 다음 중 실수 a의 값이 될 수 있는 것은?

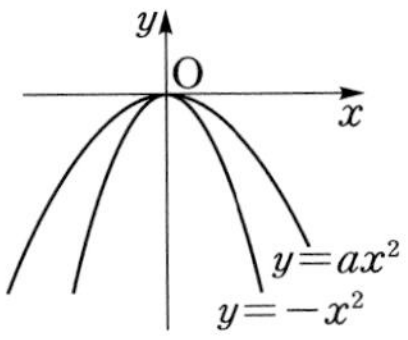

① -2　② $-\frac{4}{3}$
③ $-\frac{1}{2}$　④ $\frac{2}{3}$
⑤ 2

13 오른쪽 그림은 이차함수 $y=2x^2$, $y=ax^2$의 그래프이다. 이때 상수 a의 값의 범위는?

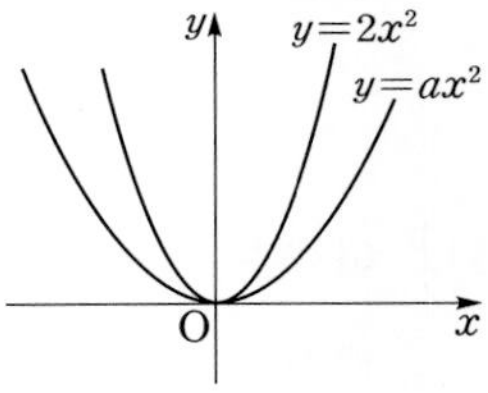

① $a=0$　② $a<2$
③ $0<a<1$　④ $0<a<2$
⑤ $1<a<2$

서·술·형·문·제

풀이 과정을 자세히 쓰시오.

14 이차함수 $y=ax^2$의 그래프가 점 $(-3, 6)$을 지날 때, x축에 대칭인 이차함수의 그래프는 점 $(2, k)$를 지난다. 이때 상수 a, k에 대하여 $a+k$의 값을 구하여라.

[단계] ❶ 이차함수 $y=ax^2$의 그래프의 식 구하기
❷ x축에 대칭인 이차함수의 식 구하기
❸ $a+k$의 값 구하기

답 ____________

15 이차함수 $y=f(x)$의 그래프가 오른쪽 그림과 같을 때, $f\left(-\frac{1}{2}\right)$의 값을 구하여라.

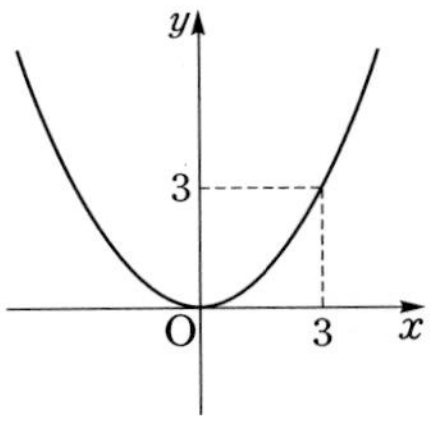

답 ____________

14 이차함수의 그래프

기출문제로 내신대비

정답 및 풀이 56쪽

01 이차함수 $y=-\frac{5}{2}x^2$의 그래프를 y축의 방향으로 q만큼 평행이동하면 점 $(-2,\ -8)$을 지난다. 이때 q의 값은?

① -8　② -4　③ -2　④ 2　⑤ 4

02 이차함수 $y=\frac{1}{3}(x-1)^2$의 그래프에서 x의 값이 증가할 때, y의 값도 증가하는 x의 값의 범위가 될 수 있는 것은?

① $x>-1$　② $x<-1$　③ $x>1$　④ $x<1$　⑤ $x>\frac{1}{3}$

03 이차함수 $y=-2x^2$의 그래프를 x축의 방향으로 3만큼 평행이동하면 점 $(2,\ k)$를 지난다. 이때 상수 k의 값은?

① -4　② -2　③ 1　④ 2　⑤ 4

04 이차함수 $y=a(x-p)^2-1$의 그래프는 축의 방정식이 $x=-2$이고, 점 $(-1,\ -4)$를 지난다. 이때 상수 a, p에 대하여 $a+p$의 값은?

① -5　② -3　③ -1　④ 1　⑤ 3

05 이차함수 $y=a(x-p)^2+q$의 그래프가 오른쪽 그림과 같을 때, 상수 a, p, q에 대하여 $a+p+q$의 값은?

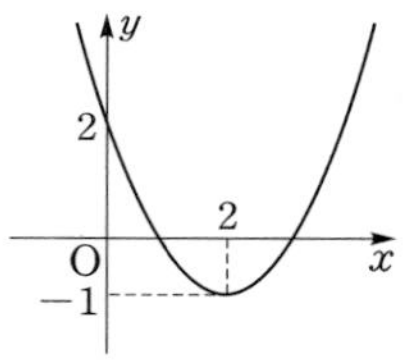

① $-\frac{4}{5}$　② $-\frac{2}{3}$　③ $\frac{3}{2}$　④ $\frac{5}{3}$　⑤ $\frac{7}{4}$

06 이차함수 $y=-\frac{2}{3}(x+1)^2+4$의 그래프를 x축의 방향으로 m만큼, y축의 방향으로 n만큼 평행이동하였더니 $y=-\frac{2}{3}x^2$의 그래프와 일치하였다. 이때 $m+n$의 값은?

① -3　② -1　③ 2　④ 4　⑤ 6

07 이차함수 $y=3(x-1)^2+2$의 그래프를 x축의 방향으로 -2만큼, y축의 방향으로 -4만큼 평행이동한 그래프가 점 $(1,\ a)$를 지날 때, 상수 a의 값은?

① 2　② 4　③ 6　④ 8　⑤ 10

08 이차함수 $y=-2(x+1)^2+3$의 그래프를 x축에 대하여 대칭이동한 그래프의 식은?

① $y=-2(x-1)^2+3$　② $y=2(x+1)^2-3$　③ $y=2(x-1)^2+3$　④ $y=2(x+3)^2+1$　⑤ $y=2(x-3)^2-1$

09 이차함수 $y=3(x+1)^2-2$의 그래프에 대한 다음 설명 중 옳은 것은?

① $y=3x^2$의 그래프를 x축의 방향으로 1만큼, y축의 방향으로 -2만큼 평행이동한 그래프이다.
② $y=\frac{1}{3}x^2$의 그래프와 포물선의 폭이 같다.
③ 꼭짓점의 좌표는 $(1, -2)$이다.
④ 축의 방정식은 $x=1$이다.
⑤ $y=-3(x+1)^2+2$의 그래프와 x축에 대칭이다.

10 다음 보기의 이차함수의 그래프에 대한 설명으로 옳지 <u>않은</u> 것은?

보기
ㄱ. $y=-3x^2$ ㄴ. $y=\frac{1}{3}x^2-2$
ㄷ. $y=2(x-1)^2$ ㄹ. $y=-4(x-3)^2-2$
ㅁ. $y=\frac{1}{2}(x+2)^2+3$

① 아래로 볼록한 그래프는 ㄴ, ㄷ, ㅁ이다.
② 폭이 가장 좁은 것은 ㄴ이다.
③ 꼭짓점이 x축보다 아래쪽에 있는 것은 ㄴ, ㄹ이다.
④ 축이 제 1, 4사분면을 지나는 것은 ㄷ, ㄹ이다.
⑤ 그래프가 x축과 만나지 않는 것은 ㄹ, ㅁ이다.

11 일차함수 $y=ax+b$의 그래프가 오른쪽 그림과 같을 때, 다음 중 이차함수 $y=bx^2+a$의 그래프로 적당한 것은?

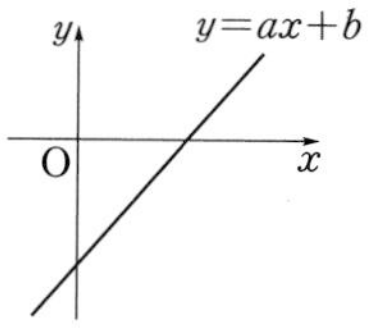

① 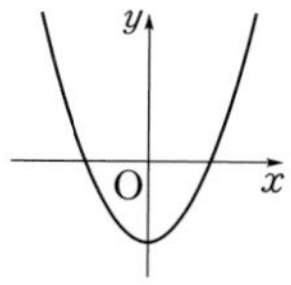
② 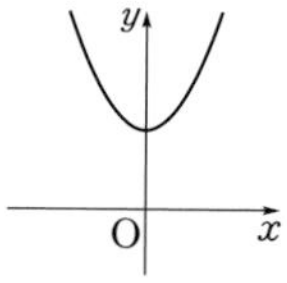
③ 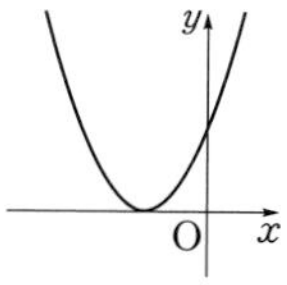
④ 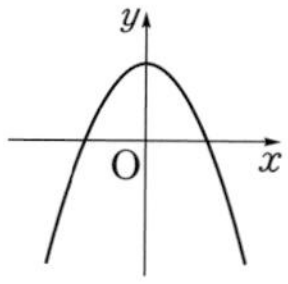
⑤ 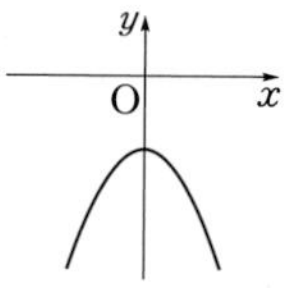

12 이차함수 $y=a(x-p)^2+q$의 그래프가 오른쪽 그림과 같을 때, $y=(x+a)^2+p$의 그래프의 꼭짓점은 제 몇 사분면에 있는지 구하여라.

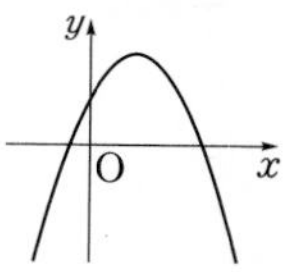

서·술·형·문·제 풀이 과정을 자세히 쓰시오.

13 두 이차함수 $y=-\frac{1}{4}x^2+m$, $y=x^2+n$의 꼭짓점을 각각 A, C라 하자. 두 함수의 그래프가 오른쪽 그림과 같이 x축 위의 두 점 B, D에서 만나고, 점 B의 좌표가 $(-2, 0)$일 때, □ABCD의 넓이를 구하여라.

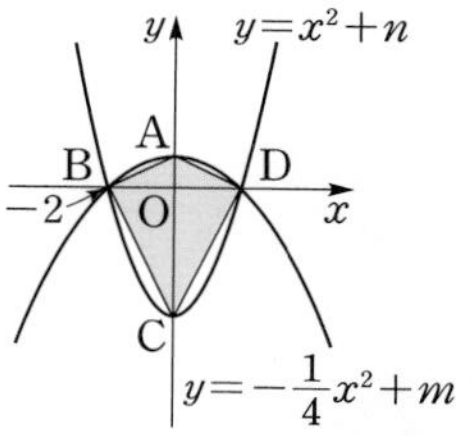

[단계] ❶ m, n의 값 각각 구하기
❷ 점 A, C, D의 좌표 각각 구하기
❸ □ABCD의 넓이 구하기

답 ____________

14 오른쪽 그림과 같이 이차함수 $y=-3x^2+12$의 그래프와 이차함수 $y=a(x-p)^2$의 그래프가 서로의 꼭짓점을 지날 때, 상수 a, p에 대하여 $a+p$의 값을 구하여라. (단, $p>0$)

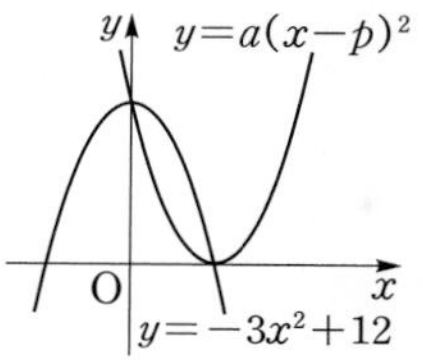

답 ____________

15 이차함수의 활용

기출문제로 내신대비

정답 및 풀이 57쪽

01 이차함수 $y=-\frac{1}{2}x^2-2x+6$의 그래프가 x축과 만나는 두 점의 x좌표가 각각 p, q이고, y축과 만나는 점의 y좌표가 r일 때, $p+q+r$의 값은?

① 1 ② 2 ③ 3
④ 4 ⑤ 5

02 이차함수 $y=-3x^2+12x+k$의 그래프의 꼭짓점의 좌표가 $(2, 8)$일 때, 상수 k의 값은?

① -6 ② -4 ③ -2
④ 2 ⑤ 4

03 이차함수 $y=-2x^2-2x+a-3$의 그래프가 x축과 만나지 않도록 하는 상수 a의 값이 될 수 <u>없는</u> 것은?

① -2 ② -1 ③ 1
④ 2 ⑤ 3

04 다음 중 이차함수의 그래프가 모든 사분면을 지나는 것은?

① $y=x^2+2x$ ② $y=x^2-4x+6$
③ $y=-3x^2+6x-2$ ④ $y=\frac{1}{2}x^2-4x+5$
⑤ $y=-\frac{1}{3}x^2+2x+1$

05 다음 중 이차함수 $y=-x^2+4x-3$의 그래프에 대한 설명으로 옳지 <u>않은</u> 것은?

① 꼭짓점의 좌표는 $(2, 1)$이다.
② x축과의 교점의 좌표는 $(1, 0)$, $(3, 0)$이다.
③ 모든 사분면을 지난다.
④ $x<2$일 때, x의 값이 증가하면 y의 값도 증가한다.
⑤ 이차함수 $y=-x^2$의 그래프를 x축의 방향으로 2만큼, y축의 방향으로 1만큼 평행이동한 것이다.

06 꼭짓점의 좌표가 $(-1, -3)$이고, 점 $(1, -11)$을 지나는 포물선을 그래프로 하는 이차함수의 식을 $y=ax^2+bx+c$라 할 때, 상수 a, b, c에 대하여 $a+b-c$의 값은?

① -11 ② -8 ③ -5
④ -3 ⑤ -1

07 꼭짓점의 좌표가 $(2, -1)$이고, 이차함수 $y=x^2-x+3$의 그래프와 y축에서 만나는 포물선을 그래프로 하는 이차함수의 식은?

① $y=-x^2-2x+3$ ② $y=x^2-4x+3$
③ $y=-2x^2+3x-5$ ④ $y=2x^2-x+5$
⑤ $y=-3x^2-2x+3$

08 이차함수 $y=-x^2$의 그래프와 모양과 폭이 같고, 축의 방정식이 $x=-2$인 포물선이 점 $(-1, -4)$를 지날 때, 이 포물선이 y축과 만나는 점의 좌표를 구하여라.

09 축의 방정식이 $x=-1$이고 두 점 $(-2,\ -1)$, $(1,\ 5)$를 지나는 포물선을 그래프로 하는 이차함수의 식은?

① $y=x^2+3x+1$
② $y=-x^2-2x+1$
③ $y=2x^2+4x-1$
④ $y=-2x^2+3x-4$
⑤ $y=3x^2-4x+4$

10 세 점 $(-1,\ 6)$, $(0,\ 1)$, $(1,\ 2)$를 지나는 포물선을 그래프로 하는 이차함수의 식은?

① $y=2x^2-x+1$
② $y=-2x^2+x+1$
③ $y=3x^2-2x+1$
④ $y=-3x^2+4x+1$
⑤ $y=4x^2-3x+1$

11 x축과의 두 교점이 $(-2,\ 0)$, $(1,\ 0)$이고, 다른 한 점 $(2,\ -12)$를 지나는 포물선을 그래프로 하는 이차함수의 식은?

① $y=-x^2+2x+4$
② $y=2x^2-3x-6$
③ $y=-2x^2+4x-5$
④ $y=3x^2+2x+5$
⑤ $y=-3x^2-3x+6$

12 오른쪽 그림과 같은 이차함수의 그래프의 꼭짓점의 좌표는?

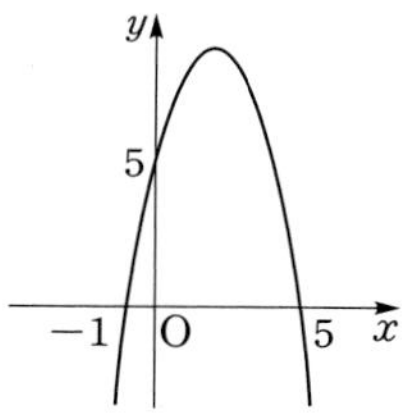

① $(2,\ 7)$
② $(2,\ 8)$
③ $(2,\ 9)$
④ $(3,\ 8)$
⑤ $(3,\ 9)$

서·술·형·문·제

풀이 과정을 자세히 쓰시오.

13 이차함수 $y=-2x^2+8x-3$의 그래프를 x축의 방향으로 -3만큼, y축의 방향으로 -3만큼 평행이동한 이차함수의 그래프의 꼭짓점의 좌표를 구하여라.

[단계] ❶ $y=a(x-p)^2+q$의 꼴로 나타내기
❷ 평행이동한 그래프의 식 구하기
❸ 꼭짓점의 좌표 구하기

답 ____________

14 오른쪽 그림과 같이 이차함수 $y=x^2-4x-5$의 그래프와 x축과의 두 교점을 각각 B, C라 하고, 꼭짓점을 A라 할 때, 삼각형 ABC의 넓이를 구하여라.

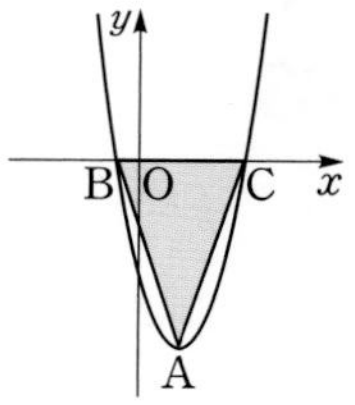

답 ____________

정답 및 풀이 59쪽

01 다음 중에서 y가 x에 대한 이차함수인 것을 모두 고르면? (정답 2개)

① $y=x^2$ ② $xy=1$
③ $y=x(x+5)$ ④ $y=-x^2+x(x-1)$
⑤ $y=(x+3)^2-(x-3)^2$

02 오른쪽 그림은 두 이차함수 $y=\frac{1}{2}x^2$과 $y=-x^2$의 그래프를 그린 것이다. 다음 중 그 그래프가 색칠한 부분에 있지 않은 것은?

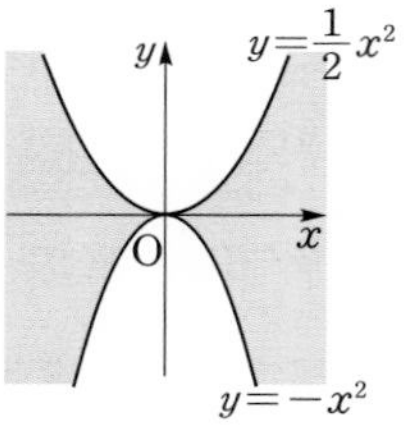

① $y=-\frac{4}{3}x^2$ ② $y=-\frac{2}{3}x^2$ ③ $y=-\frac{1}{4}x^2$
④ $y=\frac{1}{4}x^2$ ⑤ $y=\frac{1}{6}x^2$

03 다음 중 이차함수 $y=-\frac{4}{3}x^2$의 그래프에 대한 설명으로 옳지 않은 것은?

① 꼭짓점의 좌표는 (0, 0)이다.
② 축의 방정식은 $x=0$이다.
③ 위로 볼록한 포물선이다.
④ $y=\frac{4}{3}x^2$의 그래프와 y축에 대칭이다.
⑤ $x>0$일 때, x의 값이 증가하면 y의 값은 감소한다.

04 이차함수 $y=ax^2+q$의 그래프가 두 점 $(-2, -5)$, $(1, 1)$을 지날 때, 상수 a, q에 대하여 $a-q$의 값은?

① -5 ② -2 ③ 1
④ 3 ⑤ 5

05 오른쪽 그림과 같은 포물선을 그래프로 하는 이차함수의 식은?

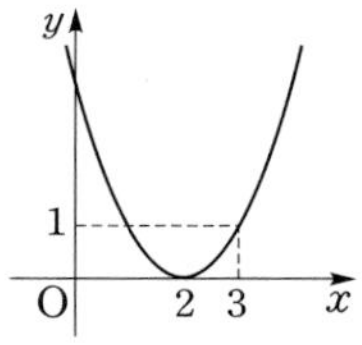

① $y=x^2-1$ ② $y=(x-2)^2$
③ $y=2x^2-3$ ④ $y=\frac{1}{2}x^2+2$
⑤ $y=\frac{1}{2}(x-2)^2$

06 다음 보기 중에서 이차함수 $y=a(x-p)^2$에 대한 설명으로 옳은 것을 모두 고른 것은?

보기
ㄱ. 축의 방정식은 $x=p$이다.
ㄴ. 꼭짓점의 좌표는 (0, 0)이다.
ㄷ. $a>0$이면 아래로 볼록한 포물선이다.
ㄹ. 이차함수 $y=-a(x-p)^2$의 그래프와 x축에 대칭이다.
ㅁ. $y=ax^2$의 그래프를 y축의 방향으로 p만큼 평행이동한 것이다.

① ㄱ, ㄴ, ㄷ ② ㄱ, ㄷ, ㄹ ③ ㄱ, ㄹ, ㅁ
④ ㄴ, ㄷ, ㅁ ⑤ ㄷ, ㄹ, ㅁ

07 이차함수 $y=-2x^2$의 그래프를 x축의 방향으로 -3만큼, y축의 방향으로 1만큼 평행이동하면 점 $(-2, k)$를 지난다. 이때 k의 값은?

① -2 ② -1 ③ 0
④ 1 ⑤ 2

08 서로 다른 두 개의 주사위 A, B를 동시에 던져서 나온 눈의 수를 각각 a, b라 할 때, 이차함수 $y=3(x-a)^2+b$의 그래프의 꼭짓점이 직선 $y=x$ 위에 있을 확률은?

① $\frac{1}{4}$　② $\frac{1}{6}$　③ $\frac{1}{9}$
④ $\frac{1}{12}$　⑤ $\frac{1}{36}$

09 이차함수 $y=a(x-p)^2+q$의 그래프가 오른쪽 그림과 같을 때, a, p, q의 부호는?

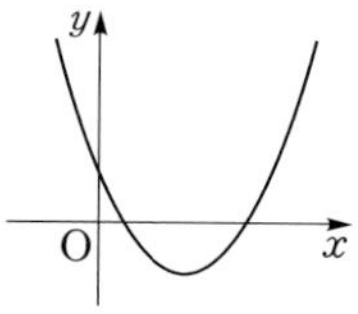

① $a>0,\ p>0,\ q>0$
② $a>0,\ p>0,\ q<0$
③ $a>0,\ p<0,\ q>0$
④ $a<0,\ p>0,\ q>0$
⑤ $a<0,\ p<0,\ q<0$

10 다음 보기의 이차함수의 그래프에 대한 설명으로 옳지 않은 것은?

보기
ㄱ. $y=2x^2$　ㄴ. $y=-\frac{1}{2}x^2+1$
ㄷ. $y=-(x-3)^2$　ㄹ. $y=-2(x+2)^2-4$

① 폭이 가장 넓은 그래프는 ㄴ이다.
② 꼭짓점이 x축 위에 있는 그래프는 ㄱ, ㄷ이다.
③ ㄱ, ㄴ의 그래프는 축의 방정식이 같다.
④ ㄴ의 그래프를 대칭이동 또는 평행이동하면 ㄹ의 그래프와 완전히 포갤 수 있다.
⑤ ㄷ, ㄹ의 그래프가 지나는 사분면은 서로 같다.

11 이차함수 $y=-3x^2-6x+1$의 그래프에서 x의 값이 증가할 때, y의 값도 증가하는 x의 값의 범위가 될 수 있는 것은?

① $x>-1$　② $x<-1$　③ $x>2$
④ $x<2$　⑤ $x>3$

12 다음 중 이차함수 $y=\frac{3}{2}x^2-3x+\frac{7}{2}$의 그래프에 대한 설명으로 옳지 않은 것은?

① 아래로 볼록한 포물선이다.
② 축의 방정식은 $x=1$이다.
③ 꼭짓점의 좌표는 $(1,\ -2)$이다.
④ y축과 점 $\left(0,\ \frac{7}{2}\right)$에서 만난다.
⑤ $y=\frac{3}{2}x^2$의 그래프를 x축의 방향으로 1만큼, y축의 방향으로 2만큼 평행이동한 것이다.

13 이차함수 $y=x^2+2ax+4a+5$의 그래프가 다음 조건을 모두 만족할 때, 상수 a의 값은?

(가) 그래프가 x축과 한 점에서 만난다.
(나) 축이 y축의 오른쪽에 있다.

① -5　② -1　③ 1
④ 3　⑤ 5

14 꼭짓점의 좌표가 $(1,\ 2)$이고, 점 $(0,\ -1)$을 지나는 포물선을 그래프로 하는 이차함수의 식은?

① $y=-(x+1)^2+2$　② $y=(x-1)^2+2$
③ $y=-2(x-1)^2+2$　④ $y=2(x+1)^2+2$
⑤ $y=-3(x-1)^2+2$

15 x축과의 교점이 $(-3,\ 0)$, $(1,\ 0)$인 이차함수의 그래프가 점 $(0,\ -6)$을 지날 때, 이 그래프의 꼭짓점의 좌표는?

① $(1,\ 4)$　② $(3,\ 12)$　③ $(-1,\ -4)$
④ $(-1,\ -8)$　⑤ $(2,\ 8)$

16 오른쪽 그림에서 이차함수 $y=ax^2$의 그래프가 직사각형 ABCD의 둘레 위의 점과 만나기 위한 상수 a의 값의 범위를 구하여라.

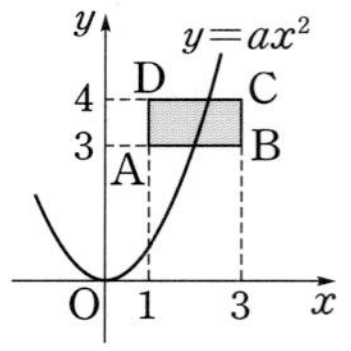

서술형

17 오른쪽 그림과 같이 두 이차함수 $y=x^2$, $y=-\frac{1}{2}x^2$의 그래프 위에 있는 네 점 A, B, C, D를 꼭짓점으로 하는 사각형이 정사각형일 때, 이 정사각형의 한 변의 길이를 구하여라. (단, □ABCD의 각 변은 x축 또는 y축에 평행하다.)

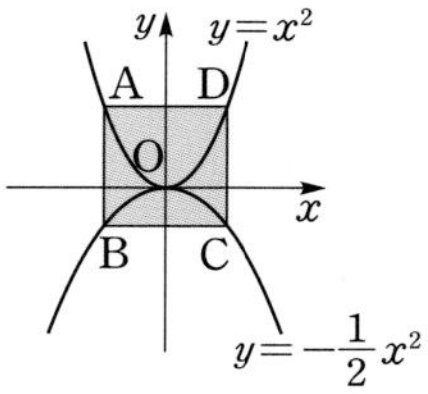

18 오른쪽 그림과 같이 포물선 모양의 상징물을 세우려고 한다. A지점에서 상징물의 기둥의 높이가 4 m이고, A지점으로부터 2 m 떨어진 B지점의 기둥의 높이가 6 m일 때, A지점으로부터 4 m 떨어진 C지점에서의 기둥의 높이를 구하여라.

(단, A지점에서 기둥의 높이가 가장 낮다.)

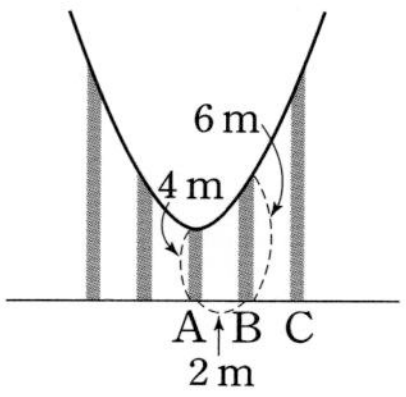

19 두 이차함수 $y=-4x^2$, $y=-4(x-1)^2+4$의 그래프가 오른쪽 그림과 같을 때, 색칠한 부분의 넓이를 구하여라.

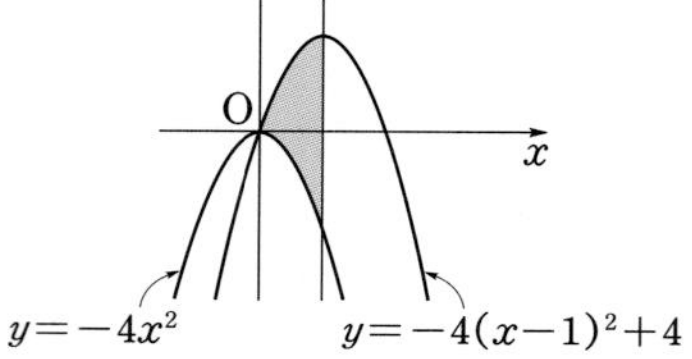

20 이차함수 $y=-x^2-4x+k$의 그래프와 x축과의 두 교점 사이의 거리가 6일 때, 상수 k의 값을 구하여라.

서술형

21 오른쪽 그림과 같이 이차함수 $y=x^2+bx+c$의 그래프가 x축과 두 점 O, B에서 만나고, 점 A가 꼭짓점일 때, △OAB의 넓이를 구하여라. (단, b, c는 상수이고, 점 O는 원점이다.)

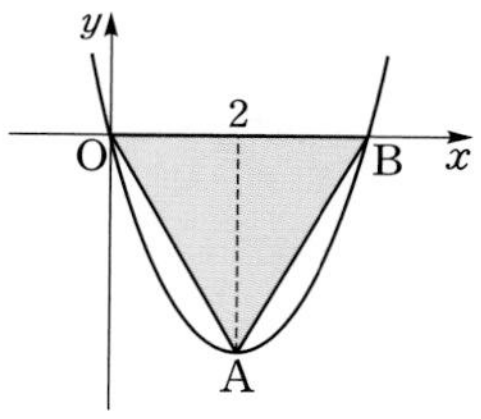

22 오른쪽 그림은 이차함수 $y=ax^2+bx+c$의 그래프이다. 이차함수 $y=cx^2+bx+a$의 그래프의 꼭짓점이 제 몇 사분면 위에 있는지 구하여라.

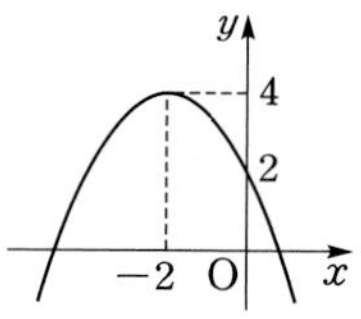

23 오른쪽 그림과 같이 이차함수 $y=-x^2+4x+5$의 그래프의 꼭짓점을 A, y축과 만나는 점을 B, x축과 만나는 두 점을 각각 C, D라 할 때, △ABD의 넓이와 △BCD의 넓이의 비를 가장 간단한 자연수의 비로 나타내어라.

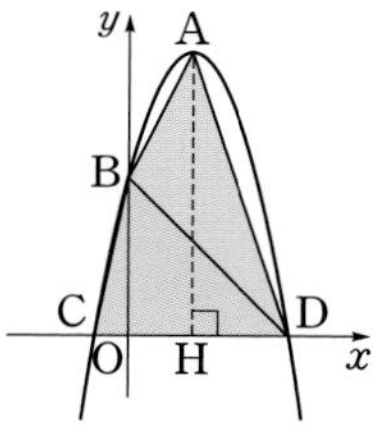

SUMMA CUM LAUDE
MIDDLE SCHOOL MATHEMATICS

보내는 사람

□□□□□

받는 사람

서울시 강남구 논현로 16길 4-3 이룸빌딩

(주)이룸이앤비 기획팀

0 6 3 1 2

Stamp

이룸이앤비
Education&Books
www.erumenb.com

숨마쿰라우데
중학수학 실전문제집 3-상

홈페이지를 방문하시면 온라인으로 편리하게 교재 평가에 참여하실 수 있습니다!
(매월 우수 평가자를 선정하여 소정의 교재를 보내드립니다.)
www.erumenb.com

풀 칠 하 세 요

이 름		남□ 여□	학교(학원) 학년
Mobile		E–mail	

숨마쿰라우데 중학수학 실전문제집 3-상

■ **교재를 구입하게 된 동기는 무엇입니까?**

① 서점에서 보고 ② 선생님의 추천 ③ 방과 후 수업용 ④ 학원 수업용
⑤ 과외 수업용 ⑥ 공부방 수업용 ⑦ 부모, 형제, 친구의 추천 ⑧ 서점에서 추천

■ **교재의 전체적인 디자인 및 내용 구성에 대한 의견을 들려주세요.**

표지디자인: ① 매우 좋다 ② 좋다 ③ 보통이다 ④ 좋지 않다
그 이유는? ______________________________

본문디자인: ① 매우 좋다 ② 좋다 ③ 보통이다 ④ 좋지 않다
그 이유는? ______________________________

내용 구성: ① 매우 좋다 ② 좋다 ③ 보통이다 ④ 좋지 않다
그 이유는? ______________________________

■ **교재의 세부적인 내용에 대한 의견을 들려주세요.**

[핵심 개념 강의]	내 용	① 매우 좋다	② 좋다	③ 보통이다	④ 좋지 않다
	분 량	① 많다	② 적당하다	③ 조금 부족하다	④ 부족하다
[핵심유형으로 개념 정복하기]	내 용	① 매우 좋다	② 좋다	③ 보통이다	④ 좋지 않다
	분 량	① 많다	② 적당하다	③ 조금 부족하다	④ 부족하다
	난이도	① 쉽다	② 적당하다	③ 약간 어렵다	④ 어렵다
[기출문제로 실력 다지기]	내 용	① 매우 좋다	② 좋다	③ 보통이다	④ 좋지 않다
	분 량	① 많다	② 적당하다	③ 조금 부족하다	④ 부족하다
	난이도	① 쉽다	② 적당하다	③ 약간 어렵다	④ 어렵다
[Part 2 내신만점 도전편]	내 용	① 매우 좋다	② 좋다	③ 보통이다	④ 좋지 않다
	분 량	① 많다	② 적당하다	③ 조금 부족하다	④ 부족하다
	난이도	① 쉽다	② 적당하다	③ 약간 어렵다	④ 어렵다

■ **이 책에 바라는 점을 자유롭게 적어주세요.**

....

....

....

성의껏 작성해서 보내주신 엽서는 뽑아서 선물을 보내드립니다.

기출문제로 개념 잡고 내신만점 맞자!

숨마쿰라우데 중학수학

실전문제집

3-상

자기주도 학습서 베스트 1위
새교육과정
숨마쿰라우데

정답 및 해설

기출문제로 개념 잡고 내신만점 맞자!

숨마쿰라우데 중학수학

3-상

정답 및 해설

이룸이앤비 Education & Books

핵심개념 특강편 정답 및 풀이

I 실수와 그 계산

01. 제곱근의 뜻과 성질

개·념·확·인 06~07쪽

01 (1) $3, -3$ (2) $13, -13$ (3) $\frac{1}{4}, -\frac{1}{4}$ (4) 0
(5) $0.7, -0.7$ (6) $5, -5$ (7) $\frac{2}{3}, -\frac{2}{3}$ (8) 없다.

02 (1) $\sqrt{3}$ (2) $-\sqrt{5}$ (3) $\pm\sqrt{7}$ (4) $\sqrt{10}$

03 (1) 4 (2) -7 (3) $\pm\frac{2}{3}$

04 (1) 5 (2) 7 (3) 11 (4) 3
(5) $\frac{5}{4}$ (6) -0.3

05 (1) 7 (2) -4 (3) 24 (4) $\frac{1}{6}$

06 (1) $<$ (2) $>$ (3) $<$ (4) $<$

05 (3) $\sqrt{8^2}\times(-\sqrt{3})^2=8\times3=24$
(4) $\left(\sqrt{\frac{3}{4}}\right)^2\div\left(-\sqrt{\frac{9}{2}}\right)^2=\frac{3}{4}\times\frac{2}{9}=\frac{1}{6}$

핵심유형으로 개·념·정·복·하·기 08~09쪽

핵심유형 **1** ③ **1-1** ① **1-2** ③ **1-3** ②
핵심유형 **2** ⑤ **2-1** ④ **2-2** ⑤ **2-3** ④
핵심유형 **3** ④ **3-1** ③
3-2 (1) $2x$ (2) $x-2$ (3) $-x+4$ **3-3** ⑤
핵심유형 **4** ③ **4-1** ⑤
4-2 $-5,\ -\sqrt{\frac{5}{2}},\ 0,\ \sqrt{3},\ \sqrt{\frac{7}{2}},\ 2$ **4-3** ④

핵심유형 **1** 144의 양의 제곱근은 12이므로 $A=12$
81의 음의 제곱근은 -9이므로 $B=-9$
$\therefore\ A+B=12-9=3$

1-2 $1.\dot{7}=\frac{16}{9}$의 음의 제곱근은 $-\frac{4}{3}$이다.

1-3 ① 0의 제곱근은 1개이다.
③ 양수의 제곱근만 2개이다.
④ 16의 제곱근은 ±4이고 제곱근 16은 4이다.
⑤ $x^2=25$를 만족하는 x의 값은 ±5이다.

핵심유형 **2** $\sqrt{16}=4$의 양의 제곱근은 2이므로 $a=2$
제곱근 49는 $\sqrt{49}=7$이므로 $b=7$
$\therefore\ a+b=2+7=9$

2-1 ④ 4.9 ⇨ $\pm\sqrt{4.9}$

2-2 ① 0.5 ② -8 ③ 1 ④ 11

2-3 두 정사각형의 넓이의 합은 $4^2+5^2=41(\text{cm}^2)$이므로 넓이가 41 cm^2인 정사각형의 한 변의 길이는 $\sqrt{41}$ cm이다.

핵심유형 **3** ④ $-\sqrt{\left(-\frac{2}{3}\right)^2}=-\frac{2}{3}$

3-1 ① $\sqrt{(-3)^2}+\sqrt{16}=3+4=7$
② $(-\sqrt{5})^2-\sqrt{4^2}=5-4=1$
③ $-\left(\sqrt{\frac{1}{2}}\right)^2+\sqrt{\left(-\frac{3}{2}\right)^2}=-\frac{1}{2}+\frac{3}{2}=1$
④ $\sqrt{49}\div(-\sqrt{7})^2=7\div7=1$
⑤ $(-\sqrt{6})^2\times(-\sqrt{3^2})=6\times(-3)=-18$

3-2 (1) $-2x<0$이므로 $\sqrt{(-2x)^2}=-(-2x)=2x$
(2) $x-2\geq0$이므로 $\sqrt{(x-2)^2}=x-2$
(3) $x-4<0$이므로 $\sqrt{(x-4)^2}=-(x-4)=-x+4$

3-3 $150=2\times3\times5^2$이고 $\sqrt{2\times3\times5^2\times x}$가 자연수가 되려면 근호 안의 수 $2\times3\times5^2\times x$가 제곱수가 되어야 한다.
따라서 $\sqrt{150x}$가 자연수가 되도록 하는 가장 작은 자연수 x의 값은 $2\times3=6$이다.

핵심유형 **4** ① $\sqrt{5}<\sqrt{7}$
② $\sqrt{8}<\sqrt{9}$이므로 $\sqrt{8}<3$
④ $-\sqrt{9}<-\sqrt{6}$이므로 $-3<-\sqrt{6}$
⑤ $\sqrt{\frac{1}{4}}<\sqrt{\frac{1}{2}}$이므로 $\frac{1}{2}<\sqrt{\frac{1}{2}}$

4-1 ①, ②, ③, ④ $<$ ⑤ $>$

4-2 음수는 $-5,\ -\sqrt{\frac{5}{2}}$이고, $-5<-\sqrt{\frac{5}{2}}$
양수는 $\sqrt{3},\ 2,\ \sqrt{\frac{7}{2}}$이고, $\sqrt{3}<\sqrt{\frac{7}{2}}<2$
따라서 크기가 작은 것부터 순서대로 나열하면
$-5,\ -\sqrt{\frac{5}{2}},\ 0,\ \sqrt{3},\ \sqrt{\frac{7}{2}},\ 2$이다.

4-3 $1=\sqrt{1}$, $3=\sqrt{9}$이므로 $\sqrt{1}\le\sqrt{x}<\sqrt{9}$
이를 만족하는 자연수 x는 1, 2, 3, 4, 5, 6, 7, 8의 8개이다.

기출문제로 실·력·다·지·기

10~11쪽

01 ③	**02** ②	**03** ③	**04** ⑤
05 ⑤	**06** ①	**07** ④	**08** ④
09 ④	**10** ⑤	**11** ④	**12** ③
13 ②	**14** a	**15** 11	

01 ① 어떤 수 x를 제곱하여 a가 될 때, x를 a의 제곱근이라 한다.
② $\sqrt{(-3)^2}=3$
④ $\sqrt{36}=6$의 제곱근은 $\pm\sqrt{6}$이다.
⑤ $(-\sqrt{4})^2=4$의 제곱근은 ±2이다.

02 ①, ③, ④, ⑤ $\pm\sqrt{7}$ ② $\sqrt{7}$

03 $\sqrt{a^2}=9$에서 $a^2=81$ $\therefore a=\pm9$

04 직각삼각형 ABC에서 피타고라스 정리에 의하여
$x^2=8^2-6^2=28$
$\therefore x=\sqrt{28}=2\sqrt{7}$ ($\because x>0$)

05 ①, ②, ③, ④ 2 ⑤ -2

06 $\sqrt{49}-\sqrt{(-3)^2}\times(-\sqrt{2})^2-\sqrt{6^2}=7-3\times2-6=-5$

07 $x+4>0$, $x-4<0$이므로
$\sqrt{(x+4)^2}+\sqrt{(x-4)^2}=x+4-(x-4)=8$

08 $60a=2^2\times3\times5\times a$가 (자연수)^2 꼴이어야 하므로 a의 값 중 가장 작은 자연수는 $3\times5=15$ $\therefore a=15$
이때 $\sqrt{60\times15}=\sqrt{(2\times3\times5)^2}=\sqrt{30^2}=30$이므로 $b=30$
$\therefore a+b=15+30=45$

09 ④ $-\sqrt{5}>-\sqrt{6}$

10 $a=0.01$이라 하면
① $a=0.01$ ② $a^2=(0.01)^2=0.0001$
③ $\dfrac{1}{\sqrt{a}}=\dfrac{1}{\sqrt{0.01}}=\dfrac{1}{0.1}=10$
④ $\sqrt{a}=\sqrt{0.01}=0.1$
⑤ $\dfrac{1}{a}=\dfrac{1}{0.01}=100$

11 $3<\sqrt{x-1}\le5$에서 $3^2<(\sqrt{x-1})^2\le5^2$, $9<x-1\le25$
$\therefore 10<x\le26$
따라서 자연수 x의 값 중에서 최댓값은 26, 최솟값은 11이므로
$M=26$, $N=11$ $\therefore M-N=26-11=15$

12 $1<\sqrt{3}<2$이므로 $2-\sqrt{3}>0$, $\sqrt{3}-2<0$
$\therefore \sqrt{(2-\sqrt{3})^2}-\sqrt{(\sqrt{3}-2)^2}=(2-\sqrt{3})-\{-(\sqrt{3}-2)\}$
$=2-\sqrt{3}+\sqrt{3}-2=0$

13 $f(1)=0$, $f(2)=f(3)=f(4)=1$,
$f(5)=f(6)=f(7)=f(8)=f(9)=2$, $f(10)=3$이므로
(주어진 식)$=0+1\times3+2\times5+3=16$

14 [단계 ❶] $a<b$, $ab<0$이므로 $a<0$, $b>0$
[단계 ❷] $a<0$, $b>0$이므로 $b-a>0$, $-3a>0$
[단계 ❸] $\therefore$ (주어진 식)$=-a-b+(b-a)-(-3a)=a$

채점 기준	배점
❶ a, b의 부호 정하기	40 %
❷ $b-a$, $-3a$의 부호 정하기	30 %
❸ 주어진 식을 간단히 정리하기	30 %

15 $\sqrt{\dfrac{96}{a}}=\sqrt{\dfrac{2^5\times3}{a}}$이 자연수가 되도록 하는 a의 값 중 가장 작은 자연수는 $2\times3=6$이다.
$\therefore M=6$ …… ❶
$\sqrt{30-b}$가 자연수가 되도록 하는 b의 값 중 가장 작은 자연수를 구하려면 $30-b$가 30보다 작은 가장 큰 제곱수가 되어야 하므로 $30-b=25$ $\therefore b=5$ $\therefore N=5$ …… ❷
$\therefore M+N=6+5=11$ …… ❸

채점 기준	배점
❶ M의 값 구하기	40 %
❷ N의 값 구하기	40 %
❸ $M+N$의 값 구하기	20 %

02. 무리수와 실수

개·념·확·인

12~13쪽

01 (1) 무리수 (2) 유리수 (3) 무리수 (4) 유리수
(5) 유리수 (6) 무리수

02 ⑤

03 $A(1-\sqrt{2})$, $B(1+\sqrt{2})$

04 (1) ○ (2) ○ (3) ×

05 (1) $<$ (2) $>$ (3) $>$ (4) $<$

03 색칠한 정사각형의 한 변의 길이는 $\sqrt{1^2+1^2}=\sqrt{2}$
$\therefore$ $A(1-\sqrt{2})$, $B(1+\sqrt{2})$

05 (3) $4-(\sqrt{3}+2)=2-\sqrt{3}=\sqrt{4}-\sqrt{3}>0$이므로 $4>\sqrt{3}+2$
(4) $\sqrt{6}-2-1=\sqrt{6}-3=\sqrt{6}-\sqrt{9}<0$이므로 $\sqrt{6}-2<1$

핵심유형으로 개·념·정·복·하·기 14~15쪽

핵심유형 1 ②, ⑤	1-1 ④	1-2 ⑤	1-3 ②, ⑤
핵심유형 2 ③	2-1 ㄴ, ㄷ		
2-2 (1) $\sqrt{5}$ (2) $P(3-\sqrt{5})$, $Q(3+\sqrt{5})$			
핵심유형 3 ⑤	3-1 ③	3-2 ④	
3-3 A : $-\sqrt{11}$, B : $-\sqrt{8}$, C : $\sqrt{3}$, D : $\sqrt{7}$			
핵심유형 4 ④	4-1 ②	4-2 ③	4-3 ⑤

핵심유형 1 ③ $2+\sqrt{4}=2+2=4$이므로 유리수이다.

1-1 ① $0.\dot{4}=\sqrt{\frac{4}{9}}=\frac{2}{3}$ (유리수)
② $\sqrt{121}=\sqrt{11^2}=11$ (유리수)
③ $\frac{3}{4}$ (유리수)
④ $\sqrt{\frac{14}{9}}$는 무리수이므로 순환하지 않는 무한소수이다.
⑤ 3.14 (유리수)

1-2 ⑤ $\sqrt{25}=5$의 양의 제곱근은 $\sqrt{5}$이므로 무리수이다.

1-3 ① 근호로 나타내어진 수라고 모두 무리수는 아니다.
(반례) $\sqrt{4}=2$ (유리수)
②, ③ 순환하는 무한소수는 유리수이고, 순환하지 않는 무한소수는 무리수이다.
④ 유리수가 되는 무리수는 없다.

핵심유형 2 정사각형의 대각선의 길이는 $\sqrt{1^2+1^2}=\sqrt{2}$이다.
③ $C(2-\sqrt{2})$

2-1 ㄱ. 점 P에 대응하는 수는 $3-\sqrt{2}$이다.

2-2 (1) $\overline{AB}=\sqrt{1^2+2^2}=\sqrt{5}$
(2) $P(3-\sqrt{5})$, $Q(3+\sqrt{5})$

핵심유형 3 ⑤ 두 자연수 1과 50 사이에는 48개의 자연수가 있다.

3-2 ① $-\sqrt{3}$과 5 사이에는 무수히 많은 무리수가 있다.
② $\sqrt{2}$와 $\sqrt{3}$ 사이에는 무수히 많은 유리수가 있다.
③ $-\sqrt{3}$과 2 사이에는 -1, 0, 1의 3개의 정수가 있다.
⑤ $\sqrt{5}$와 $\sqrt{8}$ 사이에는 무수히 많은 무리수가 있다.

3-3 $1<\sqrt{3}<2$이므로 C : $\sqrt{3}$
$2<\sqrt{7}<3$이므로 D : $\sqrt{7}$
$-4<-\sqrt{11}<-3$이므로 A : $-\sqrt{11}$
$-3<-\sqrt{8}<-2$이므로 B : $-\sqrt{8}$

핵심유형 4 ④ $3+\sqrt{7}-(\sqrt{5}+3)=\sqrt{7}-\sqrt{5}>0$이므로
$3+\sqrt{7}>\sqrt{5}+3$

4-1 ① $\sqrt{3}+1-4=\sqrt{3}-3<0$이므로
$\sqrt{3}+1<4$
② $2-\sqrt{2}-(2-\sqrt{3})=-\sqrt{2}+\sqrt{3}>0$이므로
$2-\sqrt{2}>2-\sqrt{3}$
③ $5-(\sqrt{17}+1)=4-\sqrt{17}<0$이므로
$5<\sqrt{17}+1$
④ $\sqrt{7}+2-(\sqrt{10}+2)=\sqrt{7}-\sqrt{10}<0$이므로
$\sqrt{7}+2<\sqrt{10}+2$
⑤ $3-\sqrt{5}-(-\sqrt{5}+\sqrt{10})=3-\sqrt{10}<0$이므로
$3-\sqrt{5}<-\sqrt{5}+\sqrt{10}$

4-2 $a-b=2-(\sqrt{6}-3)=5-\sqrt{6}>0$이므로 $a>b$
$c-a=(4-\sqrt{3})-2=2-\sqrt{3}>0$이므로 $c>a$
$\therefore$ $b<a<c$

4-3 ⑤ $\sqrt{2}-0.1$은 $\sqrt{2}$보다 작은 수이므로 두 수 사이에 있는 무리수가 아니다.

기출문제로 실·력·다·지·기 16~17쪽

01 ③	02 ⑤	03 ②, ⑤	04 ③
05 ①	06 ④	07 ②	08 ③
09 ③	10 ②	11 ③	12 ④
13 A : $1-\sqrt{8}$, B : $1+\sqrt{8}$		14 $3-\sqrt{2}$	

01 무리수는 $-\sqrt{7}$, $-\frac{\sqrt{3}}{2}$, π의 3개이다.

03 ① 순환소수는 유리수이다.
③ 순환하지 않는 무한소수는 무리수이다.
④ 모든 실수는 수직선 위에 나타낼 수 있다.

04 $A(-\sqrt{2})$, $B(-1+\sqrt{2})$, $C(2-\sqrt{2})$, $D(1+\sqrt{2})$, $E(2+\sqrt{2})$

05 점 P에 대응하는 수가 $3-\sqrt{2}$이므로 점 C에 대응하는 수는 3이고, 점 B에 대응하는 수는 2이다.
따라서 점 Q에 대응하는 수는 $2+\sqrt{2}$이다.

06 작은 정사각형의 한 변의 길이는 $\sqrt{1^2+2^2}=\sqrt{5}$
큰 정사각형의 한 변의 길이는 $\sqrt{1^2+3^2}=\sqrt{10}$
④ $D(1+\sqrt{10})$
⑤ 1에 대응하는 점을 E라 하면 $\overline{BE}=\overline{ED}=\sqrt{10}$
$\therefore \frac{1}{2}\overline{BD}=\sqrt{10}$

07 동현 : 두 실수 2와 $\sqrt{3}$ 사이에는 무수히 많은 무리수가 있다.
영재 : 모든 실수는 수직선 위의 점에 대응된다.
슬기 : $-\sqrt{2}$와 $\sqrt{2}$ 사이에 있는 정수는 -1, 0, 1로 3개이다.
성오 : 유리수와 무리수로 수직선을 완전히 메울 수 있다.

08 ③ $\sqrt{10}+0.01$은 $\sqrt{10}$보다 큰 수이므로 두 수 사이의 수가 아니다.

09 ① $3-\sqrt{5}<1$ ② $-3>-2-\sqrt{2}$
④ $1-\sqrt{3}<1-\sqrt{2}$ ⑤ $\sqrt{5}+\sqrt{3}<\sqrt{6}+\sqrt{5}$

10 $3+\sqrt{3}-(\sqrt{3}-1)=4>0$이므로
$3+\sqrt{3}>\sqrt{3}-1$
$\sqrt{3}-1-1=\sqrt{3}-2<0$이므로 $\sqrt{3}-1<1$
$3+\sqrt{3}-1=2+\sqrt{3}>0$이므로 $3+\sqrt{3}>1$
$\sqrt{3}-1-(\sqrt{2}-1)=\sqrt{3}-\sqrt{2}>0$이므로 $\sqrt{3}-1>\sqrt{2}-1$
$\therefore -\sqrt{3}<\sqrt{2}-1<\sqrt{3}-1<1<3+\sqrt{3}$
따라서 오른쪽에서 세 번째에 있는 수는 $\sqrt{3}-1$이다.

11 반원의 호의 길이가 π이므로 점 A에 대응하는 수는 π이다.
③ $\pi=3.14\cdots$이므로 점 A에 대응하는 수는 $\sqrt{3}+1$보다 큰 수이다.

12 $\sqrt{9}<\sqrt{10}<\sqrt{16}$, 즉 $3<\sqrt{10}<4$이므로
$3-2<\sqrt{10}-2<4-2$
$\therefore 1<\sqrt{10}-2<2$
따라서 $\sqrt{10}-2$에 대응하는 점은 D이다.

13 [단계 ❶] $\overline{PS}$와 $\overline{PQ}$의 길이는 8의 양의 제곱근인 $\sqrt{8}$이다.
[단계 ❷] 점 A에 대응하는 수는 $1-\sqrt{8}$, 점 B에 대응하는 수는 $1+\sqrt{8}$이다.

채점 기준	배점
❶ $\overline{PS}$, $\overline{PQ}$의 길이 구하기	50 %
❷ 점 A, B에 대응하는 수 구하기	50 %

14 $1-(2-\sqrt{3})=-1+\sqrt{3}>0$이므로 $1>2-\sqrt{3}$
$\therefore <1,\ 2-\sqrt{3}>=1$ ...... ❶
$-\sqrt{2}>-\sqrt{5}$이므로 $3-\sqrt{2}>3-\sqrt{5}$
$\therefore <3-\sqrt{2},\ 3-\sqrt{5}>=3-\sqrt{2}$ ...... ❷
$1-(3-\sqrt{2})=-2+\sqrt{2}<0$이므로
$<1, 3-\sqrt{2}>=3-\sqrt{2}$ ...... ❸

채점 기준	배점
❶ $<1,\ 2-\sqrt{3}>$의 값 구하기	30 %
❷ $<3-\sqrt{2}, 3-\sqrt{5}>$의 값 구하기	30 %
❸ $<1,\ 3-\sqrt{2}>$의 값 구하기	40 %

03. 제곱근의 곱셈과 나눗셈

개·념·확·인 18~19쪽

01 (1) $\sqrt{21}$ (2) $-\sqrt{2}$ (3) $6\sqrt{6}$
02 (1) $\sqrt{7}$ (2) $3\sqrt{2}$ (3) $\sqrt{10}$
03 (1) $4\sqrt{2}$ (2) $\frac{\sqrt{3}}{8}$ (3) $\frac{2\sqrt{3}}{5}$
04 (1) $\sqrt{28}$ (2) $\sqrt{\frac{7}{9}}$ (3) $-\sqrt{45}$
05 (1) $\frac{\sqrt{21}}{7}$ (2) $\frac{\sqrt{6}}{2}$ (3) $\frac{\sqrt{3}}{9}$
06 (1) 6 (2) $-3\sqrt{6}$

02 (3) $\frac{\sqrt{12}}{\sqrt{7}}\div\frac{\sqrt{6}}{\sqrt{35}}=\frac{\sqrt{12}}{\sqrt{7}}\times\frac{\sqrt{35}}{\sqrt{6}}=\sqrt{10}$

03 (3) $\sqrt{\frac{12}{25}}=\sqrt{\frac{2^2\times3}{5^2}}=\frac{\sqrt{2^2\times3}}{\sqrt{5^2}}=\frac{2\sqrt{3}}{5}$

04 (3) $-3\sqrt{5}=-\sqrt{3^2\times5}=-\sqrt{45}$

05 (2) $\frac{3\times\sqrt{6}}{\sqrt{6}\times\sqrt{6}}=\frac{3\sqrt{6}}{6}=\frac{\sqrt{6}}{2}$

(3) $\frac{\sqrt{2}}{3\sqrt{6}}=\frac{1}{3\sqrt{3}}=\frac{\sqrt{3}}{3\sqrt{3}\times\sqrt{3}}=\frac{\sqrt{3}}{9}$

06 (2) $-4\sqrt{3}\div2\sqrt{6}\times3\sqrt{3}=-4\sqrt{3}\times\frac{1}{2\sqrt{6}}\times3\sqrt{3}$

$=-\frac{2}{\sqrt{2}}\times3\sqrt{3}=-\frac{6\sqrt{3}}{\sqrt{2}}$

$=-\frac{6\sqrt{3}\times\sqrt{2}}{\sqrt{2}\times\sqrt{2}}=-\frac{6\sqrt{6}}{2}$

$=-3\sqrt{6}$

핵심유형으로 개·념·정·복·하·기

20～21쪽

핵심유형 1 ⑤	1-1 5	1-2 ②	1-3 ③
핵심유형 2 ⑤	2-1 ①	2-2 ③	2-3 6
핵심유형 3 ④	3-1 ④	3-2 $\frac{13}{12}$	3-3 ⑤
핵심유형 4 ①	4-1 ①	4-2 $\frac{8\sqrt{5}}{5}$	4-3 ⑤

핵심유형 1 ⑤ $\sqrt{6}\div3\sqrt{3}=\frac{\sqrt{6}}{3\sqrt{3}}=\frac{\sqrt{2}}{3}$

1-1 $3\sqrt{2}\times2\sqrt{3}\times\sqrt{k}=6\sqrt{6k}=6\sqrt{30}$이므로 $6k=30$

$\therefore\ k=5$

1-2 $-2\sqrt{14}\div\frac{\sqrt{7}}{3}=-2\sqrt{14}\times\frac{3}{\sqrt{7}}=-6\sqrt{2}$이므로

$a=-6,\ b=2\quad\therefore\ a+b=-6+2=-4$

1-3 $\frac{\sqrt{16-x}}{\sqrt{2}}=\sqrt{5}$에서 양변을 제곱하면

$\frac{16-x}{2}=5,\ 16-x=10$

$\therefore\ x=6$

핵심유형 2 $\sqrt{32}=\sqrt{4^2\times2}=4\sqrt{2}$이므로 $a=4$

$3\sqrt{5}=\sqrt{45}$이므로 $b=45$

$\therefore\ a+b=4+45=49$

2-1 $\sqrt{0.12}=\sqrt{\frac{12}{100}}=\frac{2\sqrt{3}}{10}=\frac{\sqrt{3}}{5}$이므로 $k=\frac{1}{5}$

2-2 $\sqrt{150}=\sqrt{2\times3\times5^2}=5\sqrt{2\times3}=5ab$

2-3 $\sqrt{3000}=10\sqrt{30}$은 $\sqrt{30}$의 10배이므로 $A=10$

$\sqrt{32}=4\sqrt{2}$는 $\sqrt{2}$의 4배이므로 $B=4$

$\therefore\ A-B=10-4=6$

핵심유형 3 ④ $\frac{3}{\sqrt{18}}=\frac{3}{3\sqrt{2}}=\frac{1}{\sqrt{2}}=\frac{\sqrt{2}}{2}$

3-1 ① $\sqrt{18}=3\sqrt{2}$

② $\frac{6}{\sqrt{2}}=\frac{6\sqrt{2}}{\sqrt{2}\times\sqrt{2}}=3\sqrt{2}$

③ $\frac{3\sqrt{6}}{\sqrt{3}}=\frac{3\sqrt{6}\times\sqrt{3}}{\sqrt{3}\times\sqrt{3}}=\sqrt{18}=3\sqrt{2}$

④ $\frac{6\sqrt{2}}{\sqrt{6}}=\frac{6\sqrt{2}\times\sqrt{6}}{\sqrt{6}\times\sqrt{6}}=\sqrt{12}=2\sqrt{3}$

⑤ $\frac{18}{\sqrt{18}}=\frac{18\sqrt{18}}{\sqrt{18}\times\sqrt{18}}=\sqrt{18}=3\sqrt{2}$

3-2 $\frac{5}{\sqrt{24}}=\frac{5}{2\sqrt{6}}=\frac{5\sqrt{6}}{2\sqrt{6}\times\sqrt{6}}=\frac{5\sqrt{6}}{12}$이므로 $A=\frac{5}{12}$

$\frac{10}{3\sqrt{5}}=\frac{10\sqrt{5}}{3\sqrt{5}\times\sqrt{5}}=\frac{10\sqrt{5}}{15}=\frac{2\sqrt{5}}{3}$이므로 $B=\frac{2}{3}$

$\therefore\ A+B=\frac{5}{12}+\frac{2}{3}=\frac{13}{12}$

3-3 $\frac{9\sqrt{a}}{2\sqrt{3}}=\frac{9\sqrt{a}\sqrt{3}}{2\sqrt{3}\times\sqrt{3}}=\frac{9\sqrt{3a}}{6}=\frac{3\sqrt{3a}}{2}$이므로

$\frac{3\sqrt{3a}}{2}=\frac{3\sqrt{15}}{2},\ 3a=15\qquad\therefore\ a=5$

핵심유형 4 $\frac{\sqrt{21}}{3}\div\frac{\sqrt{3}}{2}\times\sqrt{14}=\frac{\sqrt{21}}{3}\times\frac{2}{\sqrt{3}}\times\sqrt{14}$

$=\frac{2\sqrt{98}}{3}=\frac{14\sqrt{2}}{3}$

4-1 $3\sqrt{2}\div a\sqrt{b}\times2\sqrt{5}=\frac{3\sqrt{2}}{a\sqrt{b}}\times2\sqrt{5}=\frac{6\sqrt{10}}{a\sqrt{b}}=6\sqrt{2}$

$a\sqrt{b}=\frac{6\sqrt{10}}{6\sqrt{2}}=\sqrt{5}$이므로 $a=1,\ b=5$

$\therefore\ a+b=1+5=6$

4-2 (직사각형의 세로의 길이)

=(삼각형의 넓이)÷(직사각형의 가로의 길이)

$=\frac{1}{2}\times\sqrt{32}\times\sqrt{24}\div\sqrt{15}=\frac{1}{2}\times4\sqrt{2}\times2\sqrt{6}\times\frac{1}{\sqrt{15}}$

$=\frac{8}{\sqrt{5}}=\frac{8\sqrt{5}}{5}$

4-3 (원기둥의 높이)=(부피)÷(밑면의 넓이)

$=72\sqrt{3}\pi\div\{(3\sqrt{2})^2\times\pi\}$

$=\frac{72\sqrt{3}\pi}{18\pi}=4\sqrt{3}$ (cm)

기출문제로 **실·력·다·지·기** 22~23쪽

01 ⑤	02 ②	03 ③	04 ③
05 ④	06 ②	07 ②	08 ⑤
09 ③	10 ④	11 ④	12 ③
13 ②	14 4	15 $12\sqrt{2}\pi$ cm	

01 $2\sqrt{5}\times3\sqrt{20}=6\sqrt{100}=6\times10=60$

02 $\overline{BC}=\sqrt{8}=2\sqrt{2}$, $\overline{CD}=\sqrt{2}$이므로 직사각형 ABCD의 넓이는 $2\sqrt{2}\times\sqrt{2}=4$

03 $4\sqrt{3}\div\sqrt{5}\div\frac{1}{\sqrt{10}}=4\sqrt{3}\times\frac{1}{\sqrt{5}}\times\sqrt{10}=4\sqrt{6}$ $\therefore a=4$

04 $6\sqrt{2}=\sqrt{6^2\times2}=\sqrt{72}$이므로 $a=72$
$\sqrt{27}=3\sqrt{3}$이므로 $b=3$
$\therefore a-b=72-3=69$

05 $\sqrt{12}\times\sqrt{8}\times\sqrt{18}=\sqrt{12\times8\times18}$
$=\sqrt{(2^2\times3)\times(2^2\times2)\times(3^2\times2)}$
$=\sqrt{(2^3\times3)^2\times3}=24\sqrt{3}$
이므로 $a=24$, $b=3$ $\therefore a-b=21$

06 $\sqrt{45}=\sqrt{3^2\times5}=a^2b$

07 (주어진 식)$=\sqrt{x^2\times\frac{y}{x}}+\sqrt{y^2\times\frac{4x}{y}}=\sqrt{xy}+\sqrt{4xy}$
$=\sqrt{9}+\sqrt{36}=3+6=9$

08 분모의 $\sqrt{3}\sqrt{5}$, 즉 $\sqrt{15}$를 분모, 분자에 모두 곱해야 한다.

09 $\frac{2}{\sqrt{5}}=\frac{2\sqrt{5}}{\sqrt{5}\times\sqrt{5}}=\frac{2\sqrt{5}}{5}$이므로 $a=\frac{2}{5}$
$\frac{5}{\sqrt{12}}=\frac{5}{2\sqrt{3}}=\frac{5\sqrt{3}}{2\sqrt{3}\times\sqrt{3}}=\frac{5\sqrt{3}}{6}$이므로 $b=\frac{5}{6}$
$\therefore \sqrt{ab}=\sqrt{\frac{2}{5}\times\frac{5}{6}}=\sqrt{\frac{1}{3}}=\frac{1}{\sqrt{3}}=\frac{\sqrt{3}}{3}$

10 $\frac{\sqrt{a}}{3\sqrt{2}}=\frac{\sqrt{2a}}{6}$이므로 $\frac{\sqrt{2a}}{6}=\frac{\sqrt{14}}{6}$
$2a=14$ $\therefore a=7$

11 $\sqrt{\frac{a}{b}}+\sqrt{\frac{b}{a}}=\frac{\sqrt{ab}}{b}+\frac{\sqrt{ab}}{a}=\sqrt{ab}\left(\frac{1}{a}+\frac{1}{b}\right)$
$=\sqrt{ab}\left(\frac{a+b}{ab}\right)=\sqrt{2}\times\frac{8}{2}=4\sqrt{2}$

12 $\frac{4}{\sqrt{3}}\times\frac{2}{\sqrt{2}}\div\sqrt{\frac{9}{8}}=\frac{4}{\sqrt{3}}\times\frac{2}{\sqrt{2}}\times\frac{2\sqrt{2}}{3}=\frac{16}{3\sqrt{3}}$
$=\frac{16\sqrt{3}}{3\sqrt{3}\times\sqrt{3}}=\frac{16\sqrt{3}}{9}$
$\therefore a=\frac{16}{9}$

13 A_4 용지와 A_3 용지의 넓이의 비가 $1:2$이므로 닮음비는 $1:\sqrt{2}$이다.
$x:1=1:\sqrt{2}$이므로 $\sqrt{2}x=1$ $\therefore x=\frac{1}{\sqrt{2}}=\frac{\sqrt{2}}{2}$

14 [단계 ❶] $\sqrt{0.48}=\sqrt{\frac{48}{100}}=\frac{4\sqrt{3}}{10}=\frac{2\sqrt{3}}{5}$이므로 $a=\frac{2}{5}$
[단계 ❷] $\frac{6}{\sqrt{3}}=2\sqrt{3}$이므로 $b=2$
[단계 ❸] $\therefore 5a+b=5\times\frac{2}{5}+2=4$

채점 기준	배점
❶ a의 값 구하기	40 %
❷ b의 값 구하기	40 %
❸ $5a+b$의 값 구하기	20 %

15 밑면인 원의 반지름의 길이를 r cm라 하면
$\frac{1}{3}\pi\times r^2\times\sqrt{7}=24\sqrt{7}\pi$ ...... ❶
$r^2=72$ $\therefore r=\sqrt{72}=6\sqrt{2}$(cm)($\because r>0$) ...... ❷
따라서 원의 둘레의 길이는 $2\pi\times6\sqrt{2}=12\sqrt{2}\pi$(cm) ...... ❸

채점 기준	배점
❶ 원뿔의 부피를 구하는 식 세우기	40 %
❷ 밑면인 원의 반지름의 길이 구하기	40 %
❸ 밑면인 원의 둘레의 길이 구하기	20 %

04. 제곱근의 덧셈과 뺄셈

개·념·확·인 24~25쪽

01 (1) $4\sqrt{2}$	(2) $4\sqrt{6}$	(3) $-2\sqrt{3}$	(4) $4\sqrt{5}+6\sqrt{7}$
02 (1) $5\sqrt{2}$	(2) $2\sqrt{3}$	(3) $2\sqrt{5}$	(4) $2\sqrt{3}+3\sqrt{6}$
03 (1) $\sqrt{15}+3$	(2) $\sqrt{10}-\sqrt{14}$	(3) $4-\sqrt{2}$	(4) $1-\sqrt{5}$
04 (1) $4\sqrt{3}$	(2) $4\sqrt{2}+3\sqrt{6}$		
05 (1) 1.459	(2) 1.497	(3) 1.568	

03 (4) $\frac{\sqrt{2}-\sqrt{10}}{\sqrt{2}}=\frac{(\sqrt{2}-\sqrt{10})\sqrt{2}}{\sqrt{2}\times\sqrt{2}}=\frac{2-2\sqrt{5}}{2}=1-\sqrt{5}$

04 (2) $\sqrt{2}(3+\sqrt{48})+(\sqrt{10}-\sqrt{30})\div\sqrt{5}$
$=3\sqrt{2}+\sqrt{96}+\sqrt{2}-\sqrt{6}$
$=3\sqrt{2}+4\sqrt{6}+\sqrt{2}-\sqrt{6}$
$=4\sqrt{2}+3\sqrt{6}$

핵심유형으로 개·념·정·복·하·기 26~27쪽

핵심유형 1 ②	1-1 ①	1-2 ③	1-3 $5\sqrt{3}$
	1-4 $1+2\sqrt{2}$		1-5 ④
핵심유형 2 ⑤	2-1 ④	2-2 ④	2-3 ④
	2-4 $8\sqrt{3}+3\sqrt{6}$		2-5 $5\sqrt{2}+\frac{5}{2}$
핵심유형 3 ②	3-1 8.179	3-2 ②	3-3 ②

핵심유형 1 (주어진 식)$=8\sqrt{3}+4\sqrt{2}-3\sqrt{2}-9\sqrt{3}=\sqrt{2}-\sqrt{3}$

1-1 $2\sqrt{2}+3\sqrt{3}-7\sqrt{2}+5\sqrt{3}=-5\sqrt{2}+8\sqrt{3}$이므로
$a=-5,\ b=8$ $\quad\therefore\ a+b=-5+8=3$

1-2 (주어진 식)$=3\sqrt{5}+2\sqrt{3}-4\sqrt{5}-3\sqrt{3}$
$=-\sqrt{3}-\sqrt{5}=-a-b$

1-3 $x+y=\frac{\sqrt{15}+\sqrt{5}}{2}+\frac{\sqrt{15}-\sqrt{5}}{2}=\frac{2\sqrt{15}}{2}=\sqrt{15}$
$x-y=\frac{\sqrt{15}+\sqrt{5}}{2}-\frac{\sqrt{15}-\sqrt{5}}{2}=\frac{2\sqrt{5}}{2}=\sqrt{5}$
$\therefore\ (x+y)(x-y)=\sqrt{15}\times\sqrt{5}=5\sqrt{3}$

1-4 $a=1-\sqrt{2},\ b=2+\sqrt{2}$이므로
$b-a=(2+\sqrt{2})-(1-\sqrt{2})=1+2\sqrt{2}$

1-5 $8\sqrt{2}+3a-6-2a\sqrt{2}=(3a-6)+(8-2a)\sqrt{2}$가
유리수가 되려면 $8-2a=0,\ 8=2a$ $\quad\therefore\ a=4$

핵심유형 2 $\sqrt{5}(\sqrt{5}+\sqrt{3})-\sqrt{3}(\sqrt{5}-\sqrt{3})$
$=5+\sqrt{15}-\sqrt{15}+3=8$

2-1 $\sqrt{2}(\sqrt{6}-\sqrt{14})+\sqrt{7}(3+\sqrt{21})$
$=2\sqrt{3}-2\sqrt{7}+3\sqrt{7}+7\sqrt{3}$
$=9\sqrt{3}+\sqrt{7}$
따라서 $a=9,\ b=1$이므로
$a-b=9-1=8$

2-2 (주어진 식)$=4\sqrt{3}-2\sqrt{5}+\sqrt{3}+\sqrt{5}=5\sqrt{3}-\sqrt{5}$
이므로 $a=5,\ b=-1$
$\therefore\ a+b=5+(-1)=4$

2-3 $\frac{15+2\sqrt{3}}{\sqrt{3}}+\frac{12-6\sqrt{2}}{\sqrt{18}}$
$=\frac{(15+2\sqrt{3})\times\sqrt{3}}{\sqrt{3}\times\sqrt{3}}+\frac{(12-6\sqrt{2})\times\sqrt{2}}{3\sqrt{2}\times\sqrt{2}}$
$=\frac{15\sqrt{3}+6}{3}+\frac{12\sqrt{2}-12}{6}$
$=5\sqrt{3}+2+2\sqrt{2}-2$
$=5\sqrt{3}+2\sqrt{2}$

2-4 $(9\sqrt{2}-6)\div\sqrt{6}+\sqrt{12}(4+\sqrt{8})-\sqrt{27}$
$=\frac{9\sqrt{2}}{\sqrt{6}}-\sqrt{6}+4\sqrt{12}+\sqrt{96}-\sqrt{27}$
$=3\sqrt{3}-\sqrt{6}+8\sqrt{3}+4\sqrt{6}-3\sqrt{3}$
$=8\sqrt{3}+3\sqrt{6}$

2-5 (넓이)$=\frac{1}{2}\times\{\sqrt{10}+(\sqrt{10}+\sqrt{5})\}\times\sqrt{5}$
$=\frac{\sqrt{5}}{2}\times(2\sqrt{10}+\sqrt{5})=\sqrt{50}+\frac{5}{2}=5\sqrt{2}+\frac{5}{2}$

핵심유형 3 ① $\sqrt{300}=\sqrt{100\times3}=10\sqrt{3}=17.32$
② $\sqrt{3000}=\sqrt{100\times30}=10\sqrt{30}=54.77$
③ $\sqrt{0.3}=\sqrt{\frac{30}{100}}=\frac{\sqrt{30}}{10}=0.5477$
④ $\sqrt{0.03}=\sqrt{\frac{3}{100}}=\frac{\sqrt{3}}{10}=0.1732$
⑤ $\sqrt{0.003}=\sqrt{\frac{30}{10000}}=\frac{\sqrt{30}}{100}=0.05477$

3-1 $a=2.349,\ b=5.83$이므로
$a+b=2.349+5.83=8.179$

3-2 $\sqrt{4280}=\sqrt{100\times42.8}=10\sqrt{42.8}=10\times6.542=65.42$

3-3 $0.2449=2.449\times\frac{1}{10}=\sqrt{6}\times\frac{1}{10}$
$=\sqrt{6\times\frac{1}{100}}=\sqrt{0.06}$
$\therefore\ a=0.06$

기출문제로 실·력·다·지·기 28~29쪽

01 ①, ③	02 ②	03 ②	04 $\sqrt{3}-2$
05 ④	06 ④	07 ①	08 ③
09 $\sqrt{3}$	10 ④	11 ⑤	12 ①
13 ①	14 $18\sqrt{2}$ cm	15 $\sqrt{2}$	

01 ② $3\sqrt{5}-2\sqrt{3}+5\sqrt{3}+\sqrt{5}=3\sqrt{3}+4\sqrt{5}$

④ $\sqrt{12}-\sqrt{48}-\sqrt{75}=2\sqrt{3}-4\sqrt{3}-5\sqrt{3}=-7\sqrt{3}$

⑤ $4\sqrt{8}-\frac{14}{\sqrt{2}}+\frac{4}{\sqrt{8}}=8\sqrt{2}-7\sqrt{2}+\sqrt{2}=2\sqrt{2}$

02 $\sqrt{32}-3\sqrt{18}-\sqrt{27}+2\sqrt{12}=4\sqrt{2}-9\sqrt{2}-3\sqrt{3}+4\sqrt{3}$
$=-5\sqrt{2}+\sqrt{3}$

03 $3\sqrt{2}+a\sqrt{3}-b\sqrt{2}+6\sqrt{3}=(3-b)\sqrt{2}+(a+6)\sqrt{3}$
$=2\sqrt{2}+\sqrt{3}$

즉, $a+6=1$에서 $a=-5$, $3-b=2$에서 $b=1$

$\therefore\ a+b=-5+1=-4$

04 $1<\sqrt{3}<2$이므로 $2-\sqrt{3}>0$, $2\sqrt{3}-4<0$

$\therefore\ \sqrt{(2-\sqrt{3})^2}-\sqrt{(2\sqrt{3}-4)^2}=(2-\sqrt{3})-\{-(2\sqrt{3}-4)\}$
$=\sqrt{3}-2$

05 $\overline{AD}=\overline{CD}=\sqrt{1^2+2^2}=\sqrt{5}$이므로 점 P에 대응하는 수는 $1+\sqrt{5}$, 점 Q에 대응하는 수는 $1-\sqrt{5}$이다.

$\therefore\ \overline{PQ}=1+\sqrt{5}-(1-\sqrt{5})=2\sqrt{5}$

06 ① $\sqrt{2}+2-(3\sqrt{2}+1)=-2\sqrt{2}+1<0$

$\therefore\ \sqrt{2}+2<3\sqrt{2}+1$

② $3\sqrt{3}-1-2\sqrt{3}=\sqrt{3}-1>0$ $\therefore\ 3\sqrt{3}-1>\sqrt{12}$

③ $\sqrt{5}-\sqrt{2}-(2\sqrt{5}-2\sqrt{2})=-\sqrt{5}+\sqrt{2}<0$

$\therefore\ \sqrt{5}-\sqrt{2}<\sqrt{20}-\sqrt{8}$

④ $3\sqrt{3}-2-(2\sqrt{3}-1)=\sqrt{3}-1>0$

$\therefore\ 3\sqrt{3}-2>2\sqrt{3}-1$

⑤ $-2\sqrt{2}+1-(-3\sqrt{2}+1)=\sqrt{2}>0$

$\therefore\ -2\sqrt{2}+1>-3\sqrt{2}+1$

07 $\sqrt{5}(\sqrt{5}+\square)-3\sqrt{2}=5+\square\sqrt{5}-3\sqrt{2}=5+2\sqrt{2}$에서

$\square\sqrt{5}-3\sqrt{2}=2\sqrt{2}$이므로 $\square\sqrt{5}=5\sqrt{2}$

$\therefore\ \square=\frac{5\sqrt{2}}{\sqrt{5}}=\frac{5\sqrt{10}}{5}=\sqrt{10}$

08 $\sqrt{2}(\sqrt{2}+a)-\sqrt{8}(3-\sqrt{2})=2+a\sqrt{2}-6\sqrt{2}+4$가 유리수가 되려면 $a-6=0$ $\therefore\ a=6$

09 $x=\frac{\sqrt{15}+\sqrt{5}}{\sqrt{2}}=\frac{(\sqrt{15}+\sqrt{5})\times\sqrt{2}}{\sqrt{2}\times\sqrt{2}}=\frac{\sqrt{30}+\sqrt{10}}{2}$

$y=\frac{\sqrt{15}-\sqrt{5}}{\sqrt{2}}=\frac{(\sqrt{15}-\sqrt{5})\times\sqrt{2}}{\sqrt{2}\times\sqrt{2}}=\frac{\sqrt{30}-\sqrt{10}}{2}$

따라서 $x+y=\sqrt{30}$, $x-y=\sqrt{10}$이므로

$\frac{x+y}{x-y}=\frac{\sqrt{30}}{\sqrt{10}}=\sqrt{3}$

10 (주어진 식)$=6-\frac{6\sqrt{2}}{\sqrt{3}}+\sqrt{4}-\frac{2\sqrt{3}}{\sqrt{2}}$
$=6-2\sqrt{6}+2-\sqrt{6}=8-3\sqrt{6}$

11 (사다리꼴의 넓이)$=\frac{1}{2}\{\sqrt{6}+(\sqrt{6}+\sqrt{3})\}\times2\sqrt{3}$
$=\frac{1}{2}(\sqrt{3}+2\sqrt{6})\times2\sqrt{3}=3+2\sqrt{18}$
$=3+6\sqrt{2}$

12 $\sqrt{275}+\sqrt{0.275}=\sqrt{100\times2.75}+\sqrt{\frac{27.5}{100}}$
$=10\sqrt{2.75}+\frac{\sqrt{27.5}}{10}$
$=10a+\frac{b}{10}$

13 $1<\sqrt{3}<2$이므로 $a=\sqrt{3}-1$

$\therefore\ \frac{a}{a+1}=\frac{\sqrt{3}-1}{\sqrt{3}}=\frac{3-\sqrt{3}}{3}$

14 [단계 ❶] 세 정사각형의 한 변의 길이는 각각 $\sqrt{2}$ cm, $2\sqrt{2}$ cm, $3\sqrt{2}$ cm이다.

[단계 ❷] $\therefore$ (도형의 둘레의 길이)
$=2(\sqrt{2}+2\sqrt{2}+3\sqrt{2}+3\sqrt{2})$
$=2\times9\sqrt{2}=18\sqrt{2}$(cm)

채점 기준	배점
❶ 세 정사각형의 한 변의 길이 각각 구하기	40 %
❷ 도형의 둘레의 길이 구하기	60 %

15 $1<\sqrt{2}<2$이므로 $\sqrt{2}$의 정수 부분은 1이다.

따라서 소수 부분은 $\sqrt{2}-1$이므로 $a=\sqrt{2}-1$ …… ❶

$2<\sqrt{5}<3$이므로 $1<\sqrt{5}-1<2$

따라서 정수 부분은 1이므로 $b=1$ …… ❷

$\therefore\ a+b=(\sqrt{2}-1)+1=\sqrt{2}$ …… ❸

채점 기준	배점
❶ a의 값 구하기	30 %
❷ b의 값 구하기	50 %
❸ $a+b$의 값 구하기	20 %

Ⅱ 다항식의 곱셈과 인수분해

05. 곱셈 공식

개 · 념 · 확 · 인 30~31쪽

01 (1) $ab+6a-2b-12$ (2) $ab-5a+3b-15$
(3) x^2+5x+6 (4) $2x^2-9xy+4y^2$

02 (1) x^2+6x+9 (2) $4a^2+4ab+b^2$
(3) $a^2-8a+16$ (4) $9a^2-6a+1$

03 (1) x^2-9 (2) $4a^2-25$
(3) $1-16y^2$ (4) $-a^2+25b^2$

04 (1) $x^2-3x-10$ (2) x^2-x-12
(3) $2x^2+7x-4$ (4) $20x^2+9x-18$

핵심유형으로 개 · 념 · 정 · 복 · 하 · 기 32~33쪽

핵심유형 1 ⑤	1-1 ③	1-2 ⑤	1-3 ②
핵심유형 2 ③	2-1 2	2-2 ②	2-3 ②
핵심유형 3 ④	3-1 ①	3-2 ③	3-3 8
핵심유형 4 ⑤	4-1 ②	4-2 ②	4-3 ④

핵심유형 1 $(a+3b)(5a-2b)=5a^2+13ab-6b^2$이므로
ab의 계수는 13, b^2의 계수는 -6
따라서 그 합은 $13+(-6)=7$

1-1 $(-2x+3y)(4x-y)=-8x^2+2xy+12xy-3y^2$
$=-8x^2+14xy-3y^2$

1-2 전개식에서 xy항만 전개하면
$x\times(-y)+2y\times2x=3xy$이므로 xy의 계수는 3이다.

1-3 $(2x-3)(x^2+ax-4)$의 전개식에서 x항만 전개하면
$2x\times(-4)+(-3)\times ax=-8x-3ax=(-8-3a)x$
x의 계수가 -2이므로 $-8-3a=-2$
$-3a=6$ $\therefore a=-2$

핵심유형 2 ① $(x+2)^2=x^2+4x+4$
② $(2a+1)^2=4a^2+4a+1$
④ $(3x-5y)^2=9x^2-30xy+25y^2$
⑤ $(-2a-3)^2=4a^2+12a+9$

2-1 $\left(\frac{1}{2}x+1\right)^2=\frac{1}{4}x^2+x+1$이므로
$A=\frac{1}{4}$, $B=1$ $\therefore 4A+B=4\times\frac{1}{4}+1=2$

2-2 $(3x-2)^2=9x^2-12x+4$이므로
$a=-12$, $b=4$ $\therefore a+b=-12+4=-8$

2-3 $(-x+y)^2=\{-(x-y)\}^2=(x-y)^2$

핵심유형 3 ④ $(-x-y)(x-y)=-x^2+y^2$

3-1 (색칠한 부분의 넓이)$=(a+b)(a-b)=a^2-b^2$

3-2 $(5x+A)(5x-A)=25x^2-A^2=Bx^2-16$이므로
$A^2=16$에서 $A=4(\because A>0)$, $B=25$
$\therefore A+B=4+25=29$

3-3 $(x-1)(x+1)(x^2+1)(x^4+1)$
$=(x^2-1)(x^2+1)(x^4+1)=(x^4-1)(x^4+1)$
$=x^8-1$
이므로 $\square=8$

핵심유형 4 ⑤ $(x-2y)(x+y)=x^2-xy-2y^2$

4-1 새로운 직사각형의 넓이는
$(x+5)(x-2)=x^2+3x-10(\text{cm}^2)$

4-2 $(3x+a)(x+4)=3x^2+(12+a)x+4a$에서
$12+a=4a$, $3a=12$ $\therefore a=4$

4-3 $(x+A)(x+B)=x^2+(A+B)x+AB=x^2+Cx+8$
에서 $A+B=C$, $AB=8$
$AB=8$을 만족하는 순서쌍 (A, B)는 $(1, 8)$, $(2, 4)$, $(4, 2)$, $(8, 1)$, $(-1, -8)$, $(-2, -4)$, $(-4, -2)$, $(-8, -1)$이므로 C의 값이 될 수 있는 것은 -9, -6, 6, 9이다.

기출문제로 실·력·다·지·기 34~35쪽

01 ①	02 ③	03 ⑤	04 ①
05 ①	06 ③	07 ③	08 ①
09 ②	10 ②	11 ③	12 38
13 ④	14 35	15 3	

01 $(3a+5b)(c-2d)=3ac-6ad+5bc-10bd$이므로
ac의 계수는 3, bd의 계수는 -10
따라서 ac의 계수와 bd의 계수의 합은 $3-10=-7$

02 xy항만 전개하면 $axy+2xy=(a+2)xy$
$a+2=5$ $\quad\therefore a=3$

03 ⑤ $(2x-3)(3x+4)=6x^2-x-12$

04 $\left(\frac{1}{2}x-\frac{1}{3}y\right)^2=\frac{1}{4}x^2-\frac{1}{3}xy+\frac{1}{9}y^2$이므로 xy의 계수는 $-\frac{1}{3}$

05 $(x+a)^2=x^2+2ax+a^2=x^2+bx+\frac{1}{4}$에서
$a^2=\frac{1}{4}$, $2a=b$이므로 $b^2=(2a)^2=4a^2=4\times\frac{1}{4}=1$
$\therefore 4a^2+b^2=4\times\frac{1}{4}+1=2$

06 $\left(\frac{1}{2}a+\frac{1}{3}b\right)\left(\frac{1}{2}a-\frac{1}{3}b\right)=\frac{1}{4}a^2-\frac{1}{9}b^2$
$=\frac{1}{4}\times4-\frac{1}{9}\times9$
$=1-1=0$

07 (색칠한 직사각형의 넓이)$=(a+b)(2a-b)$
$=2a^2+ab-b^2$

08 $(x-2)(x+a)=x^2+3x+b$이므로
$a-2=3$ $\quad\therefore a=5$
$b=-2a=-2\times5=-10$
$\therefore a+b=5-10=-5$

09 $(2x-5)(ax+3)=2ax^2+(6-5a)x-15$에서
$6-5a=21$, $-5a=15$ $\quad\therefore a=-3$
따라서 x^2의 계수는 $2a=2\times(-3)=-6$

10 (주어진 식)$=2(2x^2-9x+4)-3(x^2-8x+16)$
$=4x^2-18x+8-3x^2+24x-48$
$=x^2+6x-40$

11 (겉넓이)
$=2\{(2x+1)(2x-1)+(2x-1)(2x+2)+(2x+2)(2x+1)\}$
$=2\{(4x^2-1)+(4x^2+2x-2)+(4x^2+6x+2)\}$
$=2(12x^2+8x-1)=24x^2+16x-2$

12 $A=12$, $B=12$, $C=1$, $D=1$, $E=12$이므로
$A+B+C+D+E=12+12+1+1+12=38$

13 $a=5p+4$, $b=5q+2$라 하자.
$ab=(5p+4)(5q+2)=25pq+10p+20q+8$
$=5(5pq+2p+4q+1)+3$
따라서 ab를 5로 나눈 나머지는 3이다.

14 [단계 ❶] (주어진 식)$=3(x^2+2xy-3y^2)+(x^2-16y^2)$
$=3x^2+6xy-9y^2+x^2-16y^2$
$=4x^2+6xy-25y^2$
[단계 ❷] $A=4$, $B=6$, $C=-25$
[단계 ❸] $\therefore A+B-C=4+6-(-25)=35$

채점 기준	배점
❶ 주어진 다항식을 전개하기	50 %
❷ A, B, C의 값 각각 구하기	20 %
❸ $A+B-C$의 값 구하기	30 %

15 오른쪽 그림에서 구하는 넓이는
$(2a-1)(4a-1)=8a^2-6a+1(\text{m}^2)$ ······ ❶
따라서 $p=8$, $q=-6$, $r=1$이므로 ······ ❷
$p+q+r=8-6+1=3$ ······ ❸

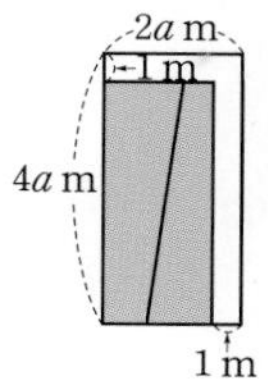

채점 기준	배점
❶ 구하는 넓이 구하기	60 %
❷ p, q, r의 값 각각 구하기	20 %
❸ $p+q+r$의 값 구하기	20 %

06. 곱셈 공식의 활용

개 · 념 · 확 · 인 36～37쪽

01 (1) $a^2+2ab+b^2+4a+4b+4$ (2) $4x^2+4xy+y^2-2x-y$
02 (1) 10404 (2) 9801 (3) 9999
03 (1) $7+2\sqrt{10}$ (2) $4-2\sqrt{3}$ (3) 2
04 (1) $\dfrac{3-\sqrt{5}}{4}$ (2) $8+4\sqrt{3}$ (3) $\dfrac{\sqrt{15}-3}{2}$ (4) $9+4\sqrt{5}$
05 (1) 21 (2) 17

01 (1) $a+b=A$로 놓으면
(주어진 식)$=(A+2)^2=A^2+4A+4$
$=(a+b)^2+4(a+b)+4$
$=a^2+2ab+b^2+4a+4b+4$
(2) $2x+y=A$로 놓으면
(주어진 식)$=A(A-1)=A^2-A$
$=(2x+y)^2-(2x+y)$
$=4x^2+4xy+y^2-2x-y$

02 (1) $102^2=(100+2)^2=100^2+2\times100\times2+2^2$
$=10000+400+4=10404$
(2) $99^2=(100-1)^2=100^2-2\times100\times1+1^2$
$=10000-200+1=9801$
(3) $99\times101=(100-1)(100+1)=100^2-1^2$
$=10000-1=9999$

03 (1) $(\sqrt{5}+\sqrt{2})^2=(\sqrt{5})^2+2\times\sqrt{5}\times\sqrt{2}+(\sqrt{2})^2=7+2\sqrt{10}$
(2) $(\sqrt{3}-1)^2=(\sqrt{3})^2-2\times\sqrt{3}\times1+1^2=4-2\sqrt{3}$
(3) $(\sqrt{7}+\sqrt{5})(\sqrt{7}-\sqrt{5})=(\sqrt{7})^2-(\sqrt{5})^2=2$

04 (3) $\dfrac{\sqrt{3}}{\sqrt{5}+\sqrt{3}}=\dfrac{\sqrt{3}(\sqrt{5}-\sqrt{3})}{(\sqrt{5}+\sqrt{3})(\sqrt{5}-\sqrt{3})}=\dfrac{\sqrt{15}-3}{5-3}=\dfrac{\sqrt{15}-3}{2}$
(4) $\dfrac{\sqrt{5}+2}{\sqrt{5}-2}=\dfrac{(\sqrt{5}+2)^2}{(\sqrt{5}-2)(\sqrt{5}+2)}=5+4\sqrt{5}+4=9+4\sqrt{5}$

05 (1) $a^2+b^2=(a+b)^2-2ab=5^2-2\times2=25-4=21$
(2) $(a-b)^2=(a+b)^2-4ab=5^2-4\times2=25-8=17$

핵심유형으로 개 · 념 · 정 · 복 · 하 · 기 38～39쪽

핵심유형 **1** $x^2+2xy+y^2-4x-4y+3$ **1-1** ② **1-2** 32 **1-3** ②
핵심유형 **2** ① **2-1** ③, ④ **2-2** ③ **2-3** $6-4\sqrt{5}$
핵심유형 **3** ③ **3-1** ④ **3-2** $\dfrac{2\sqrt{5}}{3}$ **3-3** 12
핵심유형 **4** ④ **4-1** ⑤ **4-2** ③ **4-3** ④

핵심유형 **1** $x+y=A$로 놓으면
$(x+y-3)(x+y-1)=(A-3)(A-1)=A^2-4A+3$
$=(x+y)^2-4(x+y)+3$
$=x^2+2xy+y^2-4x-4y+3$

1-1 공통부분을 묶을 수 있도록 식을 변형한다.
$(a+b-c)(a-b+c)=\{a+(b-c)\}\{a-(b-c)\}$

1-2 (주어진 식)$=\{(x-2)(x+4)\}\{(x-4)(x+6)\}$
$=(x^2+2x-8)(x^2+2x-24)$
$x^2+2x=A$로 놓으면
$(A-8)(A-24)=A^2-32A+192$
$=(x^2+2x)^2-32(x^2+2x)+192$
$=x^4+4x^3-28x^2-64x+192$
따라서 $a=4,\ b=-28$이므로
$a-b=4-(-28)=32$

1-3 $x^2-x-4=0$에서 $x^2-x=4$이므로
(주어진 식)$=x(x-1)(x-3)(x+2)$
$=(x^2-x)(x^2-x-6)$
$=4\times(4-6)=4\times(-2)=-8$

핵심유형 **2** $52^2=(50+2)^2=50^2+2\times50\times2+2^2$이므로 이를 계산하는 데 이용되는 가장 편리한 곱셈 공식은 ①이다.

2-1 ③ $(40+3)(40-3)=40^2-3^2$
④ $(2+0.1)(2-0.1)=2^2-0.1^2$

2-2 $\dfrac{2019\times2021+1}{2020}=\dfrac{(2020-1)(2020+1)+1}{2020}$
$=\dfrac{2020^2-1+1}{2020}=2020$

2-3 $A=(5+2\sqrt{7})(5-2\sqrt{7})=25-28=-3$
$B=(\sqrt{5}-2)^2=5-4\sqrt{5}+4=9-4\sqrt{5}$
$\therefore A+B=-3+9-4\sqrt{5}=6-4\sqrt{5}$

핵심유형 3 $\frac{3+2\sqrt{2}}{3-2\sqrt{2}}=\frac{(3+2\sqrt{2})^2}{(3-2\sqrt{2})(3+2\sqrt{2})}$

$=\frac{9+12\sqrt{2}+8}{9-8}=17+12\sqrt{2}$

이므로 $a=17$, $b=12$ $\therefore a-b=17-12=5$

3-1 $\frac{\sqrt{3}}{\sqrt{6}-\sqrt{2}}=\frac{\sqrt{3}(\sqrt{6}+\sqrt{2})}{(\sqrt{6}-\sqrt{2})(\sqrt{6}+\sqrt{2})}=\frac{3\sqrt{2}+\sqrt{6}}{4}$

이므로 $A=\frac{3}{4}$, $B=\frac{1}{4}$ $\therefore A+B=\frac{3}{4}+\frac{1}{4}=1$

3-2 (주어진 식)

$=\frac{\sqrt{5}+\sqrt{2}}{(\sqrt{5}-\sqrt{2})(\sqrt{5}+\sqrt{2})}+\frac{\sqrt{5}-\sqrt{2}}{(\sqrt{5}+\sqrt{2})(\sqrt{5}-\sqrt{2})}$

$=\frac{\sqrt{5}+\sqrt{2}}{3}+\frac{\sqrt{5}-\sqrt{2}}{3}=\frac{2\sqrt{5}}{3}$

3-3 $x=\frac{2(\sqrt{6}-2)}{(\sqrt{6}+2)(\sqrt{6}-2)}=\frac{2(\sqrt{6}-2)}{6-4}=\sqrt{6}-2$이므로

$x+2=\sqrt{6}$

양변을 제곱하면 $(x+2)^2=6$

$x^2+4x+4=6$ $\therefore x^2+4x=2$

$\therefore x^2+4x+10=2+10=12$

핵심유형 4 $a^2+b^2=(a+b)^2-2ab=4^2-2\times3=10$

4-1 $(x+y)^2=(x-y)^2+4xy=(-5)^2+4\times2=33$

4-2 $x^2+\frac{1}{x^2}=\left(x+\frac{1}{x}\right)^2-2=5^2-2=23$

4-3 $\frac{y}{x}+\frac{x}{y}=\frac{x^2+y^2}{xy}=\frac{(x+y)^2-2xy}{xy}$

$=\frac{6^2-2\times4}{4}=\frac{28}{4}=7$

기출문제로 실·력·다·지·기 40~41쪽

01 ③	02 ③	03 -320	04 ③
05 ②	06 ④	07 6	08 ①
09 ④	10 ④	11 ⑤	12 ③
13 ②	14 14	15 11	

01 $x+y=A$로 놓으면

(주어진 식)$=(A-3)(A+1)=A^2-2A-3$

$=(x+y)^2-2(x+y)-3$

$=x^2+2xy+y^2-2x-2y-3$

02 $x+2=A$로 놓으면

$(x+3y+2)(x-3y+2)=(A+3y)(A-3y)=A^2-9y^2$

$=(x+2)^2-9y^2$

$=x^2-9y^2+4x+4$

따라서 $a=-9$, $b=4$, $c=4$이므로 $a+b+c=-1$

03 $x^2+7x-20=0$에서 $x^2+7x=20$이므로

(주어진 식)$=(x^2+7x-30)(x^2+7x+12)$

$=(20-30)(20+12)=-320$

04 ① 106^2 ⇨ $(100+6)^2$이므로 $(a+b)^2=a^2+2ab+b^2$을 이용

② 399^2 ⇨ $(400-1)^2$이므로 $(a-b)^2=a^2-2ab+b^2$을 이용

③ 104×105 ⇨ $(100+4)(100+5)$이므로

$(x+a)(x+b)=x^2+(a+b)x+ab$를 이용

④ 97^2 ⇨ $(100-3)^2$이므로 $(a-b)^2=a^2-2ab+b^2$을 이용

⑤ 105×95 ⇨ $(100+5)(100-5)$이므로

$(a+b)(a-b)=a^2-b^2$을 이용

05 $\frac{101\times99+1}{101^2-99^2}=\frac{(100+1)(100-1)+1}{(100+1)^2-(100-1)^2}$

$=\frac{100^2-1+1}{(100^2+2\times100+1)-(100^2-2\times100+1)}$

$=\frac{100^2}{4\times100}=25$

06 $(2+1)(2^2+1)(2^4+1)(2^8+1)$

$=(2-1)(2+1)(2^2+1)(2^4+1)(2^8+1)$

$=(2^2-1)(2^2+1)(2^4+1)(2^8+1)$

$=(2^4-1)(2^4+1)(2^8+1)$

$=(2^8-1)(2^8+1)$

$=2^{16}-1$

07 $(4+2\sqrt{3})(a-\sqrt{3})=4a-6+(2a-4)\sqrt{3}$

즉, $4a-6+(2a-4)\sqrt{3}=6+b\sqrt{3}$이므로

$4a-6=6$, $2a-4=b$

따라서 $a=3$, $b=2$이므로 $ab=3\times2=6$

08 $\frac{14}{3-\sqrt{2}}=\frac{14(3+\sqrt{2})}{(3-\sqrt{2})(3+\sqrt{2})}=\frac{14(3+\sqrt{2})}{7}$

$=2(3+\sqrt{2})=6+2\sqrt{2}$

이므로 $A=6$, $B=2$ $\therefore A+B=6+2=8$

09 $\frac{a}{b}+\frac{b}{a}=\frac{2+\sqrt{3}}{2-\sqrt{3}}+\frac{2-\sqrt{3}}{2+\sqrt{3}}=\frac{(2+\sqrt{3})^2+(2-\sqrt{3})^2}{(2-\sqrt{3})(2+\sqrt{3})}$

$=7+4\sqrt{3}+7-4\sqrt{3}=14$

10 $f(x)=\dfrac{1}{\sqrt{x+1}+\sqrt{x}}=\sqrt{x+1}-\sqrt{x}$이므로

(주어진 식)$=(\sqrt{1}-\sqrt{0})+(\sqrt{2}-\sqrt{1})+(\sqrt{3}-\sqrt{2})+\cdots$

$+(\sqrt{51}-\sqrt{50})$

$=\sqrt{51}$

11 $(a-b)^2=a^2-2ab+b^2$이므로

$3^2=21-2ab$, $2ab=12$ $\quad\therefore ab=6$

12 $(x-y)^2=(x+y)^2-4xy=4^2-4\times\dfrac{1}{2}=14$

13 $\left(x-\dfrac{1}{x}\right)^2=x^2+\dfrac{1}{x^2}-2=18-2=16$이므로

$x-\dfrac{1}{x}=4$ 또는 $x-\dfrac{1}{x}=-4$

이때 $0<x<1$이므로 $x<\dfrac{1}{x}$ $\quad\therefore x-\dfrac{1}{x}=-4$

14 $x=\dfrac{(\sqrt{6}+\sqrt{2})^2}{(\sqrt{6}-\sqrt{2})(\sqrt{6}+\sqrt{2})}=2+\sqrt{3}$,

$y=\dfrac{(\sqrt{6}-\sqrt{2})^2}{(\sqrt{6}+\sqrt{2})(\sqrt{6}-\sqrt{2})}=2-\sqrt{3}$ …… ❶

$\therefore x+y=4,\ xy=1$ …… ❷

$\therefore x(x+y)-y(x-y)=x^2+xy-xy+y^2=x^2+y^2$

$=(x+y)^2-2xy$

$=16-2=14$ …… ❸

채점 기준	배점
❶ x, y를 각각 유리화하기	30 %
❷ $x+y$, xy의 값 각각 구하기	20 %
❸ 주어진 식의 값 구하기	50 %

15 $x^2-5x+2=0$의 양변을 x로 나누면

$x-5+\dfrac{2}{x}=0$ $\quad\therefore x+\dfrac{2}{x}=5$ …… ❶

$x^2+\dfrac{4}{x^2}=\left(x+\dfrac{2}{x}\right)^2-4=25-4=21$ …… ❷

$\therefore x^2-2x-\dfrac{4}{x}+\dfrac{4}{x^2}=x^2+\dfrac{4}{x^2}-2\left(x+\dfrac{2}{x}\right)$

$=21-2\times5=11$ …… ❸

채점 기준	배점
❶ $x+\dfrac{2}{x}$의 값 구하기	40 %
❷ $x^2+\dfrac{4}{x^2}$의 값 구하기	30 %
❸ $x^2-2x-\dfrac{4}{x}+\dfrac{4}{x^2}$의 값 구하기	30 %

07. 인수분해와 인수분해 공식(1)

개 · 념 · 확 · 인

42~43쪽

01 (1) x^2-3x (2) $x^2+8x+16$ (3) a^2-4 (4) a^2-2a-3

02 ㄱ, ㄴ, ㄷ

03 (1) $m(a+b-c)$ (2) $3a(2a+b)$ (3) $3y(3x-2y)$ (4) $(x+2)(3a-b)$

04 (1) $(x+2)^2$ (2) $(x-6)^2$ (3) $(2x+5)^2$ (4) $(3x-2)^2$

05 (1) 16 (2) 6 (3) 36 (4) $\dfrac{1}{2}$

06 (1) $(x+2)(x-2)$ (2) $(x+7)(x-7)$ (3) $(5a+4b)(5a-4b)$ (4) $\left(\dfrac{1}{3}a+b\right)\left(\dfrac{1}{3}a-b\right)$

05 (1) $\square=\left(\dfrac{8}{2}\right)^2=16$

(2) $\square=2\sqrt{9}=6$

(3) $\square=\left(\dfrac{-12}{2}\right)^2=36$

(4) $\square=2\sqrt{\dfrac{1}{16}}=\dfrac{1}{2}$

핵심유형으로 개 · 념 · 정 · 복 · 하 · 기

44~45쪽

핵심유형 1 ④	1-1 ②	1-2 ④	1-3 ㄱ, ㄷ
핵심유형 2 ④	2-1 ④	2-2 ④	2-3 $2x-2$
핵심유형 3 ⑤	3-1 ④	3-2 ⑤	3-3 ③
핵심유형 4 ⑤	4-1 ①	4-2 ①	4-3 ③

핵심유형 1 x, $x+1$, $x-2$뿐만 아니라 이 인수들끼리의 곱도 인수이다.

1-1 $(2x+1)(x-3)=2x^2-5x-3$이므로

$a=-5$, $b=-3$ $\quad\therefore a-b=-5-(-3)=-2$

1-2 ④ 인수분해하였을 때 곱해진 각각의 식이 인수이고, 1과 자기 자신도 인수이다.

1-3 ㄴ. $(x+1)(x+4)=x^2+5x+4$

핵심유형 2 $-4x^2+8xy=-4x(x-2y)$

$3x-6y=3(x-2y)$

따라서 두 다항식의 공통인수는 $x-2y$이다.

2-1 ④ $-3x-12y=-3(x+4y)$

2-2 $2a^3-6a^2b=2a^2(a-3b)$이므로 인수가 아닌 것은 ④ a^2-3b이다.

2-3 $(x-2)(x+3)-3(x+3)=(x+3)(x-5)$
$\therefore (x+3)+(x-5)=2x-2$

핵심유형 3 ① $(x+4)^2$ ② $(2x+3y)^2$ ③ $(x-1)^2$ ④ $\left(\frac{1}{2}x+1\right)^2$

3-1 $B^2=25$이므로 $B=\pm5$ $\quad\therefore B=5$ ($\because B>0$)
$A=2\times5=10$ $\quad\therefore A+B=10+5=15$

3-2 $Ax=\pm2\times x\times\sqrt{36}=\pm12x$
이때, A는 양수이므로 $A=12$

3-3 $-1<x<2$이므로 $x+1>0$, $x-2<0$
$\therefore \sqrt{x^2+2x+1}+\sqrt{x^2-4x+4}$
$=\sqrt{(x+1)^2}+\sqrt{(x-2)^2}$
$=x+1-(x-2)=3$

핵심유형 4 $2x^2-50=2(x^2-25)=2(x+5)(x-5)$이므로
$a=2$, $b=5$, $c=5$
$\therefore a+b+c=2+5+5=12$

4-1 $4x^2-49=(2x+7)(2x-7)$에서 두 일차식은 $2x+7$, $2x-7$이므로 $(2x+7)+(2x-7)=4x$

4-2 $16x^2-9y^2=(4x+3y)(4x-3y)$이므로
$a=4$, $b=4$, $c=-3$
$\therefore a-b+c=4-4-3=-3$

4-3 $81x^4-1=(9x^2+1)(9x^2-1)$
$=(9x^2+1)(3x+1)(3x-1)$
이므로 인수가 아닌 것은 ③ $9x+1$이다.

기출문제로 실·력·다·지·기 46~47쪽

01 ⑤	02 ④	03 ④	04 ④
05 ⑤	06 ①	07 ⑤	08 ④
09 ⑤	10 ③	11 ①	12 ④
13 ⑤	14 13	15 $\frac{11}{20}$	

01 채현: ②의 과정은 전개이다.

02 $(3x+2)(2x-3)=6x^2-5x-6$이므로 $m=-5$, $n=-6$
$\therefore m-n=-5-(-6)=1$

03 $4x^2y-12xy^2=4xy(x-3y)$이므로 인수가 아닌 것은 ④ x^2이다.

04 $2a^2b-2ab^2+2abc=2ab(a-b+c)$이므로 직육면체의 높이는 $a-b+c$이다.

05 $4x^2+28x+49=(2x+7)^2$이므로 $a=2$, $b=7$
$\therefore a+b=2+7=9$

06 ① 36 ② 20 ③ 6 ④ 16 ⑤ 20

07 $(x-2)(x+4)+a=x^2+2x-8+a$에서
$-8+a=\left(\frac{2}{2}\right)^2$ $\quad\therefore a=9$

08 $-5<x<5$이므로 $x-5<0$, $x+5>0$
$\therefore \sqrt{x^2-10x+25}-\sqrt{x^2+10x+25}=\sqrt{(x-5)^2}-\sqrt{(x+5)^2}$
$=-(x-5)-(x+5)$
$=-2x$

09 $x^2-121=x^2-11^2=(x+11)(x-11)$
이므로 $a=11$

10 $-3x^2+27=-3(x^2-9)=-3(x+3)(x-3)$이므로
$a=-3$, $b=3$ $\quad\therefore a+b=-3+3=0$

11 꽃밭 A의 넓이는 $b^2-a^2=(b+a)(b-a)$이므로 꽃밭 B의 세로의 길이는 $a+b$이다.

12 $x^2-y^2=(x+y)(x-y)=9(x-y)$
$9(x-y)=36$이므로 $x-y=4$

13 $2^{40}-1=(2^{20}+1)(2^{20}-1)$
$=(2^{20}+1)(2^{10}+1)(2^{10}-1)$
$=(2^{20}+1)(2^{10}+1)(2^5+1)(2^5-1)$
따라서 30과 40 사이의 두 자연수는 $2^5+1=33$, $2^5-1=31$이고 그 합은 $33+31=64$이다.

14 [단계 ❶] $9x^2-Ax+4$가 완전제곱식이 되려면

$A=\pm2\times3\times2=\pm12 \qquad \therefore A=12(\because A>0)$

[단계 ❷] x^2-x+B가 완전제곱식이 되려면 $B=\left(-\frac{1}{2}\right)^2=\frac{1}{4}$

[단계 ❸] $\therefore A+4B=12+4\times\frac{1}{4}=13$

채점 기준	배점
❶ A의 값 구하기	40 %
❷ B의 값 구하기	40 %
❸ $A+4B$의 값 구하기	20 %

15 (주어진 식)

$=\left(1-\frac{1}{2}\right)\left(1+\frac{1}{2}\right)\left(1-\frac{1}{3}\right)\left(1+\frac{1}{3}\right)\left(1-\frac{1}{4}\right)\left(1+\frac{1}{4}\right)$

$\cdots\left(1-\frac{1}{10}\right)\left(1+\frac{1}{10}\right)$ ······ ❶

$=\frac{1}{2}\times\frac{3}{2}\times\frac{2}{3}\times\frac{4}{3}\times\frac{3}{4}\times\frac{5}{4}\times\cdots\times\frac{9}{10}\times\frac{11}{10}$ ······ ❷

$=\frac{1}{2}\times\frac{11}{10}=\frac{11}{20}$ ······ ❸

채점 기준	배점
❶ 주어진 식 인수분해하기	50 %
❷ 각 식을 계산하기	30 %
❸ 식을 계산한 결과 구하기	20 %

08. 인수분해 공식(2)

개 · 념 · 확 · 인

48~49쪽

01 (1) 4, 7 (2) 6, -2 (3) -5, 4 (4) -4, 9

02 (1) 1, x, 1 (2) -4, $-4x$, 4

03 (1) $(x+3)(x+7)$ (2) $(x-2)(x-4)$

(3) $(x+9)(x-2)$ (4) $(x+10y)(x-y)$

04 (1) $2x$, $2x$, 3, $6x$, $2x+3$

(2) $3y$, $6xy$, $2x$, $-y$, $-xy$, $3y$, $2x-y$

05 (1) 3, 2 (2) 3, 5

06 (1) $(x+2)(2x+1)$ (2) $(2x-3)(3x+1)$

(3) $(3x-y)(x-2y)$ (4) $(2x+3y)(4x-3y)$

03 (4) $x^2+9xy-10y^2=(x+10y)(x-y)$

$x \quad 10y \rightarrow 10xy$

$x \quad -y \rightarrow \underline{-xy(+}$

$9xy$

06 (4) $8x^2+6xy-9y^2=(2x+3y)(4x-3y)$

$2x \quad 3y \rightarrow 12xy$

$4x \quad -3y \rightarrow \underline{-6xy(+}$

$6xy$

핵심유형으로 개 · 념 · 정 · 복 · 하 · 기

50~51쪽

핵심유형 1 ②	1-1 ④	1-2 ③	1-3 ④
핵심유형 2 ⑤	2-1 ⑤	2-2 ①	2-3 ③
핵심유형 3 ⑤	3-1 ③	3-2 8	3-3 $(x-4)(5x-4)$
핵심유형 4 ②	4-1 $x+3$	4-2 ④	4-3 ②

핵심유형 1 $x^2+7x+12=(x+3)(x+4)$

이므로 두 일차식의 합은 $(x+3)+(x+4)=2x+7$

1-1 ④ $x^2+2x-8=(x-2)(x+4)$

1-2 $x^2-5x-14=(x+2)(x-7)$이므로 $a=2$, $b=-7$

$\therefore a-b=2-(-7)=9$

1-3 $a^3-2a^2-3a=a(a^2-2a-3)$

$=a(a+1)(a-3)$

따라서 인수가 아닌 것은 ④ a^2이다.

핵심유형 2 $(x+3)(3x-5)+11=3x^2+4x-4$

$=(x+2)(3x-2)$

2-1 $-3\times B=-15 \qquad \therefore B=5$

$A=2\times5-3\times1=7$

$\therefore A+B=7+5=12$

2-2 $6x^2+ax-21=(3x-7)(bx+c)$으로 놓으면

$3b=6 \qquad \therefore b=2$

$-7c=-21 \qquad \therefore c=3$

$6x^2+ax-21=(3x-7)(2x+3)$이므로

$a=3\times3-7\times2=-5$

2-3 $4x^2+4x-15=(2x+5)(2x-3)$이고, 직사각형의 가로의 길이가 $2x-3$이므로 세로의 길이는 $2x+5$이다.

핵심유형 3 ⑤ $2x^2-5x-3=(2x+1)(x-3)$

3-1 ① $3x^2+6x=3x(x+2)$

② $x^2+6x+9=(x+3)^2$

④ $x^2+6x+5=(x+1)(x+5)$

⑤ $4x^2-8x-5=(2x+1)(2x-5)$

3-2 $a=4$, $b=1$, $c=3$이므로 $a+b+c=4+1+3=8$

3-3 $(2x-5)^2+(x+3)(x-7)+12$
$=(4x^2-20x+25)+(x^2-4x-21)+12$
$=5x^2-24x+16$
$=(x-4)(5x-4)$

핵심유형 4 $x^2-4x+3=(x-1)(x-3)$
$2x^2-3x-9=(2x+3)(x-3)$
따라서 두 식의 공통인수는 $x-3$이다.

4-1 $x^2-9=(x+3)(x-3)$
$x^2-3x-18=(x-6)(x+3)$
따라서 공통인수는 $x+3$이다.

4-2 ① $2x^2+3x-2=(2x-1)(x+2)$
② $x^2-4=(x+2)(x-2)$
③ $2x^2+7x+6=(2x+3)(x+2)$
④ $x^2+x-6=(x+3)(x-2)$
⑤ $3x^2+7x+2=(3x+1)(x+2)$
따라서 나머지 넷과 같은 인수를 갖지 않는 것은 ④이다.

4-3 $ax^2-3x+5=(x-1)(ax+m)$으로 놓으면
$-a+m=-3$, $-m=5$
$\therefore m=-5$, $a=-2$
$2x^2+bx-1=(x-1)(2x+n)$으로 놓으면
$-2+n=b$, $-n=-1$
$\therefore n=1$, $b=-1$
$\therefore a-b=-2-(-1)=-1$

기출문제로 실·력·다·지·기 52~53쪽

01 ①, ③	02 ②	03 ④	04 ④
05 ②	06 ④	07 ②	08 ⑤
09 ④	10 ③, ④	11 ④	12 ④
13 ③	14 7	15 $(x+5)(x-2)$	

01 $x^2-4x-12=(x-6)(x+2)$의 인수는 ① $x-6$, ③ $x+2$

02 $x^2+Ax-15=(x-5)(x+m)$으로 놓으면
$-5+m=A$, $-5m=-15$ $\therefore m=3$, $A=-2$

03 $x^2+3x+2=(x+1)(x+2)$이므로 가로, 세로의 길이가 될 수 있는 것은 $x+1$, $x+2$이다.

04 $n^2+4n-21=(n+7)(n-3)$이 소수가 되므로
$n+7=1$ 또는 $n-3=1$이어야 한다.
n은 자연수이므로 $n-3=1$일 때, $n=4$
따라서 이 소수는 $(4+7)(4-3)=11$

05 $6x^2+7x-3=(3x-1)(2x+3)$이므로 두 다항식은
ㄱ. $3x-1$, ㄹ. $2x+3$이다.

06 $2B=6$ $\therefore B=3$
$-3B+14=A$ $\therefore A=5$
$\therefore A+B=5+3=8$

07 $4x^2-(3a-2)x+3=(2x+1)(2x+m)$으로 놓으면
$-(3a-2)=2+2m$, $m=3$
$-3a+2=8$ $\therefore a=-2$

08 ① $x^2+3x-4=(x+4)(x-1)$
② $9x^2-4y^2=(3x+2y)(3x-2y)$
③ $x^2-2x+1=(x-1)^2$
④ $4x^2-20x+25=(2x-5)^2$

09 ① $x^2-10xy+25y^2=(x-5y)^2$
② $x^2-121=(x+11)(x-11)$
③ $x^2-3x-18=(x-6)(x+3)$
⑤ $3x^2-x-2=(3x+2)(x-1)$

10 ① $x^2-x-6=(x-3)(x+2)$
② $x^2+2x=x(x+2)$
③ $x^2-4=(x+2)(x-2)$
④ $2x^2-3x-2=(x-2)(2x+1)$
⑤ $3x^2+2x-8=(x+2)(3x-4)$
따라서 $x-2$를 인수로 갖는 다항식은 ③, ④이다.

11 $x^2-6x+a=(x-4)(x+m)$으로 놓으면
$-4+m=-6$, $-4m=a$ $\therefore m=-2$, $a=8$
$2x^2+bx-4=(x-4)(2x+n)$으로 놓으면
$-8+n=b$, $-4n=-4$ $\therefore n=1$, $b=-7$
$\therefore a+b=8+(-7)=1$

12 $(x◎2x)-(7x◎1)=(2x^2+4x+4)-(7x+2+4)$
$=2x^2-3x-2$
$=(x-2)(2x+1)$
따라서 두 일차식의 합은 $(x-2)+(2x+1)=3x-1$

13 $x^2+10x+21=(x+7)(x+m)$으로 놓으면

$7m=21$ $\therefore m=3$

따라서 직사각형 A의 세로의 길이는 $x+3$이다.

직사각형 A의 둘레의 길이는 $2(x+7+x+3)=4x+20$이므로 정사각형 B의 한 변의 길이는 $x+5$이다.

따라서 정사각형 B의 넓이는 $(x+5)^2=x^2+10x+25$이다.

14 [단계 ❶] $(x+a)(x+b)=x^2+(a+b)x+ab$이므로 $ab=6$, $a+b=k$이다.

[단계 ❷] $ab=6$을 만족하는 정수 a, b의 순서쌍 (a, b)는 $(1, 6)$, $(2, 3)$, $(3, 2)$, $(6, 1)$, $(-1, -6)$, $(-2, -3)$, $(-3, -2)$, $(-6, -1)$이다.

[단계 ❸] 따라서 상수 k의 최댓값은 $1+6=7$이다.

채점 기준	배점
❶ ab와 $a+b$의 값 구하기	30 %
❷ 순서쌍 (a, b) 구하기	50 %
❸ k의 최댓값 구하기	20 %

15 동현이는 상수항을 제대로 보았으므로 상수항은

$1\times(-10)=-10$ …… ❶

은정이는 x의 계수를 제대로 보았으므로 x의 계수는

$6-3=3$ …… ❷

따라서 처음 주어진 이차식은 $x^2+3x-10$이고 …… ❸

이 식을 인수분해하면 $x^2+3x-10=(x+5)(x-2)$ …… ❹

채점 기준	배점
❶ 상수항 구하기	20 %
❷ x의 계수 구하기	20 %
❸ 처음의 이차식 구하기	20 %
❹ 처음의 이차식을 인수분해하기	40 %

09. 인수분해 공식의 활용

개·념·확·인 54~55쪽

01 (1) $a(b-2)^2$ (2) $a^2(a+3)(a-3)$
(3) $x(x-3)(x+1)$ (4) $a^2(a+2)(3a-5)$

02 (1) $(x-y)(a-b)$ (2) $(x+y-1)(x-y-1)$
(3) $(x-3)(x+y-1)$

03 (1) $(a-b-3)(a-b+1)$ (2) $(x+y-3)^2$
(3) $(x+6)(2x+9)$

04 (1) 1700 (2) 3600 (3) 4 (4) 200

05 (1) 10000 (2) 2

06 (1) 5 (2) $8\sqrt{3}$

01 (1) (주어진 식)$=a(b^2-4b+4)=a(b-2)^2$

(2) (주어진 식)$=a^2(a^2-9)=a^2(a+3)(a-3)$

(3) (주어진 식)$=x(x^2-2x-3)=x(x-3)(x+1)$

(4) (주어진 식)$=a^2(3a^2+a-10)=a^2(a+2)(3a-5)$

02 (1) (주어진 식)$=(ax-ay)+(-bx+by)$
$=a(x-y)-b(x-y)=(x-y)(a-b)$

(2) (주어진 식)$=(x^2-2x+1)-y^2=(x-1)^2-y^2$
$=(x+y-1)(x-y-1)$

(3) (주어진 식)$=y(x-3)+x^2-4x+3$
$=y(x-3)+(x-1)(x-3)$
$=(x-3)(x+y-1)$

03 (1) $a-b=A$로 치환하면
(주어진 식)$=A^2-2A-3=(A-3)(A+1)$
$=(a-b-3)(a-b+1)$

(2) $x+y=A$로 치환하면
(주어진 식)$=A(A-6)+9=A^2-6A+9$
$=(A-3)^2=(x+y-3)^2$

(3) $x+5=A$로 치환하면
(주어진 식)$=2A^2+A-1=(A+1)(2A-1)$
$=(x+5+1)(2x+10-1)$
$=(x+6)(2x+9)$

04 (1) $17\times86+17\times14=17(86+14)=17\times100=1700$

(2) $57^2+6\times57+3^2=(57+3)^2=60^2=3600$

(3) $16^2-2\times16\times14+14^2=(16-14)^2=2^2=4$

(4) $51^2-49^2=(51+49)(51-49)=100\times2=200$

05 (1) $x^2-4x+4=(x-2)^2=(102-2)^2=100^2=10000$

(2) $x^2-2x+1=(x-1)^2=(1+\sqrt{2}-1)^2=(\sqrt{2})^2=2$

06 (1) $x^2+2xy+y^2=(x+y)^2=(\sqrt{5})^2=5$

(2) $a^2-b^2=(a+b)(a-b)=4\times2\sqrt{3}=8\sqrt{3}$

핵심유형으로 개·념·정·복·하·기 56~57쪽

핵심유형 1 ③, ④	1-1 ①, ②	1-2 6	1-3 ③
핵심유형 2 ③	2-1 ①	2-2 ③	2-3 $5(x+1)(2x-9)$
핵심유형 3 ②	3-1 ③	3-2 $\frac{1000}{203}$	3-3 3000
핵심유형 4 ⑤	4-1 ①	4-2 ⑤	4-3 ①

핵심유형 **1** (주어진 식)$=a^2(b+2)-4(b+2)=(b+2)(a^2-4)$
$=(a+2)(a-2)(b+2)$

이므로 인수가 아닌 것은 ③ $a+b$, ④ $b-2$이다.

1-1 $a^2-2ab+4b-2a=a(a-2b)-2(a-2b)$
$=(a-2b)(a-2)$
이므로 인수는 ① $a-2$, ② $a-2b$이다.

1-2 (주어진 식)$=2x^2(x-2)+(x-3)(x-2)$
$=(x-2)(2x^2+x-3)$
$=(2x+3)(x-1)(x-2)$
$\therefore\ abc=3\times(-1)\times(-2)=6$

1-3 (주어진 식)$=x^2-2xy+y^2-1=(x-y)^2-1$
$=(x-y+1)(x-y-1)$
이므로 $A=-1, B=1$ $\quad\therefore\ A+B=-1+1=0$

핵심유형 2 $a+1=A$로 치환하면
(주어진 식)$=2A^2-5A-3$
$=(2A+1)(A-3)$
$=(2a+3)(a-2)$
따라서 두 일차식의 합은 $(2a+3)+(a-2)=3a+1$

2-1 $2x+1=A$, $x-2=B$로 치환하면
(주어진 식)$=A^2-B^2=(A+B)(A-B)$
$=(2x+1+x-2)(2x+1-x+2)$
$=(3x-1)(x+3)$
따라서 $a=-1$, $b=3$이므로 $2a+b=2\times(-1)+3=1$

2-2 $x-2y=A$로 치환하면
(주어진 식)$=(A+1)(A-3)-5$
$=A^2-2A-8=(A-4)(A+2)$
$=(x-2y-4)(x-2y+2)$

2-3 $x-2=A$, $x+3=B$로 치환하면
(주어진 식)$=6A^2+7AB-3B^2$
$=(2A+3B)(3A-B)$
$=(2x-4+3x+9)(3x-6-x-3)$
$=(5x+5)(2x-9)$
$=5(x+1)(2x-9)$

핵심유형 3 $\sqrt{58^2-4\times58+4}=\sqrt{(58-2)^2}=\sqrt{56^2}=56$

3-1 $53^2-47^2=(53+47)(53-47)=100\times6=600$이므로 계산하는 데 가장 알맞은 인수분해 공식은 ③이다.

3-2 (주어진 식)$=\dfrac{201(997+3)}{(202+1)(202-1)}=\dfrac{1000}{203}$

3-3 (넓이)$=65^2-35^2=(65+35)(65-35)$
$=100\times30=3000$

핵심유형 4 $x=\dfrac{2-\sqrt{3}}{(2+\sqrt{3})(2-\sqrt{3})}=2-\sqrt{3}$

$y=\dfrac{2+\sqrt{3}}{(2-\sqrt{3})(2+\sqrt{3})}=2+\sqrt{3}$

$\therefore\ x^2+2xy+y^2=(x+y)^2=4^2=16$

4-1 $x^2-6x+9=(x-3)^2=(3-\sqrt{2}-3)^2=2$

4-2 $2x^2+xy-3y^2=(2x+3y)(x-y)$
$=(7+3)(3.5-1)=10\times2.5=25$

4-3 $a^2-b^2-8b-16=a^2-(b^2+8b+16)=a^2-(b+4)^2$
$=(a+b+4)(a-b-4)$
$=(1+4)(-2-4)=5\times(-6)=-30$

기출문제로 실·력·다·지·기

58~59쪽

01 ④	**02** ②	**03** ⑤	**04** ⑤
05 ④	**06** ④	**07** ①	**08** ③, ⑤
09 ④	**10** ④	**11** ⑤	**12** ④
13 ⑤	**14** $b-1$	**15** 24 cm	

01 $3a^3b-3a^2b-18ab=3ab(a^2-a-6)=3ab(a-3)(a+2)$

02 $(x+1)(x+4)-2(x+1)=(x+1)(x+2)$
$x^2(x+3)-4(x+3)=(x+3)(x^2-4)$
$=(x+3)(x+2)(x-2)$
따라서 공통인수는 $x+2$이다.

03 (주어진 식)$=ay-ab+bx-xy=a(y-b)-x(y-b)$
$=(a-x)(y-b)$

04 $1-x^2+4xy-4y^2=1-(x^2-4xy+4y^2)=1-(x-2y)^2$
$=(1+x-2y)(1-x+2y)$

05 $x^2-xy-xz-2y^2-yz=-z(x+y)+x^2-xy-2y^2$
$=-z(x+y)+(x-2y)(x+y)$
$=(x+y)(x-2y-z)$

06 $(x-3)^2-16=(x-3)^2-4^2=(x-3+4)(x-3-4)$
$=(x+1)(x-7)$
이므로 $a=1$, $b=7$ $\quad\therefore\ a+b=1+7=8$

07 $x-3=A$로 치환하면
(주어진 식)$=2A^2+7A-4=(A+4)(2A-1)$
$=(x+1)(2x-7)$
이므로 두 일차식의 합은 $x+1+2x-7=3x-6$

08 $9\times51^2-9\times50^2=9(51^2-50^2)$ $\leftarrow$ ⑤
$=9(51+50)(51-50)$ $\leftarrow$ ③
따라서 필요한 인수분해 공식은 ③, ⑤이다.

09 (주어진 식)$=(6.5-2\times2.5)(6.5-3\times2.5)$

$=1.5\times(-1)=-1.5$

10 $a+b=\sqrt{2}+5-\sqrt{2}+5=10$

$a-b=\sqrt{2}+5+\sqrt{2}-5=2\sqrt{2}$

$\therefore a^2-b^2=(a+b)(a-b)=10\times2\sqrt{2}=20\sqrt{2}$

11 $1<\sqrt{2}<2$이므로 $a=\sqrt{2}-1$

$\therefore a^2+3a+2=(a+1)(a+2)=\sqrt{2}(\sqrt{2}+1)$

$=2+\sqrt{2}$

12 (길의 넓이)$=\pi(r+a)^2-\pi r^2$

$=\pi\{(r+a)^2-r^2\}$

$=\pi(r+a+r)(r+a-r)$

$=a\pi(2r+a)$

$b=2\pi\left(r+\frac{a}{2}\right)=\pi(2r+a)$

$\therefore$ (길의 넓이)$=a\cdot\pi(2r+a)=ab$

13 (부피)$=\pi\times7.75^2\times10-\pi\times2.25^2\times10$

$=\pi\times10(7.75^2-2.25^2)$

$=10\pi(7.75+2.25)(7.75-2.25)$

$=10\pi\times10\times5.5=550\pi(\text{cm}^3)$

14 [단계 ❶] $ab+b-a-1=b(a+1)-(a+1)$

$=(a+1)(b-1)$

[단계 ❷] $b^2-b-ab+a=b(b-1)-a(b-1)$

$=(b-1)(b-a)$

[단계 ❸] 따라서 두 다항식의 공통인수는 $b-1$이다.

채점 기준	배점
❶ $ab+b-a-1$을 인수분해하기	40 %
❷ $b^2-b-ab+a$를 인수분해하기	40 %
❸ 공통인수 구하기	20 %

15 $4a+4b=100$이므로 $4(a+b)=100$

$\therefore a+b=25$ …… ❶

$a^2-b^2=150$이므로 $(a+b)(a-b)=150$

$25(a-b)=150$ $\therefore a-b=6$ …… ❷

따라서 두 카드의 둘레의 길이의 차는

$4a-4b=4(a-b)=4\times6=24(\text{cm})$ …… ❸

채점 기준	배점
❶ $a+b$의 값 구하기	40 %
❷ $a-b$의 값 구하기	40 %
❸ 두 카드의 둘레의 길이의 차 구하기	20 %

Ⅲ 이차방정식

10. 이차방정식의 뜻과 해

개 · 념 · 확 · 인

60~61쪽

01 ㄴ, ㄹ **02** (1) 8 (2) 4 **03** $a\neq2$

04 -2, -2, 0 / $x=-2$ 또는 $x=1$ **05** ⑤

06 ④

01 ㄱ. x^2-1(이차식)

ㄴ. $3x^2=0$(이차방정식)

ㄷ. $x^3+x^2-1=0$(이차방정식이 아니다.)

ㄹ. $x^2-x-6=0$(이차방정식)

ㅁ. $x^2+x=x^2$, $x=0$(일차방정식)

따라서 이차방정식은 ㄴ, ㄹ이다.

02 (1) $3x^2+1-x^2+5x=0$, $2x^2+5x+1=0$이므로

$a=2$, $b=5$, $c=1$

$\therefore a+b+c=2+5+1=8$

(2) $x^2+2x+1=x-1$, $x^2+x+2=0$이므로

$a=1$, $b=1$, $c=2$

$\therefore a+b+c=1+1+2=4$

03 $3ax^2-3=6x^2+2x-1$, $(3a-6)x^2-2x-2=0$이 이차방정식이 되려면

$3a-6\neq0$, $3a\neq6$

$\therefore a\neq2$

05 $x=-2$를 대입하여 등식이 성립하는 것을 찾는다.

① $(-2-2)^2\neq0$

② $(-2+5)^2\neq10$

③ $(-2)^2+4\times(-2)-6\neq0$

④ $(-2)^2-(-2)+4\neq0$

⑤ $(-2)^2+5\times(-2)+6=0$

06 [ ]의 수를 대입하여 등식이 성립하는 것을 찾는다.

① $x=4$일 때, $4^2\neq4$

② $x=-2$일 때, $(-2+3)(-2-2)\neq0$

③ $x=-1$일 때, $(-1)^2+3\neq4\times(-1)$

④ $x=3$일 때, $3^2-3-6=0$

⑤ $x=2$일 때, $2\times2^2+3\times2-5\neq0$

핵심유형으로 개·념·정·복·하·기 62~63쪽

핵심유형 1 ⑤	1-1 ④	1-2 ⑤	1-3 ③
핵심유형 2 ①	2-1 ⑤	2-2 ①	2-3 ④
핵심유형 3 ④	3-1 ②	3-2 ③	3-3 ②
핵심유형 4 ①	4-1 ④	4-2 ④	4-3 ①

핵심유형 1 ① $x^2-1=0$(이차방정식)
② $x^2-x+5=0$(이차방정식)
③ $x^2-x-1=0$(이차방정식)
④ $x^2+2x=0$(이차방정식)
⑤ $3x^2+x=3x^2-6x$, $7x=0$(일차방정식)

1-1 ① $-3=0$(방정식이 아니다.)
② $x^2+x=x^2+3$, $x-3=0$(일차방정식)
③ x^2-2x+3(이차식)
④ $4x^2+4x+1=x^2-2x+1$, $3x^2+6x=0$(이차방정식)
⑤ $x(x^2-4)=0$, $x^3-4x=0$(이차방정식이 아니다.)

1-2 ③ $2x^2=0$(이차방정식)
④ $x^2+2x+1=2x$, $x^2+1=0$(이차방정식)
⑤ $x^2-1=x^2+4x+4$, $-4x-5=0$(일차방정식)

1-3 ㄱ. x^2-2x+1(이차식)
ㄴ. $2x^2-x=x^2+x$, $x^2-2x=0$(이차방정식)
ㄷ. $x^2+2x-3=0$(이차방정식)
ㄹ. $x^2-2x+1=x^2+2x+1$, $-4x=0$(일차방정식)
ㅁ. $4x^2-4x+1=x^2+3x$, $3x^2-7x+1=0$(이차방정식)
따라서 이차방정식인 것은 ㄴ, ㄷ, ㅁ이다.

핵심유형 2 $2(x-1)^2-(x+3)(x+1)=x-x^2$에서
$2(x^2-2x+1)-(x^2+4x+3)=x-x^2$
$x^2-8x-1=x-x^2$, $2x^2-9x-1=0$
따라서 $b=-9$, $c=-1$이므로
$b+c=-9+(-1)=-10$

2-1 $a-3\neq0$이어야 하므로 $a\neq3$

2-2 $(2x+1)(ax-3)=-4x^2+1$에서
$2ax^2+ax-6x-3=-4x^2+1$
$(2a+4)x^2+(a-6)x-4=0$
따라서 $2a+4\neq0$이어야 하므로 $a\neq-2$

2-3 $-2(x+1)^2+5x=(3x-1)^2$에서
$-2(x^2+2x+1)+5x=9x^2-6x+1$
$-2x^2-4x-2+5x=9x^2-6x+1$, $11x^2-7x+3=0$
따라서 $a=11$, $b=-7$이므로
$a+b=11+(-7)=4$

핵심유형 3 $x=-2$일 때, $(-2)^2+2\times(-2)-3\neq0$
$x=-1$일 때, $(-1)^2+2\times(-1)-3\neq0$
$x=0$일 때, $0^2+2\times0-3\neq0$
$x=1$일 때, $1^2+2\times1-3=0$
$x=2$일 때, $2^2+2\times2-3\neq0$
따라서 해는 $x=1$이다.

3-1 $x=1$을 대입하여 등식이 성립하는 것을 찾는다.
① $1^2-4\times1\neq0$
② $1^2+6\times1=7$
③ $(1+1)(1+2)\neq0$
④ $1^2+3\times1+2\neq0$
⑤ $2\times1^2-3\times1-5\neq0$

3-2 ① $x=-1$일 때, $(-1)^2-2\times(-1)=3$
② $x=0$일 때, $0(0+1)=0$
③ $x=1$일 때, $1^2+2\times1-1\neq0$
④ $x=3$일 때, $3(3+3)=3\times3+9$
⑤ $x=2$일 때, $(2+1)(2-3)=-3$

3-3 $x=-2$일 때, $(-2)^2+2\times(-2)=0$
$x=-1$일 때, $(-1)^2+2\times(-1)\neq0$
$x=0$일 때, $0^2+2\times0=0$
$x=1$일 때, $1^2+2\times1\neq0$
$x=2$일 때, $2^2+2\times2\neq0$
따라서 해는 $x=-2$ 또는 $x=0$이다.

핵심유형 4 $3x^2-2x+a=0$에 $x=-1$을 대입하면
$3\times(-1)^2-2\times(-1)+a=0$
$\therefore a=-5$

4-1 $x^2-ax+4=0$에 $x=2$를 대입하면
$2^2-2a+4=0$, $-2a=-8$ $\therefore a=4$

4-2 $3x^2+2(x-a)-1=0$에 $x=1$을 대입하면
$3\times1^2+2(1-a)-1=0$, $-2a=-4$ $\therefore a=2$

4-3 $x=-1$을 두 이차방정식에 각각 대입하면
$(-1)^2+3\times(-1)+a=0$ $\therefore a=2$
$(-1)^2-4\times(-1)+b=0$ $\therefore b=-5$
$\therefore a+b=2+(-5)=-3$

기출문제로 실·력·다·지·기 64~65쪽

01 ⑤	02 ③	03 ③	04 ④
05 ①	06 ②	07 ④	08 ③
09 ④	10 ①	11 ①	12 ②
13 ⑤	14 -5	15 1	

01 ① $x^2+1=0$(이차방정식)
② $-x^2+3x=0$(이차방정식)
③ $x^2+x-4=0$(이차방정식)
④ $x^2+x=5x$, $x^2-4x=0$(이차방정식)
⑤ $2x^2+x-1=3+2x^2$, $x-4=0$(일차방정식)

02 $2x^2-3x=ax^2+2x-1$에서 $(2-a)x^2-5x+1=0$이므로 이차방정식이 되려면
$2-a\neq0$ $\therefore a\neq2$

03 $(x-1)^2=-2x^2-5x+3$에서
$x^2-2x+1=-2x^2-5x+3$
$3x^2+3x-2=0$ $\therefore b=3,\ c=-2$
$\therefore b+c=3+(-2)=1$

04 ① $x=4$일 때, $4^2-4\neq0$
② $x=0$일 때, $(0-3)^2\neq0$
③ $x=2$일 때, $2(2+2)\neq3$
④ $x=-1$일 때, $(-1)^2-(-1)-2=0$
⑤ $x=-3$일 때, $3\times(-3)^2-5\times(-3)+6\neq0$

05 ① $x=-1$일 때, $(-1)^2-2\times(-1)\neq-1$
② $x=0$일 때, $0(0-3)=0$
③ $x=3$일 때, $3^2-6\times3+9=0$
④ $x=1$일 때, $1(1-2)=4\times1-5$
⑤ $x=2$일 때, $(2+1)(2-4)=-6$

06 $x=-2$일 때, $(-2)^2+5\times(-2)-6\neq0$
$x=-1$일 때, $(-1)^2+5\times(-1)-6\neq0$
$x=0$일 때, $0^2+5\times0-6\neq0$
$x=1$일 때, $1^2+5\times1-6=0$
$x=2$일 때, $2^2+5\times2-6\neq0$
따라서 해는 $x=1$이다.

07 x의 값이 -1, 0, 1일 때, 이차방정식의 해를 구하면 각각 다음과 같다.
① $x=-1$ 또는 $x=1$ ② $x=0$
③ $x=1$ ④ 해가 없다. ⑤ $x=-1$

08 x의 값이 -1, 0, 1, 2이므로
$x=-1$일 때, $3\times(-1)^2-2\times(-1)-1\neq0$
$x=0$일 때, $3\times0^2-2\times0-1\neq0$
$x=1$일 때, $3\times1^2-2\times1-1=0$
$x=2$일 때, $3\times2^2-2\times2-1\neq0$
따라서 해는 $x=1$이다.

09 주어진 이차방정식에 $x=-1$을 대입하면
$(-1)^2-(a+1)\times(-1)-2a-1=0$
$1+a+1-2a-1=0,\ -a=-1$ $\therefore a=1$

10 $x=-2$를 두 이차방정식에 각각 대입하면
$(-2)^2+a\times(-2)+2=0,\ 4-2a+2=0$
$-2a=-6$ $\therefore a=3$
$(-2)^2-3\times(-2)+b=0,\ 4+6+b=0$ $\therefore b=-10$
$\therefore a+b=3+(-10)=-7$

11 $2x^2+ax-1=0$에 $x=-1$을 대입하면
$2\times(-1)^2+a\times(-1)-1=0,\ -a=-1$ $\therefore a=1$
$3x^2-x+b=0$에 $x=2$를 대입하면
$3\times2^2-2+b=0$ $\therefore b=-10$
$\therefore ab=1\times(-10)=-10$

12 $2x^2-3x+5=0$에 $x=a$를 대입하면
$2a^2-3a+5=0,\ 2a^2-3a=-5$
$\therefore 2a^2-3a+4=-5+4=-1$

13 $x^2-4x+1=0$에 $x=a$를 대입하면 $a^2-4a+1=0$
양변을 a로 나누면 $a-4+\frac{1}{a}=0$ $\therefore a+\frac{1}{a}=4$
$\therefore a^2+\frac{1}{a^2}=\left(a+\frac{1}{a}\right)^2-2=4^2-2=14$

14 [단계 ❶] $x^2-5x+1=0$에 $x=a$를 대입하면 $a^2-5a+1=0$
양변을 a로 나누면 $a-5+\frac{1}{a}=0$ $\therefore a+\frac{1}{a}=5$
[단계 ❷] $x^2-5x+1=0$에 $x=b$를 대입하면
$b^2-5b+1=0$ $\therefore b^2-5b=-1$
[단계 ❸] $\therefore \left(a+\frac{1}{a}\right)(b^2-5b)=5\times(-1)=-5$

채점 기준	배점
❶ $a+\frac{1}{a}$의 값 구하기	40 %
❷ b^2-5b의 값 구하기	40 %
❸ $\left(a+\frac{1}{a}\right)(b^2-5b)$의 값 구하기	20 %

15 $x^2-3x+4=0$에 $x=a$를 대입하면

$a^2-3a+4=0,\ a^2-3a=-4$ ······ ❶

$2x^2+x-5=0$에 $x=b$를 대입하면

$2b^2+b-5=0,\ 2b^2+b=5$ ······ ❷

$\therefore a^2+2b^2-3a+b=(a^2-3a)+(2b^2+b)$

$=-4+5=1$ ······ ❸

채점 기준	배점
❶ a^2-3a의 값 구하기	40 %
❷ $2b^2+b$의 값 구하기	40 %
❸ a^2+2b^2-3a+b의 값 구하기	20 %

11. 이차방정식의 풀이

개 · 념 · 확 · 인

66~67쪽

01 (1) $x=-1$ 또는 $x=2$ (2) $x=0$ 또는 $x=1$

(3) $x=\frac{5}{2}$ 또는 $x=-3$

02 (1) $x=1$ 또는 $x=3$ (2) $x=-3$ 또는 $x=2$

03 (1) $x=-3$ (중근) (2) $x=2$ (중근)

(3) $x=\frac{3}{2}$ (중근)

04 15

05 (1) $x=\pm\sqrt{5}$ (2) $x=\pm 2$

(3) $x=\pm\sqrt{6}$ (4) $x=\pm\frac{\sqrt{30}}{5}$

(5) $x=-3\pm\sqrt{7}$ (6) $x=1\pm\sqrt{5}$

06 (1) $-2,\ 9,\ 9,\ 3,\ 7,\ 3,\ \sqrt{7},\ -3\pm\sqrt{7}$

(2) $2,\ 2,\ 4,\ 4,\ 2,\ 6,\ 2,\ \sqrt{6},\ 2\pm\sqrt{6}$

02 (1) $x^2-4x+3=0$에서 $(x-1)(x-3)=0$

$x-1=0$ 또는 $x-3=0$ $\quad\therefore x=1$ 또는 $x=3$

(2) $x^2+x=6$에서 $x^2+x-6=0,\ (x+3)(x-2)=0$

$x+3=0$ 또는 $x-2=0$ $\quad\therefore x=-3$ 또는 $x=2$

03 (1) $x=-3$ (중근)

(2) $(x-2)^2=0$ $\quad\therefore x=2$ (중근)

(3) $(2x-3)^2=0$ $\quad\therefore x=\frac{3}{2}$ (중근)

04 (완전제곱식)$=0$의 꼴로 인수분해되려면

$k+1=\left(\frac{-8}{2}\right)^2,\ k+1=16$ $\quad\therefore k=15$

05 (1) $x=\pm\sqrt{5}$

(2) $x^2=4$ $\quad\therefore x=\pm 2$

(3) 양변을 4로 나누면 $x^2=6$ $\quad\therefore x=\pm\sqrt{6}$

(4) $5x^2=6$에서 양변을 5로 나누면 $x^2=\frac{6}{5}$

$\therefore x=\pm\sqrt{\frac{6}{5}}=\pm\frac{\sqrt{30}}{5}$

(5) $x+3=\pm\sqrt{7}$ $\quad\therefore x=-3\pm\sqrt{7}$

(6) 양변을 5로 나누면 $(x-1)^2=5,\ x-1=\pm\sqrt{5}$

$\therefore x=1\pm\sqrt{5}$

핵심유형으로 개 · 념 · 정 · 복 · 하 · 기

68~69쪽

핵심유형 1 ③	1-1 ①	1-2 ⑤	1-3 ②
핵심유형 2 ④	2-1 ③	2-2 ④	2-3 ③
핵심유형 3 ③	3-1 ②	3-2 ④	3-3 ⑤
핵심유형 4 ④	4-1 ②	4-2 ④	4-3 ①

핵심유형 1 $x^2+2x-3=6(x-1)$에서

$x^2+2x-3=6x-6,\ x^2-4x+3=0$

$(x-1)(x-3)=0$ $\quad\therefore x=1$ 또는 $x=3$

1-1 $(x+3)(2x-1)=0$에서 $x+3=0$ 또는 $2x-1=0$

$\therefore x=-3$ 또는 $x=\frac{1}{2}$

1-2 $(x+1)(x-1)=2x^2-10$에서

$x^2-1=2x^2-10,\ x^2-9=0$

$(x+3)(x-3)=0$ $\quad\therefore x=-3$ 또는 $x=3$

1-3 $4x^2+7x-2=0$에서 $(4x-1)(x+2)=0$

$\therefore x=\frac{1}{4}$ 또는 $x=-2$

따라서 두 근의 곱은 $\frac{1}{4}\times(-2)=-\frac{1}{2}$

핵심유형 2 (완전제곱식)$=0$의 꼴로 인수분해되려면

$2m+1=\left(\frac{-6}{2}\right)^2,\ 2m+1=9$

$2m=8$ $\quad\therefore m=4$

2-1 ㄱ. $(x+3)(x-1)=0$ $\quad\therefore x=-3$ 또는 $x=1$

ㄴ. $(x+4)^2=0$ $\quad\therefore x=-4$ (중근)

ㄷ. $(x-2)(x-5)=0$ $\quad\therefore x=2$ 또는 $x=5$

ㄹ. $\left(x-\frac{3}{2}\right)^2=0$ $\quad\therefore x=\frac{3}{2}$ (중근)

ㅁ. $(5x-2)^2=0$ $\quad\therefore x=\frac{2}{5}$ (중근)

따라서 중근을 갖는 것은 ㄴ, ㄹ, ㅁ의 3개이다.

2-2 (완전제곱식)=0의 꼴로 인수분해되려면

$p-3=\left(\frac{-2}{2}\right)^2=1 \quad \therefore p=4$

2-3 (완전제곱식)=0의 꼴로 인수분해되려면

$4=\left(\frac{k-1}{2}\right)^2,\ 4=\frac{k^2-2k+1}{4},\ k^2-2k+1=16$

$k^2-2k-15=0,\ (k+3)(k-5)=0$

$\therefore k=-3$ 또는 $k=5$

따라서 모든 상수 k의 값의 합은 $-3+5=2$이다.

핵심유형 3 $3(x-3)^2-15=0$에서 $3(x-3)^2=15$

$(x-3)^2=5,\ x-3=\pm\sqrt{5}$

$\therefore x=3\pm\sqrt{5}$

3-1 $25x^2-4=0$에서 $25x^2=4,\ x^2=\frac{4}{25}$

$\therefore x=\pm\frac{2}{5}$

3-2 $(2x-3)^2=5$에서 $2x-3=\pm\sqrt{5}$

$2x=3\pm\sqrt{5} \quad \therefore x=\frac{3\pm\sqrt{5}}{2}$

$\therefore ab=\left(\frac{3+\sqrt{5}}{2}\right)\left(\frac{3-\sqrt{5}}{2}\right)=1$

3-3 $4(x-1)^2=20$에서 $(x-1)^2=5$

$x-1=\pm\sqrt{5} \quad \therefore x=1\pm\sqrt{5}$

따라서 $A=1,\ B=5$이므로 $A+B=1+5=6$

핵심유형 4 $x^2+ax-1=0$에서 $x^2+ax=1$

$x^2+ax+\frac{a^2}{4}=1+\frac{a^2}{4}$

$\left(x+\frac{a}{2}\right)^2=1+\frac{a^2}{4},\ x+\frac{a}{2}=\pm\sqrt{\frac{a^2+4}{4}}$

$\therefore x=\frac{-a\pm\sqrt{a^2+4}}{2}$

따라서 $a=-1,\ b=(-1)^2+4=5$이므로

$a+b=-1+5=4$

4-1 $x^2-6x+3=0$에서 $x^2-6x=-3$

$x^2-6x+9=-3+9 \quad \therefore (x-3)^2=6$

$\therefore p=-3,\ q=6$

4-2 $2x^2+4x-10=0$에서 $x^2+2x-5=0$

$x^2+2x=5,\ x^2+2x+1=5+1,\ (x+1)^2=6$

$\therefore x=-1\pm\sqrt{6}$

따라서 $A=1,\ B=1,\ C=6$이므로

$A+B+C=1+1+6=8$

4-3 $x^2+6x-1=p$에서 $x^2+6x=p+1$

$x^2+6x+9=p+1+9,\ (x+3)^2=p+10$

$\therefore x=-3\pm\sqrt{p+10}$

따라서 $a=-3,\ p+10=7$에서 $p=-3$이므로

$a+p=-3+(-3)=-6$

기출문제로 실·력·다·지·기

70~71쪽

01 ④	02 ①	03 ③	04 ②
05 ②	06 ③	07 ①	08 ⑤
09 ①	10 ②	11 ①	12 ①
13 ③	14 $x=\frac{3}{2}$	15 5, 8, 9	

01 ④ $x=-1$ 또는 $x=-2$이므로 두 근의 합은

$-1+(-2)=-3$

02 $2x^2+5x-3=0$에서 $(x+3)(2x-1)=0$

$\therefore x=-3$ 또는 $x=\frac{1}{2}$

03 $2(x-1)^2=-3x+8$에서 $2(x^2-2x+1)=-3x+8$

$2x^2-4x+2=-3x+8,\ 2x^2-x-6=0$

$(x-2)(2x+3)=0 \quad \therefore x=2$ 또는 $x=-\frac{3}{2}$

$\therefore 2\times\left(-\frac{3}{2}\right)=-3$

04 $x^2-4x-5=0$에서 $(x+1)(x-5)=0$

$\therefore x=-1$ 또는 $x=5$

$2x^2-x-3=0$에서 $(x+1)(2x-3)=0$

$\therefore x=-1$ 또는 $x=\frac{3}{2}$

따라서 두 이차방정식의 공통인 근은 $x=-1$이다.

05 $x=2$를 $3x^2+kx-8=0$에 대입하면

$3\times2^2+2k-8=0,\ 2k=-4 \quad \therefore k=-2$

$3x^2-2x-8=0$에서 $(x-2)(3x+4)=0$

$\therefore x=2$ 또는 $x=-\frac{4}{3}$

따라서 나머지 한 근은 $x=-\frac{4}{3}$이다.

06 (완전제곱식)=0의 꼴로 인수분해되려면

$9=\{-(m-1)\}^2,\ 9=m^2-2m+1,\ m^2-2m-8=0$

$(m+2)(m-4)=0 \quad \therefore m=-2$ 또는 $m=4$

따라서 상수 m의 값의 합은 $-2+4=2$

07 $(x+4)(x+a)=b$에서 $x^2+(4+a)x+4a-b=0$
중근 $x=-3$을 가지고 x^2의 계수가 1인 방정식은
$(x+3)^2=0$이므로 $x^2+6x+9=0$
$4+a=6$에서 $a=2$
$4a-b=9$에서 $8-b=9$ $\therefore b=-1$
$\therefore a+b=2+(-1)=1$

08 $4x^2-28=0$에서 $4x^2=28$, $x^2=7$ $\therefore x=\pm\sqrt{7}$

09 $(x+4)^2=2$에서 $x+4=\pm\sqrt{2}$ $\therefore x=-4\pm\sqrt{2}$
따라서 $A=-4$, $B=2$이므로 $\frac{A}{B}=\frac{-4}{2}=-2$

10 $6(x-1)^2=54$에서 $(x-1)^2=9$, $x-1=\pm 3$
$\therefore x=-2$ 또는 $x=4$
따라서 작은 근은 $x=-2$이다.

11 $2(x+a)^2=b$에서 $(x+a)^2=\frac{b}{2}$
$x+a=\pm\sqrt{\frac{b}{2}}$ $\therefore x=-a\pm\sqrt{\frac{b}{2}}$
해가 $x=2\pm\sqrt{5}$이므로 $-a=2$에서 $a=-2$
$\sqrt{\frac{b}{2}}=\sqrt{5}$에서 $b=10$
$\therefore ab=-2\times 10=-20$

12 $(x-1)(x-5)=4$에서
$x^2-6x+5=4$, $x^2-6x=-1$
$x^2-6x+9=-1+9$ $\therefore (x-3)^2=8$
따라서 $p=-3$, $q=8$이므로 $p-q=-3-8=-11$

13 $x^2-10x-2a=0$에서 $x^2-10x+25=2a+25$
$(x-5)^2=2a+25$ $\therefore x=5\pm\sqrt{2a+25}$
$2a+25=3$이므로 $2a=-22$ $\therefore a=-11$

14 [단계 ❶] $x^2-x=2$에서 $x^2-x-2=0$
$(x+1)(x-2)=0$ $\therefore x=-1$ 또는 $x=2$
[단계 ❷] $x=-1$을 $2x^2+(a-1)x-3=0$에 대입하면
$2\times(-1)^2+(a-1)\times(-1)-3=0$ $\therefore a=0$
[단계 ❸] $a=0$을 $2x^2+(a-1)x-3=0$에 대입하면
$2x^2-x-3=0$, $(x+1)(2x-3)=0$
$\therefore x=-1$ 또는 $x=\frac{3}{2}$
따라서 다른 한 근은 $x=\frac{3}{2}$이다.

채점 기준	배점
❶ $x^2-x=2$의 근 구하기	30 %
❷ a의 값 구하기	30 %
❸ 다른 한 근 구하기	40 %

15 $x^2-6x+a=0$에서 $x^2-6x=-a$, $x^2-6x+9=-a+9$
$(x-3)^2=-a+9$, $x-3=\pm\sqrt{-a+9}$
$\therefore x=3\pm\sqrt{-a+9}$ ...... ❶
유리수인 해를 갖기 위해서는 $\sqrt{-a+9}$가 유리수가 되어야 한다.
즉, $-a+9$가 0 또는 9보다 작은 제곱수이어야 하므로
$-a+9=0, 1, 4$ $\therefore a=5, 8, 9$ ...... ❷

채점 기준	배점
❶ 이차방정식의 해 구하기	50 %
❷ 자연수 a의 값 구하기	50 %

12. 이차방정식의 근의 공식과 활용

개 · 념 · 확 · 인

72~73쪽

01 (1) $x=\frac{3\pm\sqrt{5}}{2}$ (2) $x=\frac{1\pm\sqrt{17}}{4}$
(3) $x=4\pm\sqrt{19}$ (4) $x=-2\pm\sqrt{6}$
02 (1) $x=-3\pm\sqrt{7}$ (2) $x=\frac{-2\pm\sqrt{22}}{6}$
(3) $x=\frac{5\pm\sqrt{35}}{2}$ (4) $x=-1$ 또는 $x=6$
03 (1) $k<1$ (2) $k=1$ (3) $k>1$
04 6 cm

01 (1) $a=1$, $b=-3$, $c=1$이므로
$x=\frac{-(-3)\pm\sqrt{(-3)^2-4\times1\times1}}{2\times1}=\frac{3\pm\sqrt{5}}{2}$
(2) $a=2$, $b=-1$, $c=-2$이므로
$x=\frac{-(-1)\pm\sqrt{(-1)^2-4\times2\times(-2)}}{2\times2}=\frac{1\pm\sqrt{17}}{4}$
(3) $a=1$, $b'=-4$, $c=-3$이므로
$x=-(-4)\pm\sqrt{(-4)^2-1\times(-3)}=4\pm\sqrt{19}$
(4) $a=1$, $b'=2$, $c=-2$이므로
$x=-2\pm\sqrt{2^2-1\times(-2)}=-2\pm\sqrt{6}$

02 (1) 괄호를 풀면 $3(x^2+4x+4)=x^2+8$, $2x^2+12x+4=0$
$x^2+6x+2=0$ $\therefore x=-3\pm\sqrt{7}$
(2) 양변에 분모의 최소공배수인 12를 곱하면 $6x^2+4x-3=0$
$\therefore x=\frac{-2\pm\sqrt{22}}{6}$

(3) 양변에 10을 곱하면 $2x^2-10x-5=0$

$\therefore x=\frac{5\pm\sqrt{35}}{2}$

(4) $x-1=A$로 치환하면 $A^2-3A-10=0$

$(A+2)(A-5)=0$

$\therefore A=-2$ 또는 $A=5$

$\therefore x-1=-2$ 또는 $x-1=5$

$\therefore x=-1$ 또는 $x=6$

03 (1) $2^2-4\times1\times k>0$ $\quad\therefore k<1$

(2) $2^2-4\times1\times k=0$ $\quad\therefore k=1$

(3) $2^2-4\times1\times k<0$ $\quad\therefore k>1$

04 처음 정사각형의 한 변의 길이를 x cm라 하면

$(x+2)(x+3)=2x^2$, $x^2-5x-6=0$, $(x+1)(x-6)=0$

$\therefore x=6(\because x>0)$

따라서 처음 정사각형의 한 변의 길이는 6 cm이다.

핵심유형으로 개·념·정·복·하·기

74~75쪽

핵심유형 1 ③	1-1 ①	1-2 ③	1-3 ③
핵심유형 2 ⑤	2-1 ④	2-2 ④	2-3 ③
핵심유형 3 ③	3-1 ⑤	3-2 ④	3-3 ②
핵심유형 4 ⑤	4-1 13	4-2 ⑤	4-3 ③

핵심유형 1 $a=3$, $b=5$, $c=A$이므로

$x=\frac{-5\pm\sqrt{5^2-4\times3\times A}}{2\times3}=\frac{-5\pm\sqrt{25-12A}}{6}$

따라서 $25-12A=13$이므로 $A=1$

1-1 $a=2,\ b=-3,\ c=-4$이므로

$x=\frac{-(-3)\pm\sqrt{(-3)^2-4\times2\times(-4)}}{2\times2}=\frac{3\pm\sqrt{41}}{4}$

따라서 $A=3,\ B=41$이므로

$A+B=3+41=44$

1-2 $b=-1$, $c=-2$이므로

$x=\frac{-(-1)\pm\sqrt{(-1)^2-4\times a\times(-2)}}{2\times a}$

$=\frac{1\pm\sqrt{1+8a}}{2a}=\frac{1\pm\sqrt{k}}{4}$

따라서 $a=2,\ k=17$이므로 $a+k=2+17=19$

1-3 $4x^2-8x+1=0$에서

$x=\frac{-(-4)\pm\sqrt{(-4)^2-4\times1}}{4}=\frac{2\pm\sqrt{3}}{2}$

두 근의 합은 $k=\frac{2+\sqrt{3}}{2}+\frac{2-\sqrt{3}}{2}=2$이므로

$k^2-3k+p=0$에 $k=2$를 대입하면

$2^2-3\times2+p=0$ $\quad\therefore p=2$

핵심유형 2 양변에 6을 곱하면 $2x^2-3x-1=0$

$\therefore x=\frac{-(-3)\pm\sqrt{(-3)^2-4\times2\times(-1)}}{2\times2}=\frac{3\pm\sqrt{17}}{4}$

2-1 괄호를 풀면 $2(x^2-2x+1)=x^2+5$, $x^2-4x-3=0$

$\therefore x=-(-2)\pm\sqrt{(-2)^2-1\times(-3)}$

$=2\pm\sqrt{7}$

2-2 양변에 10을 곱하면 $x^2-5x-10=0$

$\therefore x=\frac{-(-5)\pm\sqrt{(-5)^2-4\times1\times(-10)}}{2\times1}$

$=\frac{5\pm\sqrt{65}}{2}$

2-3 $x+1=A$라 하면

$A^2-3A+2=0$, $(A-1)(A-2)=0$

$\therefore A=1$ 또는 $A=2$

$A=x+1$이므로 $x+1=1$ 또는 $x+1=2$

$\therefore x=0$ 또는 $x=1$

핵심유형 3 ① $2^2-4\times1\times2<0$ (근이 0개)

② $3^2-4\times2\times5<0$ (근이 0개)

③ $(-5)^2-4\times3\times(-1)>0$ (근이 2개)

④ $\frac{1}{3}x^2+x+\frac{3}{4}=0$에서 $4x^2+12x+9=0$

➡ $12^2-4\times4\times9=0$ (근이 1개)

⑤ $5x^2=4(2x-1)$에서 $5x^2-8x+4=0$

➡ $(-8)^2-4\times5\times4<0$ (근이 0개)

3-1 ① $1^2-4\times2\times(-3)>0$ (근이 2개)

② $(-2)^2-4\times3\times(-1)>0$ (근이 2개)

③ $4^2-4\times1\times(-3)>0$ (근이 2개)

④ $(-4)^2-4\times1\times(-4)>0$ (근이 2개)

⑤ $4^2-4\times4\times1=0$ (근이 1개)

3-2 $(-4)^2-4(k-3)\geq 0$이어야 하므로

$28-4k\geq 0$　　$\therefore k\leq 7$

따라서 자연수 k는 1, 2, 3, $\cdots$, 7의 7개이다.

3-3 $(-2k)^2-4(-2k+3)=0$이므로

$4k^2+8k-12=0,\ k^2+2k-3=0$

$(k+3)(k-1)=0$　　$\therefore k=-3$ 또는 $k=1$

따라서 모든 상수 k의 값의 합은 $-3+1=-2$

핵심유형 4 도로의 폭이 x m이므로 $(30-x)(24-x)=520$

$720-54x+x^2=520,\ x^2-54x+200=0$

$(x-4)(x-50)=0$　　$\therefore x=4$ 또는 $x=50$

$x<24$이므로 $x=4$

따라서 도로의 폭은 4 m이다.

4-1 연속하는 자연수를 n, $n+1$이라 하면

$n(n+1)=n^2+(n+1)^2-43$

$n^2+n=n^2+(n^2+2n+1)-43$

$n^2+n-42=0,\ (n-6)(n+7)=0$

$\therefore n=6$ 또는 $n=-7$

$n>0$이므로 $n=6$

따라서 연속하는 두 수는 6, 7이므로 두 수의 합은 $6+7=13$이다.

4-2 똑같이 늘인 길이를 x cm라 하면

$(18+x)(12+x)=2\times 18\times 12,\ x^2+30x-216=0$

$(x+36)(x-6)=0$　　$\therefore x=-36$ 또는 $x=6$

$x>0$이므로 $x=6$

따라서 6 cm씩 늘였다.

4-3 $-5t^2+10t+120=45,\ t^2-2t-15=0$

$(t+3)(t-5)=0$　　$\therefore t=-3$ 또는 $t=5$

$t>0$이므로 $t=5$

따라서 5초 후에 물체의 높이가 45 m이다.

기출문제로 실 · 력 · 다 · 지 · 기　　76~77쪽

01 ④	02 ③	03 ③	04 ⑤
05 ①	06 ⑤	07 ④	08 ③
09 ④	10 6	11 ④	12 ③
13 ①	14 $x=-2$ 또는 $x=6$	15 28 cm^2	

01 $2x(x-2)=x+1$에서 $2x^2-4x=x+1,\ 2x^2-5x-1=0$

$\therefore x=\dfrac{-(-5)\pm\sqrt{(-5)^2-4\times 2\times(-1)}}{2\times 2}=\dfrac{5\pm\sqrt{33}}{4}$

$\therefore A=33$

02 ③ $x=-1\pm\sqrt{1^2-1\times(-4)}$

$=-1\pm\sqrt{5}$

03 $\dfrac{1}{2-\sqrt{3}}=2+\sqrt{3}$이므로 다른 한 근은 $2-\sqrt{3}$이다.

04 양변에 10을 곱하면 $x^2-5x+2=0$

$\therefore x=\dfrac{-(-5)\pm\sqrt{(-5)^2-4\times 1\times 2}}{2\times 1}$

$=\dfrac{5\pm\sqrt{17}}{2}$

05 양변에 6을 곱하면 $3x^2+4x-1=0$

$\therefore x=\dfrac{-2\pm\sqrt{2^2-3\times(-1)}}{3}$

$=\dfrac{-2\pm\sqrt{7}}{3}$

따라서 $a=-2,\ b=7$이므로 $a+b=-2+7=5$

06 $x-1=A$라 하면

$A^2-4A-12=0,\ (A+2)(A-6)=0$

$\therefore A=-2$ 또는 $A=6$

$A=x-1$이므로 $x-1=-2$ 또는 $x-1=6$

따라서 $x=-1$ 또는 $x=7$이므로 $\alpha=7,\ \beta=-1$

$\therefore \alpha-\beta=7-(-1)=8$

07 중근을 가지려면 $(k-2)^2-4\times 4\times 1=k^2-4k-12=0$

$(k+2)(k-6)=0$　　$\therefore k=-2$ 또는 $k=6$

따라서 중근을 갖도록 하는 모든 상수 k의 값의 합은 $-2+6=4$이다.

08 $(-4)^2-4\times 1\times(m-1)=-4m+20>0$　　$\therefore m<5$

따라서 m의 값 중에서 가장 큰 정수는 4이다.

09 $(-4)^2-4\times 3\times k<0,\ 16<12k$　　$\therefore k>\dfrac{4}{3}$

10 x^2의 계수가 2이고 중근 -1을 갖는 이차방정식은

$2(x+1)^2=0$　　$\therefore 2x^2+4x+2=0$

따라서 $A=4,\ B=2$이므로 $A+B=4+2=6$

11 두 근이 -3, $\dfrac{2}{3}$이고, x^2의 계수가 3인 이차방정식은

$3(x+3)\left(x-\dfrac{2}{3}\right)=0,\ 3\left(x^2+\dfrac{7}{3}x-2\right)=0$

$\therefore 3x^2+7x-6=0$

따라서 $m=7,\ n=-6$이므로 $m+n=1$

12 처음 직사각형의 세로의 길이를 x cm라 하면 가로의 길이는 $(x+5)$ cm이다. 이때 직육면체의 부피가 72 cm^3이므로
$2(x+1)(x-4)=72$, $x^2-3x-40=0$
$(x+5)(x-8)=0$ $\therefore x=-5$ 또는 $x=8$
$x>4$이므로 $x=8$
따라서 직사각형의 세로의 길이는 8 cm이다.

13 언니의 나이를 x살이라 하면 동생의 나이는 $(x-3)$살이므로
$8x=(x-3)^2+4$, $8x=x^2-6x+9+4$
$x^2-14x+13=0$, $(x-1)(x-13)=0$
$\therefore x=1$ 또는 $x=13$
$x>3$이므로 $x=13$
따라서 언니의 나이는 13살이다.

14 [단계 ❶] 예원이가 얻은 해는 $x=-4$ 또는 $x=3$이므로
$(x+4)(x-3)=0$, $x^2+x-12=0$
예원이는 상수항을 바르게 보았으므로 상수항은 -12이다.
[단계 ❷] 현우가 얻은 해는 $x=-1$ 또는 $x=5$이므로
$(x+1)(x-5)=0$, $x^2-4x-5=0$
현우는 x의 계수를 바르게 보았으므로 x의 계수는 -4이다.
[단계 ❸] 따라서 처음 주어진 이차방정식은
$x^2-4x-12=0$, $(x+2)(x-6)=0$
$\therefore x=-2$ 또는 $x=6$

채점 기준	배점
❶ 예원이가 푼 이차방정식 구하기	30 %
❷ 현우가 푼 이차방정식 구하기	30 %
❸ 바른 이차방정식의 해 구하기	40 %

15 가장 작은 정사각형의 한 변의 길이를 x cm라 하면 가운데 정사각형과 가장 큰 정사각형의 한 변의 길이는 각각 $(x+2)$ cm, $(x+4)$ cm이므로
$(x+4)^2=x^2+(x+2)^2$ …… ❶
$x^2+8x+16=x^2+x^2+4x+4$, $x^2-4x-12=0$
$(x+2)(x-6)=0$ $\therefore x=-2$ 또는 $x=6$
$x>0$이므로 $x=6$ …… ❷
$\therefore$ (색칠한 부분의 넓이)
=(가운데 정사각형의 넓이)−(가장 작은 정사각형의 넓이)
$=8^2-6^2=64-36=28(cm^2)$ …… ❸

채점 기준	배점
❶ 이차방정식 세우기	40 %
❷ 이차방정식의 해 구하기	30 %
❸ 색칠한 부분의 넓이 구하기	30 %

Ⅳ 이차함수

13. 이차함수의 뜻과 이차함수 $y=ax^2$의 그래프

개·념·확·인 78~79쪽

01 ①, ④ **02** ③
03 (1) ㄱ, ㄴ, ㅁ (2) ㄷ, ㄹ, ㅂ (3) ㄴ, ㅂ (4) ㄱ, ㄷ
04 ③ **05** ④

01 ③ $y=x^2+2x+1-x^2=2x+1$ (일차함수)
④ $y=-2x^2+2x$ (이차함수)
⑤ $y=x(x^2-1)=x^3-x$ (이차함수가 아니다.)
따라서 이차함수는 ①, ④이다.

02 ③ $y=-x^2$과 x축에 대칭이다.
④ y축$(x=0)$을 축으로 하는 선대칭도형이다.

04 점 $(-2, 4)$를 지나므로 $4=a\times(-2)^2$, $4=4a$
$\therefore a=1$

05 그래프가 아래로 볼록한 포물선이므로 $a>0$
또한, $\frac{1}{2}<|a|<2$이므로
$\frac{1}{2}<a<2$

핵심유형으로 개·념·정·복·하·기 80~81쪽

핵심유형 **1** 2개 **1-1** ⑤ **1-2** ④ **1-3** ⑤
핵심유형 **2** ⑤ **2-1** ⑤ **2-2** ①
핵심유형 **3** ③ **3-1** ⑤ **3-2** ③ **3-3** ② **3-4** ⑤
3-5 ③ **3-6** ③

핵심유형 **1** ㄱ. $y=x^2-1$ (이차함수)
ㄴ. $y=\frac{1}{x^2}+1$ (이차함수가 아니다.)
ㄷ. $y=\frac{1}{2}x^2-\frac{1}{2}$ (이차함수)
ㄹ. $y=x^2-(1-x)^2=x^2-(1-2x+x^2)=2x-1$ (일차함수)
ㅁ. $y=(x-1)(x+1)-x^2=x^2-1-x^2=-1$ (이차함수가 아니다.)
따라서 이차함수인 것은 ㄱ, ㄷ의 2개이다.

1-1 ⑤ $y=x(x+1)(x-1)=x^3-x$ (이차함수가 아니다.)

1-2 $y=(k-3)x^2+x(x+1)=kx^2-3x^2+x^2+x$
$=(k-2)x^2+x$
이므로 $k-2\neq0$ $\quad\therefore k\neq2$

1-3 ① $y=1000x$ (일차함수)
② $y=-100x+10000$ (일차함수)
③ $y=10x$ (일차함수)
④ $y=\frac{3}{2}x$ (일차함수)
⑤ $y=x(5-x)=-x^2+5x$ (이차함수)

핵심유형 2 ① 아래로 볼록한 포물선이다.
② 축의 방정식은 $x=0$(y축)이다.
③ 꼭짓점의 좌표는 원점 (0, 0)이다.
④ $y=-x^2$의 그래프와 x축에 대칭이다.

2-1 ① 위로 볼록한 포물선이다.
② 축의 방정식은 $x=0$(y축)이다.
③ 꼭짓점의 좌표는 원점 (0, 0)이다.
④ $y=x^2$의 그래프와 x축에 대칭이다.

2-2 점 A(3, a)를 지나므로 $a=-3^2$ $\quad\therefore a=-9$
점 A(3, -9)와 x축에 대칭인 점의 좌표는 (3, 9)이다.

핵심유형 3 ㄴ. y축을 축으로 한다.
ㄹ. a의 절댓값이 클수록 폭이 좁아진다.
ㅂ. $a>0$이면 아래로 볼록하고, $a<0$이면 위로 볼록하다.
따라서 옳은 것은 ㄱ, ㄷ, ㅁ이다.

3-1 ⑤ $y=\frac{3}{2}x^2$의 그래프와 x축에 대칭이다.

3-2 원점을 지나는 포물선이므로 $y=ax^2$으로 놓으면
점 $(-2, 6)$을 지나므로 $x=-2$, $y=6$을 대입하면
$6=a\times(-2)^2$에서 $a=\frac{3}{2}$ $\quad\therefore y=\frac{3}{2}x^2$

3-3 $y=ax^2$으로 놓고 $x=-3$, $y=-9$를 대입하면
$-9=a\times(-3)^2$에서 $a=-1$ $\quad\therefore y=-x^2$

3-4 $y=-3x^2$의 그래프와 x축에 대칭인 그래프의 이차함수의 식은 $y=3x^2$이다.

3-5 $y=\frac{3}{4}x^2$의 그래프와 x축에 대칭인 그래프의 이차함수의 식은 $y=-\frac{3}{4}x^2$이다.
$y=-\frac{3}{4}x^2$의 그래프가 점 $(-2, k)$를 지나므로
$k=-\frac{3}{4}\times(-2)^2=-3$

3-6 $y=ax^2$에서 $-\frac{1}{2}<a<1$, $a\neq0$이다.
따라서 두 그래프 사이에 있는 것은 ③ $y=\frac{3}{4}x^2$이다.

기출문제로 실 · 력 · 다 · 지 · 기

82~83쪽

01 ②	02 ③, ④	03 ②	04 ④
05 ③	06 ③	07 ⑤	08 ⑤
09 ⑤	10 ⑤	11 ④	12 ①
13 ①	14 18	15 6	

01 ① $y=2x+1$ (일차함수)
② $y=2x^2-x$ (이차함수)
③ $y=x^3+x^2-2x$ (이차함수가 아니다.)
④ $3x^2+2x-1=0$ (이차방정식)
⑤ $y=x^2+x-x^2+1=x+1$ (일차함수)

02 ① $y=24-x$ (일차함수)
② $y=2x$ (일차함수)
③ $y=\pi x^2$ (이차함수)
④ $y=x(x+1)=x^2+x$ (이차함수)
⑤ $y=4x$ (일차함수)

03 $f(2)=12-8+a=8$ $\quad\therefore a=4$

04 ㄷ. y축에 대칭이다.
따라서 옳은 것은 ㄱ, ㄴ, ㄹ이다.

05 점 (2, 2)를 지나므로 $2=a\times2^2$ $\quad\therefore a=\frac{1}{2}$

06 $y=ax^2$으로 놓고 $x=-3$, $y=6$을 대입하면
$6=a\times(-3)^2$에서 $a=\frac{2}{3}$ $\quad\therefore y=\frac{2}{3}x^2$

07 점 $(-2, 12)$를 지나므로
$12=a\times(-2)^2$에서 $a=3$ $\quad\therefore y=3x^2$
점 $(3, b)$를 지나므로 $b=3\times3^2=27$
$\therefore a+b=3+27=30$

08 원점을 지나는 포물선이므로 $y=ax^2$으로 놓으면 점 $(2, 3)$을 지나므로 $3=a\times 2^2$에서 $a=\frac{3}{4}$ $\quad \therefore y=\frac{3}{4}x^2$

$\therefore f(-4)=\frac{3}{4}\times(-4)^2=12$

09 ① 위로 볼록한 포물선이다.
② 축은 y축이다.
③ 꼭짓점의 좌표는 $(0, 0)$이다.
④ $y=\frac{2}{3}x^2$의 그래프와 x축에 대칭이다.

10 $y=ax^2$의 그래프가 위로 볼록하므로 $a<0$이고, 폭이 가장 좁은 것은 a의 절댓값이 가장 큰 것이므로 ⑤ $y=-2x^2$이다.

11 a의 절댓값이 작은 것부터 나타내면 ㅁ, ㄴ, ㄷ, ㄹ, ㄱ이다.

12 $y=ax^2$의 그래프가 위로 볼록하므로 $a<0$이고, 그래프의 폭이 $y=-x^2$의 그래프의 폭보다 좁으므로 a의 절댓값은 1보다 크다.
$\therefore a<-1$

13 $y=x^2$에 $y=9$를 대입하면 $x=\pm3$이므로 $y=9$와 $y=x^2$의 그래프의 교점의 좌표는 $(-3, 9)$, $(3, 9)$이다.
따라서 $y=9$와 $y=ax^2$의 그래프의 교점의 좌표는 $(-6, 9)$, $(6, 9)$이므로 $y=ax^2$에 $x=6$, $y=9$를 대입하면
$9=a\times 6^2$ $\quad \therefore a=\frac{1}{4}$

14 [단계 ❶] 원점을 지나는 포물선이므로 $y=ax^2$으로 놓으면 점 $(-2, -8)$을 지나므로 $-8=a\times(-2)^2$에서 $a=-2$
$\therefore y=-2x^2$
[단계 ❷] $y=-2x^2$의 그래프와 x축에 대칭인 그래프의 식은 $y=2x^2$
[단계 ❸] $y=2x^2$의 그래프가 점 $(3, k)$를 지나므로
$k=2\times3^2=18$

채점 기준	배점
❶ 이차함수의 식 구하기	40 %
❷ x축에 대칭인 그래프의 식 구하기	30 %
❸ k의 값 구하기	30 %

15 $f(2)=3\times2^2-2+1=11$ …… ❶
$f(-2)=3\times(-2)^2-(-2)+1=15$ …… ❷
$\therefore f(2)-\frac{1}{3}f(-2)=11-\frac{1}{3}\times15=6$ …… ❸

채점 기준	배점
❶ $f(2)$의 값 구하기	40 %
❷ $f(-2)$의 값 구하기	40 %
❸ $f(2)-\frac{1}{3}f(-2)$의 값 구하기	20 %

14. 이차함수의 그래프

개·념·확·인
84~85쪽

01 (1) $y=3x^2-1$, $(0, -1)$, $x=0$
(2) $y=-\frac{1}{3}x^2+4$, $(0, 4)$, $x=0$

02 (1) $y=-3(x-4)^2$, $(4, 0)$, $x=4$
(2) $y=\frac{1}{2}(x+1)^2$, $(-1, 0)$, $x=-1$

03 (1) $y=4(x-1)^2-3$, $(1, -3)$, $x=1$
(2) $y=-\frac{2}{3}(x+1)^2+4$, $(-1, 4)$, $x=-1$

04 (1) 아래, $>$ (2) 3, $<$, $<$

핵심유형으로 개·념·정·복·하·기
86~87쪽

핵심유형 1 ②	1-1 ③	1-2 ④	1-3 ③
핵심유형 2 ③	2-1 ⑤	2-2 ①	2-3 ②
핵심유형 3 ④	3-1 ⑤	3-2 ②	3-3 2
핵심유형 4 ③	4-1 제1, 2사분면		4-2 ③

핵심유형 1 ② 축의 방정식은 $x=0$이다.

1-1 $y=5x^2$의 그래프를 y축의 방향으로 2만큼 평행이동한 그래프의 식은 $y=5x^2+2$이다.

1-2 꼭짓점이 $(0, 3)$이므로 $y=ax^2+3$
점 $(-2, 0)$을 지나므로
$0=a\times(-2)^2+3$, $4a=-3$ $\quad \therefore a=-\frac{3}{4}$
$\therefore y=-\frac{3}{4}x^2+3$

1-3 $y=-3x^2$의 그래프를 y축의 방향으로 2만큼 평행이동한 그래프의 식은 $y=-3x^2+2$
이때 점 $(1, a)$를 지나므로 $a=-3\times1^2+2=-1$

핵심유형 2 ① 아래로 볼록한 포물선이다.
② 축의 방정식은 $x=-3$이다.
④ $x>-3$일 때, x의 값이 증가하면 y의 값도 증가한다.
⑤ $x=-3$일 때 $y=0$이다.

2-1 $y=-2x^2$의 그래프를 x축의 방향으로 -1만큼 평행이동한 그래프의 식은 $y=-2(x+1)^2$이다.

2-2 주어진 그래프의 식은 $y=\frac{1}{2}(x-2)^2$

따라서 $f(x)=\frac{1}{2}(x-2)^2$이므로

$f(3)=\frac{1}{2}$, $f(-1)=\frac{9}{2}$

$\therefore f(3)-f(-1)=\frac{1}{2}-\frac{9}{2}=-4$

2-3 $y=-\frac{2}{3}x^2$의 그래프를 x축의 방향으로 -1만큼 평행이동한 그래프의 식은 $y=-\frac{2}{3}(x+1)^2$

따라서 꼭짓점의 좌표는 $(-1, 0)$, 축의 방정식은 $x=-1$이므로 $a=-1$, $b=-1$

$\therefore a+b=-1+(-1)=-2$

핵심유형 **3** 꼭짓점의 좌표가 $(-1, 3)$이므로 $y=a(x+1)^2+3$

점 $(0, 1)$을 지나므로 $1=a(0+1)^2+3$에서 $a=-2$

$\therefore y=-2(x+1)^2+3$

3-1 $y=\frac{1}{2}x^2$의 그래프를 x축의 방향으로 3만큼, y축의 방향으로 -1만큼 평행이동한 그래프의 식은 $y=\frac{1}{2}(x-3)^2-1$

3-2 $y=-\frac{2}{3}(x+2)^2-5$의 그래프는 위로 볼록한 포물선이고, 축의 방정식은 $x=-2$이다.

따라서 $x>-2$일 때, x의 값이 증가함에 따라 y의 값은 감소한다.

3-3 $y=-2x^2$의 그래프를 x축의 방향으로 1만큼, y축의 방향으로 -3만큼 평행이동한 그래프의 식은 $y=-2(x-1)^2-3$

점 $(a, -5)$를 지나므로 $-5=-2(a-1)^2-3$

$-5=-2a^2+4a-2-3$, $-2a^2+4a=0$

$a(a-2)=0$ $\quad\therefore a=0$ 또는 $a=2$

$\therefore a=2$ $(\because a>1)$

핵심유형 **4** 그래프가 위로 볼록하므로 $a<0$이고, 꼭짓점이 제 2사분면에 있으므로 $p<0$, $q>0$이다.

4-1 주어진 $y=ax+b$의 그래프에서 $a<0$, $b>0$

따라서 $y=(x-a)^2+b$의 그래프는 아래로 볼록하고 꼭짓점 (a, b)가 제 2사분면 위에 있으므로 제 1, 2사분면을 지난다.

4-2 주어진 $y=a(x-p)^2+q$의 그래프에서 $a>0$, $p>0$, $q<0$

즉, $y=q(x+a)^2-p$의 그래프는 $q<0$이므로 위로 볼록한 모양이고 $-a<0$, $-p<0$이므로 꼭짓점 $(-a, -p)$는 제 3사분면 위에 있다.

따라서 그래프로 알맞은 것은 ③이다.

기출문제로 실·력·다·지·기

88~89쪽

01 ③	02 ①	03 ③	04 ②
05 ②	06 ⑤	07 ⑤	08 ①
09 $y=3(x+2)^2+4$		10 ⑤	11 ⑤
12 ⑤	13 ④	14 4	15 $10\sqrt{5}$

01 점 $(-2, 1)$을 지나므로 $1=-\frac{1}{2}\times(-2)^2+q$에서 $q=3$

따라서 $y=-\frac{1}{2}x^2+3$이므로 꼭짓점의 좌표는 $(0, 3)$이다.

02 $y=-3x^2$의 그래프를 x축의 방향으로 -2만큼 평행이동한 그래프의 식은 $y=-3(x+2)^2$이다.

이 그래프가 점 $(-1, m)$을 지나므로

$m=-3(-1+2)^2=-3$

03 축의 방정식이 $x=-1$이므로 $y=a(x+1)^2+2$ $\quad\therefore p=-1$

$y=a(x+1)^2+2$의 그래프가 점 $(-2, 5)$를 지나므로

$5=a(-2+1)^2+2$ $\quad\therefore a=3$

$\therefore a+p=3+(-1)=2$

04 꼭짓점의 좌표가 $(2, 3)$이므로 $y=a(x-2)^2+3$

$\therefore p=2, q=3$

점 $(0, 1)$을 지나므로 $1=a(0-2)^2+3$ $\quad\therefore a=-\frac{1}{2}$

$\therefore apq=-\frac{1}{2}\times2\times3=-3$

05 ② 꼭짓점의 좌표는 $(-3, -4)$이다.

06 꼭짓점의 좌표를 구해 보면

① $(0, 2)$ ⇨ y축 ② $(0, -1)$ ⇨ y축

③ $(3, 5)$ ⇨ 제1사분면 ④ $(1, 2)$ ⇨ 제1사분면

⑤ $(-1, -2)$ ⇨ 제3사분면

07 평행이동한 그래프의 식은

$y=2(x-1+4)^2+3-2=2(x+3)^2+1$

이 그래프가 점 $(1, a)$를 지나므로

$a=2(1+3)^2+1=33$

08 평행이동한 그래프의 식은 $y=-\frac{1}{3}(x-p)^2+q-3$

꼭짓점의 좌표가 $(-2, -1)$이므로 $p=-2$, $q=2$

$y=-\frac{1}{3}(x+2)^2-1$의 그래프가 점 $(1, a)$를 지나므로

$a=-\frac{1}{3}(1+2)^2-1=-4$

$\therefore a+p+q=-4+(-2)+2=-4$

09 $y=-3(x+2)^2-4$의 그래프를 x축에 대하여 대칭이동한 그래프의 식은 $-y=-3(x+2)^2-4$ $\therefore y=3(x+2)^2+4$

10 $y=\frac{1}{2}(x-1)^2+3$의 그래프를 y축에 대하여 대칭이동한 그래프의 식은 $y=\frac{1}{2}(-x-1)^2+3$ $\therefore y=\frac{1}{2}(x+1)^2+3$

이 그래프가 점 $(1, k)$를 지나므로

$k=\frac{1}{2}(1+1)^2+3=5$

11 조건 ㈎에서 이차함수의 식을 $y=a(x+1)^2-2$로 놓으면

조건 ㈏에서 $|a|<1$, 조건 ㈐에서 $a<0$

따라서 주어진 조건을 모두 만족하는 이차함수의 식은 ⑤이다.

12 $a>0$, $b<0$이므로 $y=b(x-a)^2$의 그래프로 알맞은 것은 ⑤이다.

13 $a>0$, $q<0$이므로

③ $a-q>0$ ④ $aq<0$ ⑤ $a+q$의 부호는 알 수 없다.

14 [단계 ❶] 점 D는 $y=x^2$의 그래프와 직선 $y=4$의 교점이므로 $x^2=4$에서 $x=\pm 2$ $\therefore \mathrm{D}(2,\ 4)$

[단계 ❷] 이때 $\overline{\mathrm{EC}}=\overline{\mathrm{CD}}$이므로 $\mathrm{C}(1,\ 4)$

[단계 ❸] 따라서 $y=ax^2$의 그래프가 점 $\mathrm{C}(1,\ 4)$를 지나므로 $a=4$

채점 기준	배점
❶ 점 D의 좌표 구하기	40 %
❷ 점 C의 좌표 구하기	30 %
❸ a의 값 구하기	30 %

15 $y=x^2-5$의 그래프에서 $\mathrm{Q}(0,\ -5)$이므로 $\mathrm{P}(0,\ 5)$ …… ❶

또, 두 그래프의 교점 A, B는 x축 위에 있으므로 $y=0$을 대입하면 $x^2-5=0$ $\therefore x=\pm\sqrt{5}$

$\therefore \mathrm{A}(-\sqrt{5},\ 0)$, $\mathrm{B}(\sqrt{5},\ 0)$ …… ❷

$\therefore \square\mathrm{PAQB}=\frac{1}{2}\times 2\sqrt{5}\times 10=10\sqrt{5}$ …… ❸

채점 기준	배점
❶ 점 P의 좌표 구하기	30 %
❷ 두 점 A, B의 좌표 구하기	40 %
❸ □PAQB의 넓이 구하기	30 %

15. 이차함수의 활용

개 · 념 · 확 · 인 90쪽

01 (1) $(-2,\ 5)$, $x=-2$ (2) $(-3,\ -3)$, $x=-3$

02 $y=-3x^2-6x+1$ **03** $y=-x^2+2x+5$

01 (1) $y=-(x^2+4x+4-4)+1=-(x+2)^2+5$

꼭짓점의 좌표 : $(-2, 5)$, 축의 방정식 : $x=-2$

(2) $y=2(x^2+6x+9-9)+15=2(x+3)^2-3$

꼭짓점의 좌표 : $(-3,\ -3)$, 축의 방정식 : $x=-3$

02 꼭짓점의 좌표가 $(-1,\ 4)$이므로 이차함수의 식을 $y=a(x+1)^2+4$로 놓으면

이 그래프가 점 $(-2, 1)$을 지나므로

$1=a(-2+1)^2+4$에서 $a=-3$

$\therefore y=-3(x+1)^2+4=-3x^2-6x+1$

03 이차함수의 식을 $y=ax^2+bx+c$로 놓으면

점 $(0,\ 5)$를 지나므로 $c=5$

점 $(-2,\ -3)$을 지나므로 $-3=4a-2b+5$ …… ㉠

점 $(3,\ 2)$를 지나므로 $2=9a+3b+5$ …… ㉡

㉠, ㉡을 연립하여 풀면 $a=-1$, $b=2$

$\therefore y=-x^2+2x+5$

핵심유형으로 개 · 념 · 정 · 복 · 하 · 기 91쪽

핵심유형 1 ②	1-1 (2, 7)	1-2 ①	1-3 ④
핵심유형 2 ③	2-1 ②	2-2 ③	2-3 ①

핵심유형 1 $y=-x^2-4x+3$

$=-(x^2+4x+4-4)+3$

$=-(x+2)^2+7$

② 꼭짓점의 좌표는 $(-2, 7)$이다.

1-1 점 $(1, 5)$를 지나므로

$5=-2\times1^2+a-1 \qquad \therefore a=8$

$y=-2x^2+8x-1=-2(x^2-4x+4-4)-1$

$=-2(x-2)^2+7$

따라서 꼭짓점의 좌표는 $(2, 7)$이다.

1-2 아래로 볼록하므로 $a>0$

축이 y축의 왼쪽에 있으므로 $ab>0 \qquad \therefore b>0$

y절편이 음수이므로 $c<0$

$\therefore a>0, b>0, c<0$

1-3 $y=-\frac{1}{2}x^2-2x+2$

$=-\frac{1}{2}(x^2+4x+4-4)+2$

$=-\frac{1}{2}(x+2)^2+4$

따라서 꼭짓점의 좌표가 $(-2, 4)$이고, y축과의 교점의 좌표가 $(0, 2)$인 위로 볼록한 포물선이므로 ④이다.

핵심유형 2 꼭짓점의 좌표가 $(3, 4)$이므로 $y=a(x-3)^2+4$로 놓으면 점 $(0, -14)$를 지나므로

$-14=a(0-3)^2+4, 9a=-18 \qquad \therefore a=-2$

$y=-2(x-3)^2+4$의 그래프가 점 $(2, m)$을 지나므로

$m=-2(2-3)^2+4=2$

2-1 꼭짓점의 좌표가 $(-2, 3)$이므로 $y=a(x+2)^2+3$으로 놓으면 점 $(1, -6)$을 지나므로

$-6=a(1+2)^2+3, 9a=-9 \qquad \therefore a=-1$

$y=-(x+2)^2+3=-x^2-4x-1$이므로

$b=-4, \ c=-1$

$\therefore a+b-c=-1+(-4)-(-1)=-4$

2-2 x축과 두 점 $(-1, 0), (3, 0)$에서 만나므로

$y=a(x+1)(x-3)$으로 놓으면

$y=2x^2+4x-1$의 그래프와 모양과 폭이 같으므로 $a=2$

$\therefore y=2(x+1)(x-3)=2x^2-4x-6$

2-3 이차함수의 식을 $y=ax^2+bx+c$로 놓으면

점 $(0, 0)$을 지나므로 $c=0$

점 $(-2, 12)$를 지나므로 $12=4a-2b$ ...... ㉠

점 $(1, -3)$을 지나므로 $-3=a+b$ ...... ㉡

㉠, ㉡을 연립하여 풀면 $a=1, b=-4$

$\therefore y=x^2-4x$

기출문제로 실·력·다·지·기

92~93쪽

01 ③	02 ③	03 ④	04 ④
05 1	06 ③, ④	07 ②	08 ④
09 ③	10 ②	11 ②	12 ②
13 $\frac{19}{2}$	14 27		

01 $y=-x^2+6x-5$에 $y=0$을 대입하면

$-x^2+6x-5=0, x^2-6x+5=0$

$(x-5)(x-1)=0 \qquad \therefore x=5$ 또는 $x=1$

$\therefore p=5, \ q=1$ 또는 $p=1, \ q=5$

또 $y=-x^2+6x-5$에 $x=0$을 대입하면

$y=-5 \qquad \therefore r=-5$

$\therefore p+q+r=1+5-5=1$

02 $y=\frac{1}{3}x^2-2x+1=\frac{1}{3}(x^2-6x+9-9)+1$

$=\frac{1}{3}(x-3)^2-2$

즉, 꼭짓점의 좌표가 $(3, \ -2)$이고, y축과의 교점의 좌표가 $(0, 1)$인 아래로 볼록한 포물선이므로 오른쪽 그림과 같다. 따라서 이 그래프는 제3사분면을 지나지 않는다.

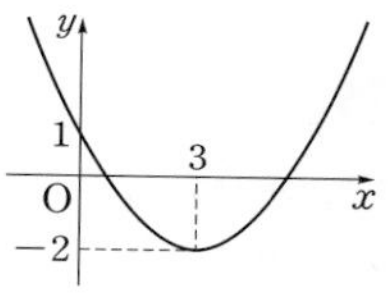

03 $y=-3x^2+kx-2$의 그래프가 점 $(2, \ -2)$를 지나므로

$-2=-3\times2^2+k\times2-2 \qquad \therefore k=6$

$\therefore y=-3x^2+6x-2=-3(x^2-2x+1-1)-2$

$=-3(x-1)^2+1$

따라서 꼭짓점의 좌표는 $(1, 1)$이다.

04 두 점 A, B가 x축 위의 점이므로 $y=0$을 대입하면

$x^2+x-12=0, (x+4)(x-3)=0$

$\therefore x=-4$ 또는 $x=3$

따라서 x축과의 교점은 $(-4, 0), (3, 0)$이므로

$\overline{AB}=3-(-4)=7$

05 $y=-\frac{1}{2}x^2+2x+k-3$

$=-\frac{1}{2}(x^2-4x+4-4)+k-3$

$=-\frac{1}{2}(x-2)^2+k-1$

즉, 꼭짓점의 좌표는 $(2, \ k-1)$이다.

이 그래프가 x축과 한 점에서 만나려면 꼭짓점의 y좌표가 0이어야 하므로 $k-1=0 \qquad \therefore k=1$

06 $y=2x^2-4x-1=2(x-1)^2-3$
③ $x<1$일 때, x의 값이 증가하면 y의 값은 감소한다.
④ 모든 사분면을 지난다.

07 그래프가 아래로 볼록하므로 $a>0$
축이 y축의 왼쪽에 있으므로 $ab>0$ $\therefore b>0$
y축과의 교점이 x축의 아래쪽에 있으므로 $c<0$
즉, $y=cx^2+bx+a$의 그래프는 $c<0$이므로 위로 볼록하다. 또 $b>0$이므로 축은 y축의 오른쪽에 있다. 또 $a>0$이므로 y축과의 교점이 원점보다 위쪽에 있다.
따라서 이차함수 $y=cx^2+bx+a$의 그래프는 ②이다.

08 $y=-x^2+4x+3=-(x^2-4x+4-4)+3$
$=-(x-2)^2+7$
이므로 꼭짓점의 좌표는 $(2, 7)$이다.
$y=a(x-2)^2+7$의 그래프가 점 $(3, 5)$를 지나므로
$5=a(3-2)^2+7$ $\therefore a=-2$
$\therefore y=-2(x-2)^2+7=-2x^2+8x-1$

09 축의 방정식이 $x=-2$이므로 $y=a(x+2)^2+q$로 놓으면
점 $(0, 1)$을 지나므로 $1=a(0+2)^2+q$
$4a+q=1$ …… ㉠
점 $(2, -5)$를 지나므로 $-5=a(2+2)^2+q$
$16a+q=-5$ …… ㉡
㉠, ㉡을 연립하여 풀면 $a=-\frac{1}{2}$, $q=3$이므로
$y=-\frac{1}{2}(x+2)^2+3$
따라서 꼭짓점의 좌표는 $(-2, 3)$이다.

10 $y=ax^2+bx+c$로 놓으면
점 $(0, 1)$을 지나므로 $c=1$
점 $(-2, 1)$을 지나므로 $1=4a-2b+1$ …… ㉠
점 $(2, 17)$을 지나므로 $17=4a+2b+1$ …… ㉡
㉠, ㉡을 연립하여 풀면 $a=2$, $b=4$
$\therefore y=2x^2+4x+1=2(x+1)^2-1$
따라서 꼭짓점의 좌표는 $(-1, -1)$이다.

11 x축과의 교점이 $(-2, 0)$, $(3, 0)$이므로
$y=a(x+2)(x-3)$으로 놓으면
점 $(0, -3)$을 지나므로
$-3=a(0+2)(0-3)$ $\therefore a=\frac{1}{2}$
$y=\frac{1}{2}(x+2)(x-3)=\frac{1}{2}x^2-\frac{1}{2}x-3$
따라서 $a=\frac{1}{2}$, $b=-\frac{1}{2}$, $c=-3$이므로
$a+b+c=\frac{1}{2}+\left(-\frac{1}{2}\right)+(-3)=-3$

12 꼭짓점의 좌표가 $(1, -4)$이므로 $y=a(x-1)^2-4$
점 $(2, -1)$을 지나므로 $-1=a\times(2-1)^2-4$ $\therefore a=3$
$y=3(x-1)^2-4=3x^2-6x-1$
이므로 $a=3$, $b=-6$, $c=-1$
$\therefore a+b-c=3+(-6)-(-1)=-2$

13 [단계 ❶] $y=0$을 대입하면
$2x^2-7x+6=0$, $(2x-3)(x-2)=0$
$\therefore x=\frac{3}{2}$ 또는 $x=2$
따라서 x축과의 교점의 좌표는 $\left(\frac{3}{2}, 0\right)$, $(2, 0)$이다.
$\therefore m=\frac{3}{2}$, $n=2$ 또는 $m=2$, $n=\frac{3}{2}$
[단계 ❷] $x=0$을 대입하면 $y=2\times 0^2-7\times 0+6=6$
따라서 y축과의 교점의 좌표는 $(0, 6)$이다.
$\therefore k=6$
[단계 ❸] $\therefore m+n+k=\frac{3}{2}+2+6=\frac{19}{2}$

채점 기준	배점
❶ m, n의 값 구하기	40 %
❷ k의 값 구하기	40 %
❸ $m+n+k$의 값 구하기	20 %

14 $-x^2+4x+5=0$, $x^2-4x-5=0$
$(x+1)(x-5)=0$ $\therefore x=-1$ 또는 $x=5$
따라서 점 A, B의 좌표는 $\mathrm{A}(-1, 0)$, $\mathrm{B}(5, 0)$이다. …… ❶
$y=-x^2+4x+5=-(x-2)^2+9$
이므로 꼭짓점의 좌표는 $\mathrm{C}(2, 9)$이다. …… ❷
$\therefore \triangle\mathrm{ABC}=\frac{1}{2}\times 6\times 9=27$ …… ❸

채점 기준	배점
❶ 점 A, B의 좌표 구하기	40 %
❷ 점 C의 좌표 구하기	30 %
❸ △ABC의 넓이 구하기	30 %

내신만점 도전편 정답 및 풀이

01. 제곱근의 뜻과 성질

96~97쪽

01 ②, ④	02 ②	03 ⑤	04 ①
05 ⑤	06 ⑤	07 ①	08 ②
09 ②	10 ⑤	11 ④	12 ③
13 ②	14 $-2a+2c$	15 25	

01 ① 1의 제곱근은 -1, 1의 2개이다.
③ $\sqrt{16}=4$
⑤ 음이 아닌 모든 수의 제곱근은 1개 또는 2개이다.

02 $\sqrt{81}=9$이므로 9의 제곱근은 ±3이다.

03 두 원의 반지름의 길이의 비가 $1:\sqrt{3}$이므로 넓이의 비는 $1:(\sqrt{3})^2=1:3$이다.
넓이의 합이 $40\pi\ \text{cm}^2$이므로 큰 원의 넓이는
$40\pi\times\frac{3}{4}=30\pi(\text{cm}^2)$
따라서 큰 원의 반지름의 길이는 $\sqrt{30}$ cm이다.

04 ① $\sqrt{0.01}=0.1$의 제곱근은 $\pm\sqrt{0.1}$이다.
② $1.\dot{7}=\frac{16}{9}$의 제곱근은 $\pm\sqrt{\frac{16}{9}}=\pm\frac{4}{3}$
③ $\frac{1}{4}$의 제곱근은 $\pm\sqrt{\frac{1}{4}}=\pm\frac{1}{2}$
④ $\frac{81}{4}$의 제곱근은 $\pm\sqrt{\frac{81}{4}}=\pm\frac{9}{2}$
⑤ $\sqrt{256}=16$의 제곱근은 $\pm\sqrt{16}=\pm4$

05 ⑤ $\sqrt{\left(-\frac{4}{9}\right)^2}=\frac{4}{9}$

06 $\sqrt{9^2}\div(-\sqrt{3})^2+\sqrt{(-7)^2}\times\left(-\sqrt{\frac{1}{7}}\right)^2$
$=9\div3+7\times\frac{1}{7}=3+1=4$

07 $2-x<0$, $x-5<0$이므로
(주어진 식)$=\sqrt{(2-x)^2}+\sqrt{\{3(x-5)\}^2}$
$=-(2-x)+\{-3(x-5)\}$
$=-2+x-3x+15$
$=-2x+13$

08 $\sqrt{210-7x}$가 자연수가 되려면 $210-7x$가 제곱수가 되어야 한다.
$210-7x=7(30-x)$에서 $30-x=7$ 또는 $30-x=28$
따라서 x의 값은 2, 23의 2개이다.

09 ① $\sqrt{65}>8=\sqrt{64}$
③ $0.2=\sqrt{0.04}<\sqrt{0.2}$
④ $\sqrt{\frac{1}{5}}<\frac{1}{2}=\sqrt{\frac{1}{4}}$
⑤ $-\sqrt{15}>-4=-\sqrt{16}$

10 $-\frac{1}{2}=-\sqrt{\frac{1}{4}}$이므로 $-\sqrt{3}<-\sqrt{\frac{1}{2}}<-\frac{1}{2}$
따라서 두 번째로 작은 수는 ⑤이다.

11 $2=\sqrt{4}$, $4=\sqrt{16}$이므로
$\sqrt{4}<\sqrt{2x+1}<\sqrt{16}$
$4<2x+1<16$
$3<2x<15$
따라서 $\frac{3}{2}<x<\frac{15}{2}$이므로 이를 만족하는 자연수 x의 값은 2, 3, 4, 5, 6, 7의 6개이다.

12 $3<\sqrt{15}<4$이므로 $4-\sqrt{15}>0$, $\sqrt{15}-4<0$
$\sqrt{(4-\sqrt{15})^2}-\sqrt{(\sqrt{15}-4)^2}$
$=(4-\sqrt{15})+(\sqrt{15}-4)=0$

13 $11<\sqrt{125}<12$이므로 $f(125)=11$
$8<\sqrt{72}<9$이므로 $f(72)=8$
$\therefore f(125)-f(72)=11-8=3$

14 [단계 ❶] $a-b<0$, $b-c<0$, $c-a>0$
[단계 ❷] $\sqrt{(a-b)^2}+\sqrt{(b-c)^2}+\sqrt{(c-a)^2}$
$=-(a-b)-(b-c)+c-a$
$=-2a+2c$

채점 기준	배점
❶ 괄호 안의 식의 부호 각각 정하기	50 %
❷ 주어진 식을 간단히 정리하기	50 %

15 $\sqrt{135a}=\sqrt{3^3\times5\times a}$가 자연수가 되게 하는 a의 값 중 가장 작은 자연수는 $3\times5=15$이다. …… ❶
$\sqrt{\frac{72b}{5}}=\sqrt{\frac{2^3\times3^2\times b}{5}}$가 자연수가 되게 하는 b의 값 중 가장 작은 자연수는 $2\times5=10$이다. …… ❷
따라서 구하는 두 수의 합은 $15+10=25$ …… ❸

채점 기준	배점
❶ a의 값 중 가장 작은 자연수 구하기	40 %
❷ b의 값 중 가장 작은 자연수 구하기	40 %
❸ 두 수의 합 구하기	20 %

02. 무리수와 실수

98~99쪽

01 ④, ⑤	02 ③	03 ②	04 ④
05 ③	06 ④	07 ④	08 ②
09 ④	10 ④	11 ③	12 ⑤
13 -2	14 $-\frac{5}{4}, 1-\sqrt{3}, \sqrt{2}, \sqrt{2}+1, \sqrt{3}+1$		

01 순환하지 않는 무한소수는 무리수이다.
① 2.25의 제곱근은 $\pm\sqrt{2.25}=\pm1.5$
② 제곱근 49는 $\sqrt{49}=7$이다.
③ $\sqrt{0.\dot{4}}=\sqrt{\frac{4}{9}}=\frac{2}{3}$
따라서 무리수는 ④, ⑤이다.

02 정사각형의 한 변의 길이를 각각 구해 보면
① $\sqrt{3}$ ② $\sqrt{7}$ ③ 3 ④ $\sqrt{13}$ ⑤ $3\sqrt{3}$

03 ② 유한소수로 나타낼 수 없는 수 중에서 순환소수는 유리수이다.

04 $-1+\sqrt{2}$는 -1에서 오른쪽으로 $\sqrt{2}$만큼 이동한 점 D에 대응한다.

05 $\overline{AC}=\overline{AE}=\sqrt{2}$이므로 점 A에 대응하는 수는 $3+\sqrt{2}$이다.
정사각형 ABCD의 한 변의 길이는 1이므로 점 D에 대응하는 수는 $3+\sqrt{2}-1=2+\sqrt{2}$

06 ① 점 A는 -1에서 왼쪽으로 $\sqrt{2}$만큼 이동한 점이므로
$A(-1-\sqrt{2})$
② 점 B는 -2에서 오른쪽으로 $\sqrt{2}$만큼 이동한 점이므로
$B(-2+\sqrt{2})$
③ 점 C는 2에서 왼쪽으로 $\sqrt{5}$만큼 이동한 점이므로
$C(2-\sqrt{5})$
④ 점 D는 2에서 오른쪽으로 $\sqrt{5}$만큼 이동한 점이므로
$D(2+\sqrt{5})$
⑤ $\overline{CD}=2\sqrt{5}$

07 ㄱ. $2<\sqrt{7}<3<\sqrt{13}<4$이므로 $\sqrt{7}$과 $\sqrt{13}$ 사이에는 1개의 자연수가 있다. (참)
ㄴ. 두 자연수 사이에는 무수히 많은 무리수가 있다. (참)
ㄷ. 무리수와 유리수 사이에는 무수히 많은 유리수가 있다. (거짓)
ㄹ. 두 유리수 사이에는 무수히 많은 실수가 있다. (참)
따라서 옳은 것은 모두 3개이다.

08 ② $3-\sqrt{3}<\sqrt{3}$이므로 두 수 사이에 있는 수가 아니다.

09 ① $\sqrt{10}-2-1=\sqrt{10}-3=\sqrt{10}-\sqrt{9}>0$이므로 $\sqrt{10}-2>1$
② $\sqrt{8}-2-(-2+\sqrt{7})=\sqrt{8}-\sqrt{7}>0$이므로 $\sqrt{8}-2>-2+\sqrt{7}$
③ $2-\sqrt{3}-(\sqrt{5}-\sqrt{3})=2-\sqrt{5}=\sqrt{4}-\sqrt{5}<0$이므로
$2-\sqrt{3}<\sqrt{5}-\sqrt{3}$
④ $3<\sqrt{10}$이므로 $\sqrt{7}+3<\sqrt{7}+\sqrt{10}$
⑤ $\frac{1}{3}>\frac{1}{5}$이므로 $-\sqrt{\frac{1}{3}}<-\sqrt{\frac{1}{5}}$ $\therefore 5-\sqrt{\frac{1}{3}}<5-\sqrt{\frac{1}{5}}$

10 $A-B=1-(\sqrt{3}-1)=2-\sqrt{3}>0$이므로 $A>B$
$C-A=\sqrt{5}-1-1=\sqrt{5}-2>0$이므로 $C>A$
$\therefore C>A>B$

11 $0<\sqrt{2}-1<1$이므로 $\sqrt{2}-1$에 대응하는 점은 C이다.

12 점 C가 수직선과 만나는 점에 대응하는 수는 2이므로 점 A가 수직선과 만나는 점에 대응하는 수는 $2+\sqrt{2}$, 점 B가 수직선과 만나는 점에 대응하는 수는 $2+\sqrt{2}+1=3+\sqrt{2}$이다.

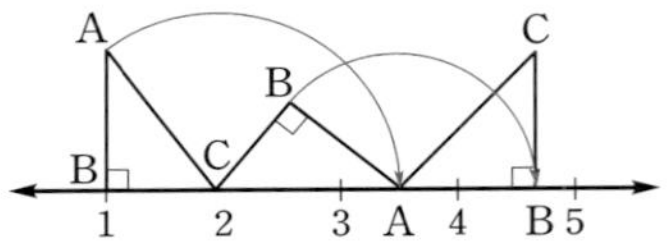

13 [단계 ❶] $\overline{EF}=\overline{FG}=\sqrt{1^2+3^2}=\sqrt{10}$
[단계 ❷] 점 P에 대응하는 수는 $-1-\sqrt{10}$이므로
$a=-1-\sqrt{10}$
[단계 ❸] 점 Q에 대응하는 수는 $-1+\sqrt{10}$이므로
$b=-1+\sqrt{10}$
[단계 ❹] $\therefore a+b=-1-\sqrt{10}-1+\sqrt{10}=-2$

채점 기준	배점
❶ $\overline{EF}$, $\overline{FG}$의 길이 구하기	30 %
❷ 점 P에 대응하는 수 구하기	30 %
❸ 점 Q에 대응하는 수 구하기	30 %
❹ $a+b$의 값 구하기	10 %

14 음수의 대소 관계를 구해 보면
$-\frac{5}{4}-(1-\sqrt{3})=-\frac{9}{4}+\sqrt{3}<0$이므로
$-\frac{5}{4}<1-\sqrt{3}$ …… ❶
양수의 대소 관계를 구해 보면 $\sqrt{2}<\sqrt{2}+1<\sqrt{3}+1$ …… ❷
$\therefore -\frac{5}{4}<1-\sqrt{3}<\sqrt{2}<\sqrt{2}+1<\sqrt{3}+1$ …… ❸

채점 기준	배점
❶ 음수의 대소 관계 구하기	40 %
❷ 양수의 대소 관계 구하기	40 %
❸ 작은 수부터 차례로 나열하기	20 %

03. 제곱근의 곱셈과 나눗셈

100~101쪽

01 ④	02 ⑤	03 ①	04 ⑤
05 ④	06 ④	07 ③	08 ③
09 ③	10 ⑤	11 ④	12 ⑤
13 ③	14 $\frac{1}{2}$	15 $12\sqrt{2}$	

01 $4\sqrt{2}\times5\sqrt{6}=20\sqrt{12}=40\sqrt{3}$

02 정사각형 EFGH의 넓이는 정사각형 ABCD의 넓이의 $\frac{1}{2}$이므로 $\frac{1}{2}\times144=72$

따라서 한 변의 길이는 $\sqrt{72}=6\sqrt{2}$이므로 □EFGH의 둘레의 길이는 $4\times6\sqrt{2}=24\sqrt{2}$이다.

03 $3\sqrt{2}\div\frac{\sqrt{5}}{\sqrt{8}}\div\frac{1}{\sqrt{40}}=3\sqrt{2}\times\frac{\sqrt{8}}{\sqrt{5}}\times\sqrt{40}$

$=3\sqrt{2\times\frac{8}{5}\times40}$

$=24\sqrt{2}$

$\therefore n=24$

04 $\sqrt{75}=\sqrt{3\times5^2}=5\sqrt{3}$이므로 $a=5$

$4\sqrt{5}=\sqrt{4^2\times5}=\sqrt{80}$이므로 $b=80$

$\therefore b-a=75$

05 $\sqrt{15\times18\times20}=\sqrt{3\times5\times2\times3^2\times2^2\times5}$

$=30\sqrt{6}$

$\therefore a=30$

06 $\sqrt{180}=\sqrt{2^2\times3^2\times5}=3\times(\sqrt{2})^2\times\sqrt{5}=3a^2b$

07 $a\sqrt{\frac{2b}{a}}+b\sqrt{\frac{a}{8b}}=\sqrt{a^2\times\frac{2b}{a}}+\sqrt{b^2\times\frac{a}{8b}}$

$=\sqrt{2ab}+\sqrt{\frac{ab}{8}}$

$=\sqrt{16}+\sqrt{1}=4+1=5$

08 $\frac{12}{\sqrt{18}}=\frac{12}{3\sqrt{2}}=\frac{4}{\sqrt{2}}=2\sqrt{2}$이므로 $a-1=2$

$\therefore a=3$

09 ③ $\frac{6}{\sqrt{2}}=\frac{6\sqrt{2}}{2}=3\sqrt{2}$

10 $\frac{a}{\sqrt{18}}=\frac{a}{3\sqrt{2}}=\frac{a}{6}\sqrt{2}$이므로 $\frac{a}{6}=\frac{3}{2}$

$\therefore a=9$

$\frac{b}{\sqrt{24}}=\frac{b}{2\sqrt{6}}=\frac{b}{12}\sqrt{6}$이므로 $\frac{b}{12}=\frac{2}{3}$

$\therefore b=8$

$\therefore a+b=9+8=17$

11 $\sqrt{\frac{b}{a}}+\sqrt{\frac{a}{b}}=\frac{\sqrt{ab}}{a}+\frac{\sqrt{ab}}{b}=\sqrt{ab}\left(\frac{1}{a}+\frac{1}{b}\right)$

$=\frac{a+b}{ab}\times\sqrt{ab}=\frac{12}{3}\times\sqrt{3}=4\sqrt{3}$

12 $\sqrt{108}\div2\sqrt{3}\times\sqrt{54}=6\sqrt{3}\div2\sqrt{3}\times3\sqrt{6}$

$=3\times3\sqrt{6}=9\sqrt{6}$

13 △ADE ∽ △ABC이고, 넓이의 비가 2 : 3이므로 닮음비는 $\sqrt{2}:\sqrt{3}$이다.

$\sqrt{2}:\sqrt{3}=\overline{DE}:\overline{BC}$에서 $\sqrt{2}:\sqrt{3}=\overline{DE}:9$이므로

$\overline{DE}=\frac{9\sqrt{2}}{\sqrt{3}}=3\sqrt{6}$

14 [단계 ❶] $\sqrt{500}=10\sqrt{5}$이므로 $\sqrt{5}$의 10배이다.

$\therefore a=10$

[단계 ❷] $\sqrt{0.05}=\sqrt{\frac{5}{100}}=\frac{\sqrt{5}}{10}$, $\sqrt{20}=2\sqrt{5}$이고,

$\frac{\sqrt{5}}{10}=\frac{1}{20}\times2\sqrt{5}$이므로 $\sqrt{0.05}$는 $\sqrt{20}$의 $\frac{1}{20}$배이다.

$\therefore b=\frac{1}{20}$

[단계 ❸] $\therefore ab=10\times\frac{1}{20}=\frac{1}{2}$

채점 기준	배점
❶ a의 값 구하기	40 %
❷ b의 값 구하기	40 %
❸ ab의 값 구하기	20 %

15 삼각형의 넓이는 $\frac{1}{2}\times4\sqrt{2}\times2\sqrt{2}=8$ …… ❶

두 도형의 넓이의 비가 4 : 9이므로 정사각형의 넓이를 x라 하면

$4:9=8:x$에서 $x=18$ …… ❷

정사각형의 한 변의 길이는 $\sqrt{18}=3\sqrt{2}$이고 …… ❸

정사각형의 둘레의 길이는 $4\times3\sqrt{2}=12\sqrt{2}$ …… ❹

채점 기준	배점
❶ 삼각형의 넓이 구하기	30 %
❷ 정사각형의 넓이 구하기	30 %
❸ 정사각형의 한 변의 길이 구하기	20 %
❹ 정사각형의 둘레의 길이 구하기	20 %

04. 제곱근의 덧셈과 뺄셈

102~103쪽

01 $3\sqrt{3}-4\sqrt{2}$	02 ③	03 ③	04 $-6+3\sqrt{5}$
05 ②	06 ⑤	07 ①	08 ②
09 $\frac{\sqrt{30}}{5}$	10 ③	11 $(12\sqrt{2}+2\sqrt{6})$ cm	
12 ②	13 ⑤	14 $8\sqrt{3}$	15 $\frac{5\sqrt{3}}{2}$

01 $A=2\sqrt{3}-5\sqrt{3}+4\sqrt{3}=\sqrt{3}$

$B=\sqrt{3}-3\sqrt{2}+3\sqrt{3}-\sqrt{2}=4\sqrt{3}-4\sqrt{2}$

$\therefore B-A=(4\sqrt{3}-4\sqrt{2})-\sqrt{3}=3\sqrt{3}-4\sqrt{2}$

02 $\sqrt{8}+\sqrt{45}+\sqrt{18}-\sqrt{20}=2\sqrt{2}+3\sqrt{5}+3\sqrt{2}-2\sqrt{5}$

$=5\sqrt{2}+\sqrt{5}$

이므로 $a=5$, $b=1$

$\therefore a+b=5+1=6$

03 $2\sqrt{a}+2=4\sqrt{a}-4$에서 $2\sqrt{a}=6$, $\sqrt{a}=3$

$\therefore a=9$

04 $2<\sqrt{5}<3$이므로 $\sqrt{5}-2>0$, $4-2\sqrt{5}<0$

$\therefore \sqrt{(\sqrt{5}-2)^2}+\sqrt{(4-2\sqrt{5})^2}=\sqrt{5}-2-(4-2\sqrt{5})=-6+3\sqrt{5}$

05 점 P에 대응하는 수는 $-3+\sqrt{2}$, 점 Q에 대응하는 수는 $3-\sqrt{2}$ 이므로 $a=-3+\sqrt{2}$, $b=3-\sqrt{2}$

$\therefore 2a-\sqrt{2}b=2(-3+\sqrt{2})-\sqrt{2}(3-\sqrt{2})$

$=-6+2\sqrt{2}-3\sqrt{2}+2$

$=-4-\sqrt{2}$

06 ① $2-\sqrt{2}-(\sqrt{2}-1)=3-2\sqrt{2}=\sqrt{9}-\sqrt{8}>0$

$\therefore 2-\sqrt{2}>\sqrt{2}-1$

② $4+\sqrt{5}-(\sqrt{5}+\sqrt{15})=4-\sqrt{15}=\sqrt{16}-\sqrt{15}>0$

$\therefore 4+\sqrt{5}>\sqrt{5}+\sqrt{15}$

③ $3-\sqrt{8}-(3-\sqrt{5})=-\sqrt{8}+\sqrt{5}<0$

$\therefore 3-\sqrt{8}<3-\sqrt{5}$

④ $3-(\sqrt{17}-1)=4-\sqrt{17}=\sqrt{16}-\sqrt{17}<0$

$\therefore 3<\sqrt{17}-1$

⑤ $-\sqrt{2}-(-5\sqrt{2}+4)=4\sqrt{2}-4>0$

$\therefore -\sqrt{2}>-5\sqrt{2}+4$

07 $\sqrt{2}(\sqrt{6}-\sqrt{3})-\sqrt{2}(\sqrt{6}+\sqrt{3})=\sqrt{12}-\sqrt{6}-\sqrt{12}-\sqrt{6}$

$=-2\sqrt{6}$

08 $\sqrt{3}(4\sqrt{3}-1)-\sqrt{27}(a+\sqrt{3})=12-\sqrt{3}-3a\sqrt{3}-9$

$=3-(1+3a)\sqrt{3}$

따라서 $1+3a=0$이므로 $a=-\frac{1}{3}$

09 $x=\frac{\sqrt{6}+\sqrt{5}}{\sqrt{2}}=\frac{(\sqrt{6}+\sqrt{5})\times\sqrt{2}}{\sqrt{2}\times\sqrt{2}}=\frac{\sqrt{12}+\sqrt{10}}{2}$

$y=\frac{\sqrt{6}-\sqrt{5}}{\sqrt{2}}=\frac{(\sqrt{6}-\sqrt{5})\times\sqrt{2}}{\sqrt{2}\times\sqrt{2}}=\frac{\sqrt{12}-\sqrt{10}}{2}$

따라서 $x+y=\sqrt{12}$, $x-y=\sqrt{10}$이므로

$\frac{x+y}{x-y}=\frac{\sqrt{12}}{\sqrt{10}}=\frac{\sqrt{12}\times\sqrt{10}}{\sqrt{10}\times\sqrt{10}}=\frac{\sqrt{120}}{10}=\frac{2\sqrt{30}}{10}=\frac{\sqrt{30}}{5}$

10 $(\sqrt{32}-3\sqrt{2})\div\sqrt{2}+\frac{4}{\sqrt{2}}(\sqrt{2}-\sqrt{3})$

$=(4\sqrt{2}-3\sqrt{2})\div\sqrt{2}+4-\frac{4\sqrt{3}}{\sqrt{2}}$

$=\sqrt{2}\div\sqrt{2}+4-2\sqrt{6}$

$=1+4-2\sqrt{6}=5-2\sqrt{6}$

11 (직사각형의 둘레의 길이)

$=2\{(\sqrt{32}-\sqrt{6})+(\sqrt{24}+\sqrt{8})\}$

$=2(4\sqrt{2}-\sqrt{6}+2\sqrt{6}+2\sqrt{2})$

$=12\sqrt{2}+2\sqrt{6}$ (cm)

12 ① $\sqrt{329}=\sqrt{100\times3.29}=10\sqrt{3.29}=18.14$

② $\sqrt{3290}=\sqrt{100\times32.9}=10\sqrt{32.9}=57.36$

③ $\sqrt{0.329}=\sqrt{\frac{32.9}{100}}=\frac{\sqrt{32.9}}{10}=0.5736$

④ $\sqrt{0.0329}=\sqrt{\frac{3.29}{100}}=\frac{\sqrt{3.29}}{10}=0.1814$

⑤ $\sqrt{0.00329}=\sqrt{\frac{32.9}{10000}}=\frac{\sqrt{32.9}}{100}=0.05736$

13 $1<\sqrt{2}<2$에서 $-2<-\sqrt{2}<-1$이므로 $2<4-\sqrt{2}<3$

$\therefore a=(4-\sqrt{2})-2=2-\sqrt{2}$

$2<\sqrt{8}<3$이므로 $b=\sqrt{8}-2$

$\therefore a-b=(2-\sqrt{2})-(\sqrt{8}-2)$

$=2-\sqrt{2}-2\sqrt{2}+2$

$=4-3\sqrt{2}$

14 [단계 ❶] 세 정사각형 (가), (나), (다)의 넓이가 각각 3, 12, 27이므로 한 변의 길이는 각각 $\sqrt{3}$, $2\sqrt{3}$, $3\sqrt{3}$이다.

[단계 ❷] $\overline{AC}$의 길이는 정사각형 (가)와 (나)의 한 변의 길이의 합이므로 $\overline{AC}=\sqrt{3}+2\sqrt{3}=3\sqrt{3}$

$\overline{CD}$의 길이는 정사각형 (나)와 (다)의 한 변의 길이의 합이므로 $\overline{CD}=2\sqrt{3}+3\sqrt{3}=5\sqrt{3}$

[단계 ❸] $\overline{AC}+\overline{CD}=3\sqrt{3}+5\sqrt{3}=8\sqrt{3}$

채점 기준	배점
❶ 세 정사각형의 한 변의 길이 구하기	30 %
❷ $\overline{AC}$, $\overline{CD}$의 길이 구하기	40 %
❸ $\overline{AC}+\overline{CD}$의 길이 구하기	30 %

15 $[\sqrt{7}]$은 $\sqrt{7}$의 정수 부분이므로

$2<\sqrt{7}<3$에서 $[\sqrt{7}]=2$ …… ❶

$<\sqrt{3}>$은 $\sqrt{3}$의 소수 부분이므로

$1<\sqrt{3}<2$에서 $<\sqrt{3}>=\sqrt{3}-1$ …… ❷

$$\frac{15}{[\sqrt{7}]+2<\sqrt{3}>}=\frac{15}{2+2(\sqrt{3}-1)}$$
$$=\frac{15}{2\sqrt{3}}=\frac{5\sqrt{3}}{2}$$ …… ❸

채점 기준	배점
❶ $[\sqrt{7}]$의 값 구하기	40 %
❷ $<\sqrt{3}>$의 값 구하기	40 %
❸ 주어진 식의 값 구하기	20 %

Ⅰ. 실수와 그 계산 **내·신·만·점·도·전·하·기** 104~107쪽

01 ②	**02** ②	**03** ①	**04** ②
05 ②	**06** ②	**07** ③	**08** ③
09 ④	**10** ①	**11** ⑤	**12** ②
13 ④	**14** ③	**15** ③	**16** ⑤
17 $\sqrt{13}$	**18** $\frac{1}{6}$	**19** 50	
20 $12\sqrt{2}+2\sqrt{2}\pi$		**21** π	**22** 36
23 2	**24** $(8\sqrt{15}-24)\ \text{cm}^2$		

01 $\sqrt{(-4)^2}=\sqrt{16}=4$의 양의 제곱근은 2이므로 $a=2$

25의 음의 제곱근은 -5이므로 $b=-5$

$\therefore b-a=-5-2=-7$

02 $-\sqrt{16}-(-\sqrt{5})^2+\sqrt{(-7)^2}-\sqrt{144}$

$=-4-5+7-12$

$=-14$

03 $\sqrt{24x}=\sqrt{2^2\times6\times x}$이므로 x의 값은 $6\times(\text{자연수})^2$의 꼴이어야 한다.

ㄱ. 6×1^2 ㄴ. 6×2 ㄷ. 6×3 ㄹ. 6×2^2 ㅁ. 6×3^2

따라서 x의 값으로 적당한 것은 ㄱ, ㄹ, ㅁ이다.

04 $\frac{1}{\sqrt{3}}<\frac{\sqrt{x}}{6}<\frac{1}{\sqrt{2}}$에서 $\frac{\sqrt{3}}{3}<\frac{\sqrt{x}}{6}<\frac{\sqrt{2}}{2}$

$\frac{2\sqrt{3}}{6}<\frac{\sqrt{x}}{6}<\frac{3\sqrt{2}}{6}$이므로 $\sqrt{12}<\sqrt{x}<\sqrt{18}$

따라서 x의 값은 13, 14, 15, 16, 17의 5개이다.

05 $\sqrt{\frac{9}{49}}=\frac{3}{7}$, $\sqrt{0.04}=0.2$이므로 무리수는 $\sqrt{1000}$, $-\pi+3$, $\sqrt{18}$의 3개이다.

06 $1-\sqrt{2}$는 1에서 왼쪽으로 $\sqrt{2}$만큼 이동한 점이므로 점 B이다.

07 (사다리꼴 ABCD의 넓이)$=\frac{1}{2}\times(\sqrt{3}+3\sqrt{3})\times\sqrt{3}=6$

이므로 정사각형의 한 변의 길이를 x라 하면

$x^2=6$ $\therefore x=\sqrt{6}$

08 $a-b>0$, $ab<0$이므로

$a>0$, $b<0$, $b-a<0$

$\therefore \sqrt{a^2}+|b|-\sqrt{(b-a)^2}=a-b+(b-a)$

$=0$

09 $\sqrt{2}\times\sqrt{a}\times\sqrt{6}\times\sqrt{3a}=\sqrt{2\times a\times6\times3a}$

$=\sqrt{36\times a^2}$

$=6a$

따라서 $6a=30$이므로 $a=5$

10 $\sqrt{0.05}=\sqrt{\frac{5}{100}}=\frac{\sqrt{5}}{10}=\frac{a}{10}$

11 $\sqrt{27}+\sqrt{75}-\sqrt{45}+\sqrt{80}=3\sqrt{3}+5\sqrt{3}-3\sqrt{5}+4\sqrt{5}$

$=8\sqrt{3}+\sqrt{5}$

이므로 $a=8$, $b=1$

$\therefore a+b=8+1=9$

12 $\frac{1}{\sqrt{5}}(\sqrt{2}-\sqrt{10})-\left(\sqrt{10}+\frac{\sqrt{50}}{5}\right)\div\sqrt{5}$

$=\frac{\sqrt{10}}{5}-\sqrt{2}-\left(\sqrt{2}+\frac{\sqrt{10}}{5}\right)$

$=-2\sqrt{2}$

13 $a\sqrt{\frac{2b}{a}}+b\sqrt{\frac{8a}{b}}=\sqrt{a^2\times\frac{2b}{a}}+\sqrt{b^2\times\frac{8a}{b}}$

$=\sqrt{2ab}+\sqrt{8ab}$

$=\sqrt{2\times2}+\sqrt{8\times2}$

$=2+4=6$

14 ① $2-\sqrt{3}-(\sqrt{5}-\sqrt{3})=2-\sqrt{5}<0$이므로
$2-\sqrt{3}<\sqrt{5}-\sqrt{3}$
② $-4\sqrt{3}-(-7)=-\sqrt{48}+\sqrt{49}>0$이므로
$-4\sqrt{3}>-7$
③ $\sqrt{18}-(2\sqrt{2}+1)=\sqrt{2}-1>0$이므로
$\sqrt{18}>2\sqrt{2}+1$
④ $-\frac{2}{3}=-\sqrt{\frac{4}{9}}$이므로 $-\sqrt{\frac{4}{9}}>-\sqrt{3}$
$\therefore -\frac{2}{3}>-\sqrt{3}$
⑤ $2\sqrt{2}-1-(2-\sqrt{2})=-3+3\sqrt{2}>0$이므로
$2\sqrt{2}-1>2-\sqrt{2}$

15 ① $\sqrt{0.02}=\sqrt{\frac{2}{100}}=\frac{\sqrt{2}}{10}$
② $\sqrt{0.5}=\sqrt{\frac{1}{2}}=\frac{\sqrt{2}}{2}$
③ $\sqrt{20}=2\sqrt{5}$
④ $\sqrt{200}=10\sqrt{2}$
⑤ $\sqrt{20000}=100\sqrt{2}$

16 $1<\sqrt{3}<2$, $3<2+\sqrt{3}<4$이므로
$a=3$, $b=2+\sqrt{3}-3=-1+\sqrt{3}$
$\therefore a+3b=3+3(-1+\sqrt{3})$
$=3\sqrt{3}$

17 작은 정사각형의 한 변의 길이는 $3-2=1$이므로
(큰 정사각형의 넓이)
=(작은 정사각형의 넓이)+4×(직각삼각형의 넓이)
$=1^2+4\times\frac{1}{2}\times2\times3=13$
$x^2=13$이므로 $x=\sqrt{13}$

18 서로 다른 두 개의 주사위를 동시에 던져서 나오는 모든 경우의 수는 36이다. …… ❶
$\sqrt{12ab}$가 자연수가 되려면 $12ab$가 제곱수가 되어야 한다.
$12=2^2\times3$이므로 ab가 될 수 있는 수는 3 또는 $3\times2^2=12$이다.
$ab=3$인 경우
⇨ (1, 3), (3, 1)로 2가지
$ab=12$인 경우
⇨ (2, 6), (3, 4), (4, 3), (6, 2)로 4가지
따라서 자연수가 되는 경우의 수는 6이므로 …… ❷
구하는 확률은 $\frac{6}{36}=\frac{1}{6}$이다. …… ❸

채점 기준	배점
❶ 모든 경우의 수 구하기	20 %
❷ $\sqrt{12ab}$가 자연수가 되는 경우의 수 구하기	60 %
❸ 확률 구하기	20 %

19 50번째의 수는 $\sqrt{1+3+5+\cdots+99}$이다.
$\sqrt{1}=1$, $\sqrt{1+3}=\sqrt{2^2}=2$, $\sqrt{1+3+5}=\sqrt{3^2}=3$,
$\sqrt{1+3+5+7}=\sqrt{4^2}=4$, …이므로
$\sqrt{1+3+5+\cdots+99}=\sqrt{50^2}=50$이다.

20 점 Q에 대응하는 수는 점 P(0)에서 부채꼴의 둘레의 길이만큼 이동한 수이므로
$6\sqrt{2}\times2+2\times\pi\times6\sqrt{2}\times\frac{60}{360}=12\sqrt{2}+2\sqrt{2}\pi$

21 사분원 A의 호의 길이는 $2\pi\times1\times\frac{1}{4}=\frac{1}{2}\pi$
사분원 B의 반지름의 길이는 $(\sqrt{5}-1)-1=\sqrt{5}-2$
사분원 B의 호의 길이는 $2\pi\times(\sqrt{5}-2)\times\frac{1}{4}=\frac{\sqrt{5}-2}{2}\pi$
사분원 C의 반지름의 길이는 $1-(\sqrt{5}-2)=3-\sqrt{5}$
사분원 C의 호의 길이는 $2\pi\times(3-\sqrt{5})\times\frac{1}{4}=\frac{3-\sqrt{5}}{2}\pi$
따라서 사분원 A, B, C의 호의 길이의 합은
$\frac{1}{2}\pi+\frac{\sqrt{5}-2}{2}\pi+\frac{3-\sqrt{5}}{2}\pi=\pi$

22 $\sqrt{12}\times x=\sqrt{108}$에서 $2\sqrt{3}\times x=6\sqrt{3}$ $\therefore x=3$
$4\sqrt{5}=\sqrt{80}$이므로 $92-y=80$ $\therefore y=12$
$\therefore xy=3\times12=36$

23 $\sqrt{24}\left(\frac{1}{\sqrt{3}}-\frac{1}{\sqrt{6}}\right)+\frac{a}{\sqrt{2}}(\sqrt{8}-2)$
$=\sqrt{8}-\sqrt{4}+a\sqrt{4}-a\sqrt{2}$
$=2\sqrt{2}-2+2a-a\sqrt{2}$
$=-2+2a+(2-a)\sqrt{2}$ …… ❶
따라서 주어진 수가 유리수가 되려면
$2-a=0$이어야 한다. …… ❷
$\therefore a=2$ …… ❸

채점 기준	배점
❶ 주어진 식 간단히 정리하기	50 %
❷ 유리수가 될 조건 알기	30 %
❸ a의 값 구하기	20 %

24 정사각형 FBGI의 넓이가 18 cm^2이므로 한 변의 길이는
$\sqrt{18}=3\sqrt{2}$(cm)
$\overline{IH}=\overline{ED}=\overline{AD}-\overline{AE}=7\sqrt{2}-3\sqrt{2}=4\sqrt{2}$ (cm)
$\overline{DH}=\overline{CD}-\overline{CH}=\overline{AB}-\overline{BF}=\sqrt{30}-3\sqrt{2}$ (cm)
따라서 직사각형 EIHD의 넓이는
$4\sqrt{2}(\sqrt{30}-3\sqrt{2})=8\sqrt{15}-24$ (cm^2)

05. 곱셈 공식

108~109쪽

01 ③	02 ⑤	03 ①, ④	04 ③
05 ⑤	06 x^8-1	07 ③	08 ④
09 ①	10 ③	11 ⑤	12 ④
13 ④	14 40	15 $-a^2+3ab-2b^2$	

01 $(2a-3b)(3a-2b)=6a^2-4ab-9ab+6b^2$
$=6a^2-13ab+6b^2$

02 xy의 항만 전개하면
$3x\times(-\square y)+y\times x=-8xy$에서
$3\times(-\square)+1=-8$, $3\times(-\square)=-9$
$-\square=-3$ $\therefore \square=3$

03 ② $(2a-5b)^2=4a^2-20ab+25b^2$
③ $(-5x+3)(-5x-3)=25x^2-9$
⑤ $(3x-4)(2x+5)=6x^2+7x-20$

04 $(ax+1)^2=a^2x^2+2ax+1$
$=9x^2+bx+1$
$a^2=9$이므로 $a=3$ ($\because$ a는 자연수)
$b=2a$이므로 $b=2\times3=6$
$(x-c)^2=x^2-2cx+c^2$
$=x^2-14x+d$
$2c=14$이므로 $c=7$
$d=c^2$이므로 $d=7^2=49$
$\therefore a+b+c+d=3+6+7+49=65$

05 $(-2+4x)^2=\{-2(1-2x)\}^2=4(1-2x)^2$

06 $(x-1)(x+1)(x^2+1)(x^4+1)=(x^2-1)(x^2+1)(x^4+1)$
$=(x^4-1)(x^4+1)$
$=x^8-1$

07 (색칠한 직사각형의 넓이)$=(x+2y)(x-y)=x^2+xy-2y^2$

08 민채는 3을 a로 잘못 보았으므로
$(ax+2)(x-1)=ax^2+(2-a)x-2=ax^2-6x-2$
$2-a=-6$이므로 $a=8$
준호는 1을 b로 잘못 보았으므로
$(3x+2)(x-b)=3x^2+(2-3b)x-2b=3x^2-10x+c$
$2-3b=-10$이므로 $-3b=-12$ $\therefore b=4$
$c=-2b=-2\times4=-8$
$\therefore a+b+c=8+4+(-8)=4$

09 $(2x+A)(Bx-2)=2Bx^2+(AB-4)x-2A$
$=6x^2+Cx-10$
$2B=6$이므로 $B=3$
$2A=10$이므로 $A=5$
$C=AB-4$이므로 $C=5\times3-4=11$
$\therefore A-B-C=5-3-11=-9$

10 $(x-4)(x+3)-2(x-2)(x+5)$
$=x^2-x-12-2x^2-6x+20$
$=-x^2-7x+8$
따라서 $a=-7$, $b=8$이므로
$a+b=-7+8=1$

11 (화단의 넓이)$=(4a-2)(3a-2)=12a^2-14a+4$

12 연속하는 두 홀수를 각각 $2n+1$, $2n-1$이라 하자.
$(2n+1)^2-(2n-1)^2$
$=4n^2+4n+1-(4n^2-4n+1)$
$=4n^2+4n+1-4n^2+4n-1$
$=8n$
따라서 연속하는 두 홀수의 제곱의 차는 8의 배수가 된다.

13 $x=6p+2$, $y=6q+5$라 하자.
$xy=(6p+2)(6q+5)=36pq+30p+12q+10$
$=6(6pq+5p+2q+1)+4$
따라서 xy를 6으로 나눈 나머지는 4이다.

14 [단계 ❶] (주어진 식)$=3x^2+17x+20-2(x^2+4x-5)$
$=3x^2+17x+20-2x^2-8x+10$
$=x^2+9x+30$
[단계 ❷] $A=1$, $B=9$, $C=30$
[단계 ❸] $\therefore A+B+C=1+9+30=40$

채점 기준	배점
❶ 주어진 다항식 전개하기	50 %
❷ A, B, C의 값 각각 구하기	30 %
❸ $A+B+C$의 값 구하기	20 %

15 사각형 ABEF는 한 변의 길이가 b인 정사각형이므로
$\overline{EC}=a-b$ …… ❶
또, 사각형 FHGD는 한 변의 길이가 $a-b$인 정사각형이므로
$\overline{GC}=b-(a-b)=2b-a$ …… ❷
사각형 HECG의 넓이는
$(a-b)(2b-a)=2ab-a^2-2b^2+ab=-a^2+3ab-2b^2$
…… ❸

채점 기준	배점
❶ $\overline{EC}$의 길이 구하기	20 %
❷ $\overline{GC}$의 길이 구하기	30 %
❸ 사각형 HECG의 넓이 구하기	50 %

06. 곱셈 공식의 활용

110~111쪽

01 ④	02 ②	03 ①	04 ②
05 ③	06 8	07 $2+\sqrt{3}$	08 ④
09 ④	10 ③	11 ②	12 ②
13 ③	14 9	15 4	

01 $2x-3=A$로 놓으면

(주어진 식)$=(A+y)(A-y)=A^2-y^2$

$=(2x-3)^2-y^2$

$=4x^2-y^2-12x+9$

따라서 $a=4$, $b=-1$, $c=-12$, $d=9$이므로

$a+b-c+d=4-1-(-12)+9=24$

02 $3x-2y=A$로 놓으면

$(3x-2y-1)^2$

$=(A-1)^2=A^2-2A+1$

$=(3x-2y)^2-2(3x-2y)+1$

$=9x^2-12xy+4y^2-6x+4y+1$

이므로 $a=-6$, $b=-12$

$\therefore a+b=-6+(-12)=-18$

03 $(x-2)(x+5)(x+2)(x-5)$

$=(x-2)(x+2)(x+5)(x-5)$

$=(x^2-4)(x^2-25)$

$=(14-4)(14-25)$

$=10\times(-11)=-110$

04 $\dfrac{103\times105+1}{104}=\dfrac{(104-1)(104+1)+1}{104}$

$=\dfrac{104^2-1+1}{104}$

$=104$

05 $198^2=(200-2)^2=200^2-2\times200\times2+2^2$이므로

ㄴ. $(a-b)^2=a^2-2ab+b^2$을 이용하면 편리하다.

$48\times52=(50-2)(50+2)=50^2-2^2$이므로

ㄷ. $(a+b)(a-b)=a^2-b^2$을 이용하면 편리하다.

06 $15\times17\times(4^4+1)+1=(4^2-1)(4^2+1)(4^4+1)+1$

$=(4^4-1)(4^4+1)+1$

$=(4^8-1)+1=4^8$

07 $(2-\sqrt{3})^9(2+\sqrt{3})^{10}=\{(2-\sqrt{3})(2+\sqrt{3})\}^9(2+\sqrt{3})$

$=2+\sqrt{3}$

08 (삼각형의 넓이)$=\dfrac{1}{2}(\sqrt{6}+\sqrt{2})(3\sqrt{6}-\sqrt{2})$

$=\dfrac{1}{2}(18-2\sqrt{3}+6\sqrt{3}-2)$

$=8+2\sqrt{3}$

09 $\dfrac{\sqrt{6}+\sqrt{2}}{\sqrt{6}-\sqrt{2}}=\dfrac{(\sqrt{6}+\sqrt{2})^2}{(\sqrt{6}-\sqrt{2})(\sqrt{6}+\sqrt{2})}=\dfrac{8+4\sqrt{3}}{4}=2+\sqrt{3}$

이므로 $a=2$, $b=1$ $\quad\therefore a+b=3$

10 $x=\dfrac{\sqrt{2}-1}{(\sqrt{2}+1)(\sqrt{2}-1)}=\sqrt{2}-1$,

$y=\dfrac{\sqrt{2}+1}{(\sqrt{2}-1)(\sqrt{2}+1)}=\sqrt{2}+1$

이므로 $x+y=2\sqrt{2}$, $xy=1$

$\therefore x^2+3xy+y^2=(x+y)^2+xy$

$=(2\sqrt{2})^2+1=9$

11 $\dfrac{y}{x}+\dfrac{x}{y}=\dfrac{x^2+y^2}{xy}=\dfrac{(x+y)^2-2xy}{xy}$

$=\dfrac{4^2-2\times2}{2}=\dfrac{12}{2}=6$

12 $(a+b)^2=a^2+2ab+b^2$이므로 $2^2=8+2ab$

$2ab=-4$ $\quad\therefore ab=-2$

$\therefore \dfrac{1}{a}+\dfrac{1}{b}=\dfrac{a+b}{ab}=\dfrac{2}{-2}=-1$

13 $x^2-3x-1=0$의 양변을 x로 나누면

$x-3-\dfrac{1}{x}=0$에서 $x-\dfrac{1}{x}=3$

$\therefore x^2+\dfrac{1}{x^2}=\left(x-\dfrac{1}{x}\right)^2+2=3^2+2=11$

14 [단계 ❶] $\dfrac{1}{f(x)}=\dfrac{1}{\sqrt{x}+\sqrt{x+1}}$

$=\dfrac{\sqrt{x}-\sqrt{x+1}}{(\sqrt{x}+\sqrt{x+1})(\sqrt{x}-\sqrt{x+1})}$

$=\sqrt{x+1}-\sqrt{x}$

[단계 ❷] $\frac{1}{f(1)}+\frac{1}{f(2)}+\frac{1}{f(3)}+\cdots+\frac{1}{f(99)}$

$=(\sqrt{2}-\sqrt{1})+(\sqrt{3}-\sqrt{2})+\cdots+(\sqrt{100}-\sqrt{99})$

$=-\{(\sqrt{1}-\sqrt{2})+(\sqrt{2}-\sqrt{3})+\cdots+(\sqrt{99}-\sqrt{100})\}$

$=-(\sqrt{1}-\sqrt{100})=-1+10=9$

채점 기준	배점
❶ $\frac{1}{f(x)}$의 분모를 유리화하기	50 %
❷ 주어진 식의 값 구하기	50 %

15 $4(a+b)=64$이므로 $a+b=16$ …… ❶

두 정사각형의 넓이의 합이 136 cm^2이므로

$a^2+b^2=136$

$(a+b)^2=(a^2+b^2)+2ab$이므로 $16^2=136+2ab$

$256=136+2ab$, $2ab=120$ $\therefore ab=60$ …… ❷

따라서 $(a-b)^2=(a+b)^2-4ab=16^2-4\times60=16$이고,

$a-b>0$이므로 $a-b=4$ …… ❸

채점 기준	배점
❶ $a+b$의 값 구하기	30 %
❷ ab의 값 구하기	30 %
❸ $a-b$의 값 구하기	40 %

Ⅱ-1. 다항식의 곱셈 내·신·만·점·도·전·하·기

112~113쪽

01 ③	**02** ④	**03** ①	**04** ③
05 ③	**06** ②	**07** 5	**08** ⑤
09 $\frac{a^2+b^2}{2}$	**10** 252	**11** $1+\sqrt{2}$	**12** 12

01 ①□=21 ②□=20 ③□=25

④□=20 ⑤□=16

02 (주어진 식)$=x^2-8x+16-(x^2-4)=-8x+20$이므로

$a=-8$, $b=20$ $\therefore a+b=-8+20=12$

03 $(3x-a)(bx+2)=3bx^2+(6-ab)x-2a$

$=15x^2+cx-8$

$3b=15$이므로 $b=5$

$-2a=-8$이므로 $a=4$

$c=6-ab$이므로 $c=6-4\times5=-14$

$\therefore a+b+c=4+5+(-14)=-5$

04 다현이는 3을 a로 잘못 보았으므로

$(ax+4)(x-2)=ax^2+(4-2a)x-8=ax^2-6x-8$

$4-2a=-6$이므로 $a=5$

하영이는 -2를 b로 잘못 보았으므로

$(3x+4)(x+b)=3x^2+(4+3b)x+4b=3x^2+10x+c$

$4+3b=10$이므로 $3b=6$ $\therefore b=2$

$4b=c$이므로 $c=4\times2=8$

$\therefore a+b+c=5+2+8=15$

05 $98\times102=(100-2)(100+2)=100^2-2^2$이므로 가장 편리한 곱셈 공식은 ③이다.

06 $x-2y=A$라 하면

(주어진 식)$=\{1+(x-2y)\}\{1-(x-2y)\}$

$=(1+A)(1-A)=1-A^2$

$=1-(x-2y)^2=1-(x^2-4xy+4y^2)$

$=-x^2+4xy-4y^2+1$

07 $f(x)=\frac{\sqrt{2x+1}-\sqrt{2x-1}}{(\sqrt{2x+1}+\sqrt{2x-1})(\sqrt{2x+1}-\sqrt{2x-1})}$

$=\frac{\sqrt{2x+1}-\sqrt{2x-1}}{2}$

$\therefore f(1)+f(2)+f(3)+\cdots+f(60)$

$=\frac{1}{2}\{(\sqrt{3}-1)+(\sqrt{5}-\sqrt{3})+\cdots+(\sqrt{121}-\sqrt{119})\}$

$=\frac{1}{2}(-1+\sqrt{121})=\frac{1}{2}(-1+11)=5$

08 $a^2+b^2=(a+b)^2-2ab=4^2-2\times(-2)=16+4=20$

$a^2+3ab+b^2$에 $a^2+b^2=20$, $ab=-2$를 대입하면

$a^2+3ab+b^2=a^2+b^2+3ab$

$=20+3\times(-2)$

$=20-6=14$

09 $\overline{BH}=\frac{1}{2}\overline{BE}=\frac{a+b}{2}$, $\overline{CH}=\overline{BC}-\overline{BH}=a-\frac{a+b}{2}=\frac{a-b}{2}$

$\therefore S+R=\overline{BH}^2+\overline{CH}^2=\left(\frac{a+b}{2}\right)^2+\left(\frac{a-b}{2}\right)^2$

$=\frac{a^2+2ab+b^2}{4}+\frac{a^2-2ab+b^2}{4}$

$=\frac{2a^2+2b^2}{4}=\frac{a^2+b^2}{2}$

10 $a^2+b^2=(a+b)^2-2ab=5^2-2\times3=25-6=19$

$x^2+y^2=(x+y)^2-2xy=(-4)^2-2\times2=16-4=12$

$\therefore m^2+n^2=(ax+by)^2+(bx+ay)^2$

$=a^2x^2+2abxy+b^2y^2+b^2x^2+2abxy+a^2y^2$
$=a^2(x^2+y^2)+4abxy+b^2(x^2+y^2)$
$=12a^2+4\times3\times2+12b^2$
$=12(a^2+b^2)+24$
$=12\times19+24$
$=228+24=252$

11 $(x-y)^2=(x+y)^2-4xy=4^2-4\times2=8$이므로
$x-y=2\sqrt{2}$ $(\because x>y)$
$\therefore \dfrac{\sqrt{x}+\sqrt{y}}{\sqrt{x}-\sqrt{y}}=\dfrac{(\sqrt{x}+\sqrt{y})^2}{(\sqrt{x}-\sqrt{y})(\sqrt{x}+\sqrt{y})}$
$=\dfrac{(\sqrt{x}+\sqrt{y})^2}{x-y}=\dfrac{x+y+2\sqrt{xy}}{x-y}$
$=\dfrac{4+2\sqrt{2}}{2\sqrt{2}}=\dfrac{2}{\sqrt{2}}+1=1+\sqrt{2}$

12 $(a+b)(c+d)=\dfrac{4}{3-2\sqrt{2}}\times\dfrac{4}{3+2\sqrt{2}}$
$=\dfrac{4\times4}{(3-2\sqrt{2})(3+2\sqrt{2})}=\dfrac{16}{9-8}=16$
한편 $(a+b)(c+d)=ac+ad+bc+bd$
$=ad+bc+4$ $(\because ac=bd=2)$
$ad+bc+4=16$이므로
$ad+bc=16-4=12$

07. 인수분해와 인수분해 공식(1)

114~115쪽

01 ⑤	02 ②	03 ②	04 ④
05 ③	06 ③	07 ②	08 ③
09 ③	10 ③	11 ⑤	12 ⑤
13 ②	14 37	15 $\dfrac{5}{9}$	

03 $2x^2+ax+b=(x-3)(2x-1)=2x^2-7x+3$
이므로 $a=-7$, $b=3$
$\therefore a+b=-7+3=-4$

04 ④ $x(x^2-1)=x(x+1)(x-1)$이므로 $x-1$을 인수로 갖는다.

05 $x^2-6x+3+A=(x+B)^2=x^2+2Bx+B^2$에서
$-6=2B$, $3+A=B^2$이므로 $B=-3$, $A=6$
$\therefore A+B=6+(-3)=3$

06 ① $x^2-3x+\dfrac{9}{4}=\left(x-\dfrac{3}{2}\right)^2$
② $x^2-4x+4=(x-2)^2$
④ $x^2+8x+16=(x+4)^2$
⑤ $x^2+10x+25=(x+5)^2$

07 (i) $9x^2+(3+a)x+16=(3x+4)^2$에서
$3+a=24$ $\quad\therefore a=21$
(ii) $9x^2+(3+a)x+16=(3x-4)^2$에서
$3+a=-24$ $\quad\therefore a=-27$
따라서 두 수의 합은 $21+(-27)=-6$

08 $x+2>0$, $x-3<0$이므로
$\sqrt{x^2+4x+4}+\sqrt{4x^2-24x+36}$
$=\sqrt{(x+2)^2}+2\sqrt{(x-3)^2}$
$=x+2-2(x-3)$
$=-x+8$

09 $9x^2-81=9(x^2-9)=9(x+3)(x-3)$
이므로 $A=9$, $B=3$
$\therefore AB=27$

10 $\dfrac{1}{4}x^2-a=\left(\dfrac{1}{2}x+5\right)\left(\dfrac{1}{2}x+b\right)$라 하면
일차항이 없으므로 $\dfrac{5}{2}+\dfrac{b}{2}=0$
$\therefore b=-5$
따라서 $\dfrac{1}{4}x^2-a=\left(\dfrac{1}{2}x+5\right)\left(\dfrac{1}{2}x-5\right)$이므로 $a=25$

11 $x^4-1=(x^2+1)(x^2-1)$
$=(x^2+1)(x+1)(x-1)$
따라서 인수가 아닌 것은 ⑤이다.

12 $x^2-y^2=(x+y)(x-y)=36$에서
$18\times(x-y)=36$
$\therefore x-y=2$
$x+y=18$, $x-y=2$를 연립하여 풀면
$x=10$, $y=8$
$\therefore 3x-2y=3\times10-2\times8$
$=30-16=14$

13 $8n^3-2n=2n(4n^2-1)=2n(2n-1)(2n+1)$
즉, 연속된 세 자연수의 곱이고 연속된 세 자연수는 2의 배수인 동시에 3의 배수이므로 $8n^3-2n$은 6의 배수이다.

14 [단계 ❶] $\frac{1}{16}x^2+Ax+\frac{1}{9}$이 완전제곱식이 되려면

$A=2\times\frac{1}{4}\times\frac{1}{3}=\frac{1}{6}$

[단계 ❷] $x^2+12x+B$가 완전제곱식이 되려면

$B=\left(\frac{12}{2}\right)^2=36$

[단계 ❸] $\therefore 6A+B=6\times\frac{1}{6}+36=1+36=37$

채점 기준	배점
❶ A의 값 구하기	40 %
❷ B의 값 구하기	40 %
❸ $6A+B$의 값 구하기	20 %

15 $f(x)=\left(1+\frac{1}{x}\right)\left(1-\frac{1}{x}\right)$이므로 …… ❶

$f(2)\times f(3)\times\cdots\times f(9)$

$=\left(1+\frac{1}{2}\right)\left(1-\frac{1}{2}\right)\left(1+\frac{1}{3}\right)\left(1-\frac{1}{3}\right)\cdots\left(1+\frac{1}{9}\right)\left(1-\frac{1}{9}\right)$ …… ❷

$=\frac{3}{2}\times\frac{1}{2}\times\frac{4}{3}\times\frac{2}{3}\times\cdots\times\frac{10}{9}\times\frac{8}{9}$

$=\frac{1}{2}\times\frac{10}{9}=\frac{5}{9}$ …… ❸

채점 기준	배점
❶ $f(x)$를 인수분해하기	30 %
❷ $x=2, 3, \cdots, 9$를 대입하기	30 %
❸ $f(2)\times f(3)\times\cdots\times f(9)$의 값 구하기	40 %

08. 인수분해 공식(2)

116~117쪽

01 ②	02 ①	03 ④	04 ③
05 ⑤	06 ④	07 ⑤	08 ④
09 ②	10 ④	11 ⑤	12 ②
13 ①	14 4	15 $(x-9)(x+2)$	

01 $x^2-x-20=(x-5)(x+4)$이므로 두 일차식의 합은 $(x-5)+(x+4)=2x-1$

02 $(x+a)(x+b)=x^2+(a+b)x+ab$이므로 $ab=-12$
이를 만족하는 두 정수 a, b의 순서쌍 (a, b)는
$(1, -12)$, $(2, -6)$, $(3, -4)$, $(4, -3)$, $(6, -2)$, $(12, -1)$, $(-1, 12)$, $(-2, 6)$, $(-3, 4)$, $(-4, 3)$, $(-6, 2)$, $(-12, 1)$
이므로 A의 값이 될 수 있는 것은 -11, -4, -1, 1, 4, 11이다.
따라서 A의 값이 될 수 없는 것은 ① -13이다.

03 $x^2+4x+3=(x+1)(x+3)$이므로 직사각형의 가로, 세로의 길이는 각각 $x+1$, $x+3$ 또는 $x+3$, $x+1$이므로 이 직사각형의 둘레의 길이는 $2(x+1+x+3)=4x+8$

04 $(x+2)(x-4)-7=x^2-2x-8-7$
$=x^2-2x-15$
$=(x-5)(x+3)$

05 $ax^2+3x-2=(4x-1)(bx+2)$이므로
$3=8-b$에서 $b=5$, $a=4b=4\times5=20$
$\therefore a+b=20+5=25$

06 $6x^2+ax-6$이 $3x-2$로 나누어 떨어지므로
$6x^2+ax-6=(3x-2)(2x+b)$라 하면
$-6=-2b$에서 $b=3$
따라서 $6x^2+ax-6=(3x-2)(2x+3)$이므로
$a=3\times3-2\times2=5$

07 $6x^2+3x-18=3(2x^2+x-6)=3(x+2)(2x-3)$
이므로 $ax+b=2x-3$
따라서 $a=2$, $b=-3$이므로
$a-b=2-(-3)=5$

08 ④ $4x^2+4x-15=(2x+5)(2x-3)$

09 ① $2x(x-3)$ ③ $(x-2)^2$ ④ $(x-4)(x+2)$ ⑤ $(3x+1)^2$
따라서 유리수의 범위에서 인수분해할 수 없는 것은 ②이다.

10 ① $2x^2-7x+3=(2x-1)(x-3)$
② $x^2-6x+9=(x-3)^2$
③ $4x^2-11x-3=(4x+1)(x-3)$
④ $3x^2+8x-3=(x+3)(3x-1)$이므로 $x-3$을 인수로 갖지 않는다.
⑤ $2x^2-13x+21=(2x-7)(x-3)$

11 $x^2-mx+12=(x-2)(x+a)$로 놓으면
$-m=-2+a$, $-2a=12$ $\therefore a=-6$, $m=8$
$3x^2-2x-n=(x-2)(3x+b)$로 놓으면
$-2=-6+b$, $-n=-8$ $\therefore n=8$
$\therefore m+n=8+8=16$

12 $2x^2-7x+6=(2x-3)(x-2)$
$x^2-x-2=(x-2)(x+1)$

이므로 A$=2x-3$, B$=x-2$, C$=x+1$

따라서 A와 C를 뽑아 뒷면에 적힌 일차식을 곱한 결과는

$(2x-3)(x+1)=2x^2-x-3$이다.

13 (가)의 넓이는

$(x-3)^2-1^2=(x-3+1)(x-3-1)$

$=(x-4)(x-2)$

따라서 (나)의 세로의 길이는 $x-4$이다.

14 [단계 ❶] $3x^2+(a+5)x-6=(3x-2)(x+m)$이라 하면

$-6=-2m$에서 $m=3$

$a+5=-2+3m$에서 $a=2$

[단계 ❷] 이때 $2x^2+4x+2=2(x+1)^2$이므로

$b=2$

[단계 ❸] $\therefore a+b=2+2=4$

채점 기준	배점
❶ a의 값 구하기	40 %
❷ b의 값 구하기	40 %
❸ $a+b$의 값 구하기	20 %

15 동은이는 상수항을 제대로 보았으므로 상수항은

$-6\times3=-18$ …… ❶

슬기는 x의 계수를 제대로 보았으므로 x의 계수는

$-8+1=-7$ …… ❷

따라서 처음의 이차식은 $x^2-7x-18$이고 …… ❸

이 식을 인수분해하면

$x^2-7x-18=(x-9)(x+2)$ …… ❹

채점 기준	배점
❶ 상수항 구하기	30 %
❷ x의 계수 구하기	30 %
❸ 처음의 이차식 구하기	20 %
❹ 처음의 이차식을 인수분해하기	20 %

09. 인수분해 공식의 활용

118~119쪽

01 ③	02 ③	03 ②	04 ②
05 ③	06 ⑤	07 ②	08 ③
09 ②	10 ②	11 ②	12 ②
13 ④	14 4	15 20	

01 $ax^2-2ax-3a=a(x^2-2x-3)$

$=a(x-3)(x+1)$

따라서 인수가 아닌 것은 ③ $x+3$이다.

02 (주어진 식)$=a(a-c)-b(a-c)+(b-a)(b-c)$

$=(a-c)(a-b)-(a-b)(b-c)$

$=(a-b)(a-c-b+c)=(a-b)^2$

03 $xy-3x+y-3=x(y-3)+(y-3)$

$=(x+1)(y-3)$

$x^2+x-xy-y=x(x+1)-y(x+1)$

$=(x+1)(x-y)$

따라서 두 다항식의 공통인수는 $x+1$이다.

04 $4x^2+4xy+y^2-9=(4x^2+4xy+y^2)-9$

$=(2x+y)^2-3^2$

$=(2x+y+3)(2x+y-3)$

이므로 두 일차식의 합은

$(2x+y+3)+(2x+y-3)=4x+2y$

05 $x^2-xy-x-2y-6=x^2-x-6-xy-2y$

$=(x-3)(x+2)-y(x+2)$

$=(x+2)(x-y-3)$

이므로 인수인 것은 ③ $x-y-3$이다.

06 $3x-4=A$, $x+3=B$라 하면

$(3x-4)^2-(x+3)^2=A^2-B^2=(A+B)(A-B)$

$=(3x-4+x+3)(3x-4-x-3)$

$=(4x-1)(2x-7)$

이므로 $a=4$, $b=-7$

$\therefore a-b=4-(-7)=11$

07 $3x+2=A$라 하면

$(3x+2)^2-2(3x+2)-3=A^2-2A-3=(A-3)(A+1)$

$=(3x+2-3)(3x+2+1)$

$=(3x-1)(3x+3)$

$=3(3x-1)(x+1)$

08 $2002\times2004+1=(2003-1)(2003+1)+1$

$=2003^2-1^2+1=2003^2$

이므로 $A=\pm2003$ $\therefore A=2003$ ($\because A>0$)

09 (주어진 식)$=(1+2)(1-2)+(3+4)(3-4)+(5+6)(5-6)$

$+(7+8)(7-8)+(9+10)(9-10)$

$=(-1)\times(1+2+3+4+\cdots+9+10)$

$=-55$

10 $\dfrac{a^2-4a+3}{a-2}=\dfrac{(a-1)(a-3)}{a-2}$

$=\dfrac{(2+\sqrt{3}-1)(2+\sqrt{3}-3)}{2+\sqrt{3}-2}$

$=\dfrac{(1+\sqrt{3})(-1+\sqrt{3})}{\sqrt{3}}$

$=\dfrac{2}{\sqrt{3}}=\dfrac{2\sqrt{3}}{3}$

11 $x=\dfrac{(\sqrt{7}+\sqrt{3})^2}{(\sqrt{7}-\sqrt{3})(\sqrt{7}+\sqrt{3})}=\dfrac{(\sqrt{7}+\sqrt{3})^2}{4}$

$=\dfrac{10+2\sqrt{21}}{4}=\dfrac{5+\sqrt{21}}{2}$

$y=\dfrac{(\sqrt{7}-\sqrt{3})^2}{(\sqrt{7}+\sqrt{3})(\sqrt{7}-\sqrt{3})}=\dfrac{(\sqrt{7}-\sqrt{3})^2}{4}$

$=\dfrac{10-2\sqrt{21}}{4}=\dfrac{5-\sqrt{21}}{2}$

$\therefore x^2-2xy+y^2=(x-y)^2$

$=\left(\dfrac{5+\sqrt{21}}{2}-\dfrac{5-\sqrt{21}}{2}\right)^2$

$=(\sqrt{21})^2=21$

12 $\overline{PQ}=x$라 하면 선분 PS를 지름으로 하는 원의 둘레의 길이는

$l=\pi(x+a)$

선분 PR를 지름으로 하는 원은 반지름의 길이가 $\dfrac{x+2a}{2}$이므로

넓이는 $\pi\left(\dfrac{x+2a}{2}\right)^2$

선분 PS를 지름으로 하는 원은 반지름의 길이가 $\dfrac{x+a}{2}$이므로

원의 넓이는 $\pi\left(\dfrac{x+a}{2}\right)^2$

따라서 색칠한 부분의 넓이는

$\pi\left(\dfrac{x+2a}{2}\right)^2-\pi\left(\dfrac{x+a}{2}\right)^2$

$=\pi\left(\dfrac{x+2a}{2}+\dfrac{x+a}{2}\right)\left(\dfrac{x+2a}{2}-\dfrac{x+a}{2}\right)$

$=\pi\times\dfrac{2x+3a}{2}\times\dfrac{a}{2}=\dfrac{a(2x+3a)}{4}\pi$

$=\dfrac{a}{4}\{2(x+a)+a\}\pi=\dfrac{a}{4}(2l+a\pi)$

$=\dfrac{al}{2}+\dfrac{a^2\pi}{4}$

13 (큰 피자 한 조각의 넓이)$=\dfrac{1}{8}\pi\times22^2\ (\text{cm}^2)$

(작은 피자 한 조각의 넓이)$=\dfrac{1}{8}\pi\times14^2\ (\text{cm}^2)$

따라서 두 조각의 넓이의 차는

$\dfrac{1}{8}\pi(22^2-14^2)=\dfrac{1}{8}\pi(22+14)(22-14)=36\pi\ (\text{cm}^2)$

14 [단계 ❶] $x^2-4x-y^2-4y=x^2-y^2-4x-4y$

$=(x+y)(x-y)-4(x+y)$

$=(x+y)(x-y-4)$

[단계 ❷] $\therefore a=1,\ b=-1,\ c=-4$

[단계 ❸] $\therefore a+b-c=1-1-(-4)=4$

채점 기준	배점
❶ x^2-4x-y^2-4y를 인수분해하기	40 %
❷ $a,\ b,\ c$의 값 각각 구하기	30 %
❸ $a+b-c$의 값 구하기	30 %

15 $x^2-y^2=10$이므로 $(x+y)(x-y)=10$ …… ❶

$4x-4y=8$이므로 $4(x-y)=8$ $\therefore x-y=2$ …… ❷

$2(x+y)=10$이므로 $x+y=5$ …… ❸

따라서 둘레의 길이의 합은

$4x+4y=4(x+y)=4\times5=20$ …… ❹

채점 기준	배점
❶ $(x+y)(x-y)$의 값 구하기	20 %
❷ $x-y$의 값 구하기	20 %
❸ $x+y$의 값 구하기	30 %
❹ 둘레의 길이의 합 구하기	30 %

Ⅱ-2. 인수분해 내·신·만·점·도·전·하·기

120~123쪽

01 ⑤	**02** ③	**03** ①	**04** ③
05 ④	**06** ②	**07** ③	**08** ②
09 ④	**10** ⑤	**11** ③	**12** ①, ④
13 ③	**14** ④	**15** ④	**16** ②
17 1, 15, 49	**18** 5	**19** 24, 26	**20** 6개
21 $(x-y)(x+y-z)$		**22** 4쌍	**23** 20
24 21개			

01 $x^2y-y=y(x^2-1)=y(x+1)(x-1)$이므로 인수가 아닌 것은 ⑤이다.

02 ③ $x^2+2x-15=(x-3)(x+5)$

03 ① 16 ② ±12 ③ 4 ④ 9 ⑤ ±12

따라서 □ 안에 들어갈 수가 가장 큰 것은 ①이다.

04 $2n+1=A$, $2n-1=B$로 치환하면
$(2n+1)^2-(2n-1)^2$
$=A^2-B^2=(A+B)(A-B)$
$=\{(2n+1)+(2n-1)\}\{(2n+1)+(2n-1)\}=4n\times 2$
따라서 연속한 두 홀수의 제곱의 차는 8의 배수가 된다.

05 $2x^2+5x+2=(x+2)(2x+1)$이므로
직사각형의 가로의 길이와 세로의 길이는 $x+2$, $2x+1$이다.
따라서 가로의 길이와 세로의 길이의 합은
$x+2+2x+1=3x+3$

06 $6x^2-8x-40=2(3x^2-4x-20)$
$=2(x+2)(3x-10)$
$x-3=A$라 하면
$(x-3)^2+2(x-3)-15=A^2+2A-15$
$=(A+5)(A-3)$
$=(x-3+5)(x-3-3)$
$=(x+2)(x-6)$
따라서 두 다항식의 공통인수는 $x+2$이다.

07 $x+1$과 $2x-3$으로 나누어 떨어지므로
$ax^2-x+b=(x+1)(2x-3)=2x^2-x-3$
따라서 $a=2$, $b=-3$이므로
$a+b=2+(-3)=-1$

08 A는 상수항을 제대로 보았으므로 처음 이차식의 상수항은
$2\times(-6)=-12$
B는 x의 계수를 제대로 보았으므로 처음 이차식의 x의 계수는
$3-2=1$
따라서 처음의 이차식은 x^2+x-12이고 이를 바르게 인수분해 하면 $(x+4)(x-3)$이다.

09 $2x^2+5x+1=(2x+3)A-2$이므로
$2x^2+5x+3=(2x+3)A$
다항식 $A=ax+b$라 하면
$2x^2+5x+3=(2x+3)(ax+b)$
$2=2a$에서 $a=1$, $3=3b$에서 $b=1$
따라서 $2x^2+5x+3=(2x+3)(x+1)$이므로
$A=x+1$

10 $6(2x-1)^2-(2x-1)=(2x-1)(12x-6-1)$
$=(2x-1)(12x-7)$
이므로 $a=-1$, $b=12$
$\therefore a+b=-1+12=11$

11 $4x^2-y^2+2y-1=4x^2-(y^2-2y+1)$
$=(2x)^2-(y-1)^2$
$=(2x+y-1)(2x-y+1)$
이므로 두 일차식의 합은
$(2x+y-1)+(2x-y+1)=4x$

12 $x+1=A$, $y-2=B$라 하면
$3(x+1)^2-4(x+1)(y-2)+(y-2)^2$
$=3A^2-4AB+B^2=(3A-B)(A-B)$
$=(3x+3-y+2)(x+1-y+2)$
$=(3x-y+5)(x-y+3)$
이므로 인수인 것은 ①, ④이다.

13 $98^2-1=(98+1)(98-1)=99\times 97$이므로 가장 알맞은 인수 분해 공식은 ③이다.

14 $42^2-2\times 42\times 38+38^2=(42-38)^2=4^2=16$

15 $x=\dfrac{1}{5-2\sqrt{6}}=\dfrac{5+2\sqrt{6}}{(5-2\sqrt{6})(5+2\sqrt{6})}=5+2\sqrt{6}$
$\therefore x^2-10x+25=(x-5)^2=\{(5+2\sqrt{6})-5\}^2$
$=(2\sqrt{6})^2=24$

16 $x^2-y^2-8x+8y=(x+y)(x-y)-8(x-y)$
$=(x-y)(x+y-8)$
$=\sqrt{6}(9-8)=\sqrt{6}$

17 양변을 제곱하면 $m^2=n^2+99$, $m^2-n^2=99$
$(m+n)(m-n)=1\times 99=3\times 33=9\times 11$
(i) $m-n=1$, $m+n=99$이면 $n=49$
(ii) $m-n=3$, $m+n=33$이면 $n=15$
(iii) $m-n=9$, $m+n=11$이면 $n=1$
따라서 n의 값은 1, 15, 49이다.

18 $x=(a-1)^2=a^2-2a+1$이므로 …… ❶
$\sqrt{x+6a+3}+\sqrt{x-4a+8}$
$=\sqrt{a^2+4a+4}+\sqrt{a^2-6a+9}$
$=\sqrt{(a+2)^2}+\sqrt{(a-3)^2}$ …… ❷
$=a+2-(a-3)$ ($\because a+2>0$, $a-3<0$)
$=5$ …… ❸

채점 기준	배점
❶ x를 a에 관한 식으로 나타내기	30 %
❷ 주어진 식의 근호 안을 완전제곱식으로 나타내기	30 %
❸ 주어진 식을 간단히 하기	40 %

19 $5^{16}-1=(5^8)^2-1=(5^8+1)(5^8-1)$
$=(5^8+1)(5^4+1)(5^4-1)$
$=(5^8+1)(5^4+1)(5^2+1)(5^2-1)$
$=(5^8+1)(5^4+1)(5^2+1)(5+1)(5-1)$
이므로 20과 30 사이의 두 자연수는 24, 26이다.

20 x^2-x-m이 x의 계수와 상수항이 모두 정수인 두 일차식의 곱으로 인수분해되려면 m이 연속하는 두 자연수의 곱이어야 한다.
따라서 조건을 만족하는 다항식은
x^2-x-2, x^2-x-6, x^2-x-12, x^2-x-20,
x^2-x-30, x^2-x-42의 6개이다.

21 $[x, y, z]-[y, z, x]=x^2+yz-(y^2+zx)$
$=x^2-y^2+yz-zx$
$=(x+y)(x-y)-z(x-y)$
$=(x-y)(x+y-z)$

22 $xy-3x-3y+2=x(y-3)-3(y-3)-7=0$에서
$(x-3)(y-3)=7$이므로 …… ❶
(i) $x-3=1$, $y-3=7$일 때, $x=4$, $y=10$
(ii) $x-3=7$, $y-3=1$일 때, $x=10$, $y=4$
(iii) $x-3=-1$, $y-3=-7$일 때, $x=2$, $y=-4$
(iv) $x-3=-7$, $y-3=-1$일 때, $x=-4$, $y=2$ …… ❷
따라서 정수 x, y는 모두 4쌍이다. …… ❸

채점 기준	배점
❶ 주어진 식을 변형하기	40 %
❷ 정수 x, y를 각각 구하기	40 %
❸ 정수 x, y가 몇 쌍인지 구하기	20 %

23 (주어진 식)$=(x+1)(x+4)(x+2)(x+3)-15$
$=(x^2+5x+4)(x^2+5x+6)-15$
$x^2+5x=A$라 하면
$(A+4)(A+6)-15$
$=A^2+10A+9$
$=(A+1)(A+9)$
$=(x^2+5x+1)(x^2+5x+9)$
따라서 $a=5$, $b=1$, $c=5$, $d=9$ 또는 $a=5$, $b=9$, $c=5$, $d=1$이므로
$a+b+c+d=5+1+5+9=20$

24 $21^2+6\times21+9=21^2+2\times21\times3+3^2$
$=(21+3)^2=24^2$
$=(2^3\times3)^2=2^6\times3^2$
이므로 약수의 개수는 $(6+1)(2+1)=21$(개)

10. 이차방정식의 뜻과 해

124~125쪽

01 ④	02 ④	03 ③	04 ③
05 ④	06 ②	07 ①	08 ③
09 ⑤	10 ②	11 ③	12 ②
13 ⑤	14 $x=-1$	15 5	

01 x에 대한 이차방정식은 (x에 대한 이차식)$=0$의 꼴이다.
① 이차식
② 일차방정식
③ $x^2-x^2-\frac{1}{2}x=0$, $-\frac{1}{2}x=0$ (일차방정식)
⑤ 이차방정식이 아니다.

02 $(ax+1)(3x-2)=6x^2+2$에서
$3ax^2+(-2a+3)x-2=6x^2+2$
$(3a-6)x^2+(-2a+3)x-4=0$
이 방정식이 x에 대한 이차방정식이 되려면
$3a-6\neq0$ $\therefore a\neq2$

03 $3x^2-x+1=x^2+3x-2$에서
$3x^2-x+1-x^2-3x+2=0$
$2x^2-4x+3=0$
$\therefore a=2, b=-4, c=3$
$\therefore a+b+c=2+(-4)+3=1$

04 $x=3$을 대입하여 등식이 성립하는 것을 찾는다.
③ $3^2+5\times3-24=0$

05 ① $1^2+1\neq0$
② $(-1)^2-1-2\neq0$
③ $3^2-6\times3+3\neq0$
④ $-1\times(-1+3)=-1-1$
⑤ $(-1+1)(-1-3)\neq-3$
따라서 [ ] 안의 수가 주어진 이차방정식의 해인 것은 ④이다.

06 $x=-3$일 때, $(-3)^2-3\times(-3)-4\neq0$
$x=-2$일 때, $(-2)^2-3\times(-2)-4\neq0$
$x=-1$일 때, $(-1)^2-3\times(-1)-4=0$
$x=0$일 때, $0^2-3\times0-4\neq0$
$x=1$일 때, $1^2-3\times1-4\neq0$
따라서 $x^2-3x-4=0$의 해는 $x=-1$이다.

07 $x=-2$일 때, $(-2)^2+3\times(-2)+2=0$
$x=-1$일 때, $(-1)^2+3\times(-1)+2=0$
$x=0$일 때, $0^2+3\times0+2\neq0$

$x=1$일 때, $1^2+3\times1+2\neq0$

$x=2$일 때, $2^2+3\times2+2\neq0$

따라서 $x^2+3x+2=0$의 해는 $x=-1$ 또는 $x=-2$이므로 구하는 값은 $(-1)+(-2)=-3$

08 $2x-2\leq x+1$, $x\leq3$인 자연수이므로 $x=1,\ 2,\ 3$을 $(x-2)^2=x$에 대입하여 등식이 성립하는 것을 찾는다.

$x=1$일 때, $(1-2)^2=1$

$x=2$일 때, $(2-2)^2\neq2$

$x=3$일 때, $(3-2)^2\neq3$

따라서 $(x-2)^2=x$의 해는 $x=1$이다.

09 $x=2$를 대입하면 $2^2-5\times2+a=0$ $\quad\therefore a=6$

10 $x=-1$을 두 이차방정식에 각각 대입하면

$(-1)^2-2\times(-1)+a=0,\ 1+2+a=0$ $\quad\therefore a=-3$

$3\times(-1)^2+b\times(-1)-2=0,\ 3-b-2=0$ $\quad\therefore b=1$

$\therefore a+b=-3+1=-2$

11 $x^2-px+10=0$에 $x=2$를 대입하면

$2^2-2p+10=0,\ -2p=-14$ $\quad\therefore p=7$

$x^2-3x+4q=0$에 $x=7$을 대입하면

$7^2-3\times7+4q=0,\ 4q=-28$ $\quad\therefore q=-7$

$\therefore p+q=7+(-7)=0$

12 $x=k$를 대입하면 $k^2-4k-1=0$에서 $k^2-4k=1$

$2k^2-8k+a=2(k^2-4k)+a=2\times1+a=5$

$\therefore a=3$

13 $x=a$를 대입하면 $a^2-5a-1=0$

$a\neq0$이므로 양변을 a로 나누면 $a-5-\frac{1}{a}=0$

$\therefore a-\frac{1}{a}=5$

14 [단계 ❶] $-3<x\leq1$을 만족하는 정수는 $-2,\ -1,\ 0,\ 1$이다.

[단계 ❷] $x=-2$일 때, $2\times(-2)^2+(-2)-1\neq0$

$x=-1$일 때, $2\times(-1)^2+(-1)-1=0$

$x=0$일 때, $2\times0^2+0-1\neq0$

$x=1$일 때, $2\times1^2+1-1\neq0$

[단계 ❸] 따라서 해는 $x=-1$이다.

채점 기준	배점
❶ $-3<x\leq1$을 만족하는 정수 구하기	30 %
❷ x의 값을 대입하여 성립하는 등식 찾기	50 %
❸ 이차방정식의 해 구하기	20 %

15 $x=k$를 대입하면 $k^2+k-1=0$

$\therefore 1-k^2=k,\ 1-k=k^2$ …… ❶

$k\neq0$이므로 $\frac{2k}{1-k^2}+\frac{3k^2}{1-k}=\frac{2k}{k}+\frac{3k^2}{k^2}$

$=2+3=5$ …… ❷

채점 기준	배점
❶ k에 대한 관계식으로 나타내기	50 %
❷ 식의 값 구하기	50 %

11. 이차방정식의 풀이

126~127쪽

01 ③	02 ⑤	03 ①	04 ①
05 ④	06 ④	07 ②	08 ③
09 ③	10 ④	11 ⑤	12 ③
13 ③	14 $x=-2$ 또는 $x=-3$		15 $x=-\frac{3}{4}$

01 ① $x=-1$ 또는 $x=\frac{1}{2}$

② $2x^2+x-1=0$에서 $(x+1)(2x-1)=0$

$\therefore x=-1$ 또는 $x=\frac{1}{2}$

③ $2x^2-x-1=0$에서 $(x-1)(2x+1)=0$

$\therefore x=1$ 또는 $x=-\frac{1}{2}$

④ $\frac{1}{2}(x^2-1)=0$에서 $\frac{1}{2}(x+1)(x-1)=0$

$\therefore x=-1$ 또는 $x=1$

⑤ $-\frac{1}{2}(x^2+x-2)=0$에서 $-\frac{1}{2}(x+2)(x-1)=0$

$\therefore x=-2$ 또는 $x=1$

02 $(2x+1)(x-3)=x^2-9$에서

$2x^2-5x-3=x^2-9,\ x^2-5x+6=0$

$(x-2)(x-3)=0$

$\therefore x=2$ 또는 $x=3$

03 $6x^2+7x-3=0$에서 $(3x-1)(2x+3)=0$

$\therefore x=\frac{1}{3}$ 또는 $x=-\frac{3}{2}$

$A=\frac{1}{3}+\left(-\frac{3}{2}\right)=-\frac{7}{6},\ B=\frac{1}{3}\times\left(-\frac{3}{2}\right)=-\frac{1}{2}$

$\therefore A+B=-\frac{7}{6}+\left(-\frac{1}{2}\right)=-\frac{5}{3}$

04 $3x^2-16x-12=0$에서 $(3x+2)(x-6)=0$

$\therefore x=-\frac{2}{3}$ 또는 $x=6$

따라서 두 근의 곱은 $-\frac{2}{3}\times6=-4$이다.

$x=-4$를 $x^2+3x+k=0$에 대입하면

$(-4)^2+3\times(-4)+k=0$

$\therefore k=-4$

05 $2x^2+x-3=0$에서 $(2x+3)(x-1)=0$

$\therefore x=-\frac{3}{2}$ 또는 $x=1$

$(x-2)^2=x$, $x^2-5x+4=0$

$(x-1)(x-4)=0$

$\therefore x=1$ 또는 $x=4$

따라서 공통인 해는 $x=1$이다.

06 (완전제곱식)$=0$의 꼴로 인수분해되려면

$4m+5=\left(\frac{-10}{2}\right)^2$, $4m+5=25$

$\therefore m=5$

07 (완전제곱식)$=0$의 꼴로 인수분해되려면

$16=\{-(m+1)\}^2$, $16=m^2+2m+1$, $m^2+2m-15=0$

$(m-3)(m+5)=0$

$\therefore m=3$ 또는 $m=-5$

따라서 모든 상수 m의 값의 합은 $3+(-5)=-2$

08 $16x^2-25=0$에서 $16x^2=25$

$x^2=\frac{25}{16}$ $\quad\therefore x=\pm\sqrt{\frac{25}{16}}=\pm\frac{5}{4}$

09 $(x+1)^2-\frac{3}{4}=0$에서 $(x+1)^2=\frac{3}{4}$

$x+1=\pm\sqrt{\frac{3}{4}}$, $x=-1\pm\frac{\sqrt{3}}{2}$

$\therefore x=\frac{-2\pm\sqrt{3}}{2}$

10 $3(x+2)^2-21=0$에서

$(x+2)^2=7$, $x+2=\pm\sqrt{7}$

$\therefore x=-2\pm\sqrt{7}$

11 $4(x-a)^2-20=0$에서 $(x-a)^2=5$

$x-a=\pm\sqrt{5}$ $\quad\therefore x=a\pm\sqrt{5}$

따라서 $a=3$, $b=5$이므로

$a+b=3+5=8$

12 $2x^2-3x+1=0$에서 $x^2-\frac{3}{2}x+\frac{1}{2}=0$

$x^2-\frac{3}{2}x=-\frac{1}{2}$, $x^2-\frac{3}{2}x+\frac{9}{16}=-\frac{1}{2}+\frac{9}{16}$

$\left(x-\frac{3}{4}\right)^2=\frac{1}{16}$ $\quad\therefore p=\frac{3}{4}$, $q=\frac{1}{16}$

$\therefore p+q=\frac{3}{4}+\frac{1}{16}=\frac{13}{16}$

13 $x^2+10x-7=p$에서 $x^2+10x=p+7$

$x^2+10x+25=p+7+25$, $(x+5)^2=p+32$

$\therefore x=-5\pm\sqrt{p+32}$

이때, $x=a\pm2\sqrt{10}=a\pm\sqrt{40}$이므로 $a=-5$

$p+32=40$에서 $p=8$

$\therefore a+p=-5+8=3$

14 [단계 ❶] x의 계수와 상수항을 바꾸어 놓은 이차방정식은

$x^2+2ax+(a+2)=0$이므로

$x=-1$을 $x^2+2ax+(a+2)=0$에 대입하면

$(-1)^2+2a\times(-1)+(a+2)=0$

$1-2a+a+2=0$ $\quad\therefore a=3$

[단계 ❷] $a=3$을 $x^2+(a+2)x+2a=0$에 대입하면

$x^2+5x+6=0$

[단계 ❸] $(x+2)(x+3)=0$

$\therefore x=-2$ 또는 $x=-3$

채점 기준	배점
❶ 상수 a의 값 구하기	40 %
❷ 처음 이차방정식 구하기	30 %
❸ 처음 이차방정식의 해 구하기	30 %

15 $2x^2-7x+3=0$에서 $(2x-1)(x-3)=0$

$\therefore x=\frac{1}{2}$ 또는 $x=3$

$3x^2-8x-3=0$에서 $(3x+1)(x-3)=0$

$\therefore x=-\frac{1}{3}$ 또는 $x=3$

따라서 공통인 근은 $x=3$이다. ...... ❶

$x=3$을 $4x^2+ax-9=0$에 대입하면

$4\times3^2+3a-9=0$ $\quad\therefore a=-9$ ...... ❷

$4x^2-9x-9=0$, $(4x+3)(x-3)=0$

$\therefore x=-\frac{3}{4}$ 또는 $x=3$

따라서 다른 한 근은 $x=-\frac{3}{4}$이다. ...... ❸

채점 기준	배점
❶ 두 이차방정식의 공통인 근 구하기	40 %
❷ 상수 a의 값 구하기	30 %
❸ 다른 한 근 구하기	30 %

12. 이차방정식의 근의 공식과 활용

128~129쪽

01 ②	02 ②	03 ④	04 ⑤
05 ①	06 ②	07 ③	08 ①
09 ④	10 ③	11 ⑤	12 ④
13 30 m	14 $x=-2$ 또는 $x=6$	15 5 cm	

01 $(x+3)(x-4)=-7x-11$에서 $x^2-x-12=-7x-11$
$x^2+6x-1=0$
$\therefore x=-3\pm\sqrt{3^2-1\times(-1)}=-3\pm\sqrt{10}$

02 $x=\dfrac{-1\pm\sqrt{1^2-5\times(-1)}}{5}=\dfrac{-1\pm\sqrt{6}}{5}$
따라서 $A=-1$, $B=6$이므로 $A+B=-1+6=5$

03 양변에 12를 곱하면 $4x^2+2x-3=0$
$\therefore x=\dfrac{-1\pm\sqrt{1^2-4\times(-3)}}{4}=\dfrac{-1\pm\sqrt{13}}{4}$

04 양변에 10을 곱하면 $2x^2+x-4=0$
$\therefore x=\dfrac{-1\pm\sqrt{1^2-4\times2\times(-4)}}{2\times2}=\dfrac{-1\pm\sqrt{33}}{4}$
따라서 $p=-1$, $q=11$이므로 $p+q=-1+11=10$

05 양변에 10을 곱하면 $3x^2-5x+2=0$
$(x-1)(3x-2)=0$ $\therefore x=1$ 또는 $x=\dfrac{2}{3}$
따라서 두 근의 차는 $1-\dfrac{2}{3}=\dfrac{1}{3}$

06 $x+2=A$라 하면 $2A^2+3A-5=0$
$(A-1)(2A+5)=0$ $\therefore A=1$ 또는 $A=-\dfrac{5}{2}$
$A=x+2$이므로 $x+2=1$ 또는 $x+2=-\dfrac{5}{2}$
$\therefore x=-1$ 또는 $x=-\dfrac{9}{2}$
따라서 구하는 합은 $-1+\left(-\dfrac{9}{2}\right)=-\dfrac{11}{2}$

07 ① $(-3)^2-4\times1\times5=-11<0$ (근이 없다.)
② $6^2-4\times1\times9=0$ (근이 1개)
③ $(-5)^2-4\times1\times(-4)=41>0$ (근이 2개)
④ $3^2-4\times2\times6=-39<0$ (근이 없다.)
⑤ $(-6)^2-4\times3\times3=0$ (근이 1개)

08 $(-12)^2-4\times9\times k=0$이므로
$144-36k=0$ $\therefore k=4$

09 $2(x+2)(x-3)=0$이므로 $2x^2-2x-12=0$
따라서 $a=-2$, $b=-12$이므로 $a-b=-2-(-12)=10$

10 다솜이의 생일의 날짜를 x일이라 하면 민우의 생일의 날짜는 $(x+7)$일이므로 $x(x+7)=368$, $x^2+7x-368=0$
$(x+23)(x-16)=0$ $\therefore x=-23$ 또는 $x=16$
$x>0$이므로 $x=16$
따라서 다솜이와 민우의 생일은 각각 16일, 23일이므로 두 사람의 생일의 날짜의 합은 $16+23=39$(일)이다.

11 땅에 떨어질 때의 높이는 0이므로
$0=30+25t-5t^2$, $t^2-5t-6=0$
$(t+1)(t-6)=0$ $\therefore t=-1$ 또는 $t=6$
$t>0$이므로 $t=6$
따라서 폭죽이 땅에 떨어지는 것은 6초 후이다.

12 넓이가 처음과 같아지는 데 걸리는 시간을 x초라 하면
$(24-x)(20+2x)=24\times20$, $x^2-14x=0$
$x(x-14)=0$ $\therefore x=0$ 또는 $x=14$
$x>0$이므로 $x=14$
따라서 넓이가 처음과 같아지는 데는 14초가 걸린다.

13 밭의 가로의 길이를 x m라 하면 세로의 길이는 $(x-5)$ m이다.
$(x-3)(x-7)=621$, $x^2-10x-600=0$
$(x+20)(x-30)=0$ $\therefore x=-20$ 또는 $x=30$
$x>7$이므로 $x=30$
따라서 처음 밭의 가로의 길이는 30 m이다.

14 민수가 푼 이차방정식은
$(x+4)(x-3)=0$ $\therefore x^2+x-12=0$
x의 계수를 잘못 보고 상수항을 제대로 보았으므로 $c=-12$ …… ❶

지혜가 푼 이차방정식은
$(x+1)(x-5)=0$ $\therefore x^2-4x-5=0$
상수항을 잘못 보고 x의 계수는 제대로 보았으므로 $b=-4$ …… ❷

따라서 처음 이차방정식은 $x^2-4x-12=0$
$(x+2)(x-6)=0$ $\therefore x=-2$ 또는 $x=6$ …… ❸

채점 기준	배점
❶ c의 값 구하기	30 %
❷ b의 값 구하기	30 %
❸ 바른 이차방정식의 해 구하기	40 %

15 큰 정사각형의 한 변의 길이를 x cm라 하면 작은 정사각형의 한 변의 길이는 $(8-x)$ cm이다.

$x^2+(8-x)^2=34,\ x^2-8x+15=0$ …… ❶

$(x-3)(x-5)=0$

$\therefore x=3$ 또는 $x=5$ …… ❷

$x>4$이므로 $x=5$

따라서 큰 정사각형의 한 변의 길이는 5 cm이다. …… ❸

채점 기준	배점
❶ 이차방정식 세우기	30 %
❷ 이차방정식의 해 구하기	40 %
❸ 큰 정사각형의 한 변의 길이 구하기	30 %

Ⅱ. 이차방정식 내·신·만·점·도·전·하·기 130~133쪽

01 ③	02 ⑤	03 ④	04 ③
05 ①	06 ⑤	07 ③	08 ②
09 ④	10 ③	11 ②	12 ①
13 ③	14 ②	15 ④	16 ③
17 $\frac{1}{3}$	18 $x=\frac{8}{3}$ 또는 $x=4$		
19 $-\frac{4}{5}\le k<\frac{1}{5}$		20 $x=-6$ 또는 $x=2$	
21 10	22 4초	23 6 cm	24 3초 후

01 ㄱ. $-x=0$ (일차방정식)

ㄴ. $\frac{1}{2}x^2-3x+\frac{1}{2}=0$ (이차방정식)

ㄷ. $x^2-x-2=0$ (이차방정식)

ㄹ. $4x-2=0$ (일차방정식)

ㅁ. $x^2+6x=0$ (이차방정식)

따라서 이차방정식은 모두 3개이다.

02 ① $1^2+1\neq0$

② $2\times3^2-3\times3\neq0$

③ $(-2)^2-3\times(-2)+2\neq0$

④ $3\times\left(\frac{1}{3}\right)^2-5\times\frac{1}{3}+2\neq0$

⑤ $2\times\left(-\frac{1}{2}\right)^2+2\times\left(-\frac{1}{2}\right)+\frac{1}{2}=0$

따라서 [ ] 안의 수가 주어진 이차방정식의 해인 것은 ⑤이다.

03 $3x^2+7x-6=0$에서 $(3x-2)(x+3)=0$

$\therefore x=\frac{2}{3}$ 또는 $x=-3$

04 $6x^2-x-1=0$에서 $(3x+1)(2x-1)=0$

$\therefore x=-\frac{1}{3}$ 또는 $x=\frac{1}{2}$

$m<n$이므로 $m=-\frac{1}{3},\ n=\frac{1}{2}$

$\therefore 3m+2n=3\times\left(-\frac{1}{3}\right)+2\times\frac{1}{2}=0$

05 $(2x-1)^2-(x+1)^2=0$에서

$4x^2-4x+1-(x^2+2x+1)=0,\ 3x^2-6x=0$

$x^2-2x=0,\ x(x-2)=0$

$\therefore x=0$ 또는 $x=2$

06 $x^2-4x+2a=4x-6$을 정리하면

$x^2-8x+2a+6=0$

이 이차방정식이 (완전제곱식)=0의 꼴로 인수분해되려면

$2a+6=\left(\frac{-8}{2}\right)^2,\ 2a+6=16 \qquad \therefore a=5$

07 $4(x+3)^2-20=0$에서 $4(x+3)^2=20$

$(x+3)^2=5,\ x+3=\pm\sqrt{5}$

$\therefore x=-3\pm\sqrt{5}$

08 $x=-1$을 $ax^2+(a^2-1)x+5=0$에 대입하면

$a\times(-1)^2+(a^2-1)\times(-1)+5=0,\ a-a^2+6=0$

$a^2-a-6=0,\ (a-3)(a+2)=0$

$\therefore a=3$ 또는 $a=-2$

$a>0$이므로 $a=3$

$a=3$을 $ax^2+(a^2-1)x+5=0$에 대입하면

$3x^2+8x+5=0,\ (x+1)(3x+5)=0$

$\therefore x=-1$ 또는 $x=-\frac{5}{3}$

따라서 다른 한 근은 $x=-\frac{5}{3}$이다.

09 $x^2-5x+2=0$에서 $x^2-5x=-2$

$x^2-5x+\frac{25}{4}=-2+\frac{25}{4},\ \left(x-\frac{5}{2}\right)^2=\frac{17}{4}$

따라서 $a=-\frac{5}{2},\ b=\frac{17}{4}$이므로

$2a+4b=2\times\left(-\frac{5}{2}\right)+4\times\frac{17}{4}$

$=-5+17=12$

10 $ax^2+5x+1=0$에서

$x=\dfrac{-5\pm\sqrt{25-4a}}{2a}=\dfrac{-5\pm\sqrt{k}}{6}$

즉, $25-4a=k$에서 $2a=6$이므로 $a=3$, $k=13$

$\therefore a+k=3+13=16$

11 양변에 10을 곱하면 $2x^2-6x+3=0$

$\therefore x=\dfrac{-(-3)\pm\sqrt{(-3)^2-2\times3}}{2}=\dfrac{3\pm\sqrt{3}}{2}$

12 양변에 6을 곱하면 $2x^2-3x-1=0$

$\therefore x=\dfrac{-(-3)\pm\sqrt{(-3)^2-4\times2\times(-1)}}{2\times2}=\dfrac{3\pm\sqrt{17}}{4}$

따라서 $a=3$, $b=17$이므로

$a+b=3+17=20$

13 $x+1=A$로 치환하면

$3A^2-7A+2=0$, $(3A-1)(A-2)=0$

$\therefore A=\dfrac{1}{3}$ 또는 $A=2$

$x+1=\dfrac{1}{3}$ 또는 $x+1=2$이므로

$x=-\dfrac{2}{3}$ 또는 $x=1$

14 $(-4)^2-4(k-1)>0$이므로 $20-4k>0$

$\therefore 5>k$

따라서 가장 큰 정수 k의 값은 4이다.

15 펼친 책의 왼쪽 면의 쪽수를 x라고 하면 오른쪽 면의 쪽수는 $x+1$이므로

$x(x+1)=272$, $x^2+x-272=0$

$(x-16)(x+17)=0$ $\therefore x=16$ 또는 $x=-17$

이때 $x>0$이어야 하므로 $x=16$

따라서 펼친 두 면의 쪽수는 각각 16, 17이므로 두 면의 쪽수의 합은 $16+17=33$

16 길의 폭을 x m라 하면

$30x+20x-x^2=141$, $x^2-50x+141=0$

$(x-3)(x-47)=0$

$\therefore x=3$ 또는 $x=47$

$x<20$이므로 $x=3$

따라서 길의 폭은 3 m이다.

17 $x^2-6x+8=0$에서 $(x-2)(x-4)=0$

$\therefore x=2$ 또는 $x=4$

(i) $x=2$일 때, 두 개의 주사위 눈의 수의 순서쌍은

(1, 3), (2, 4), (3, 5), (4, 6), (6, 4), (5, 3), (4, 2), (3, 1)의 8개

(ii) $x=4$일 때, 두 개의 주사위 눈의 수의 순서쌍은

(1, 5), (2, 6), (6, 2), (5, 1)의 4개

(i), (ii)에서 구하는 확률은 $\dfrac{8+4}{36}=\dfrac{1}{3}$

18 $x-3=A$로 치환하면 $\dfrac{1}{2}A^2-\dfrac{1}{3}A-\dfrac{1}{6}=0$

양변에 6을 곱하면 $3A^2-2A-1=0$, $(3A+1)(A-1)=0$

$\therefore A=-\dfrac{1}{3}$ 또는 $A=1$

즉, $x-3=-\dfrac{1}{3}$ 또는 $x-3=1$이므로

$x=\dfrac{8}{3}$ 또는 $x=4$

19 (i) $5x^2-4x-k=0$이 해를 가질 조건은

$(-4)^2-4\times5\times(-k)=16+20k\geq0$

$\therefore k\geq-\dfrac{4}{5}$ …… ❶

(ii) $(k-1)x^2+4x-5=0$이 해를 갖지 않을 조건은

$4^2-4\times(k-1)\times(-5)=16+20k-20<0$

$\therefore k<\dfrac{1}{5}$ …… ❷

(i), (ii)에서 $-\dfrac{4}{5}\leq k<\dfrac{1}{5}$ …… ❸

채점 기준	배점
❶ 해를 가질 조건 구하기	40 %
❷ 해를 갖지 않을 조건 구하기	40 %
❸ k의 값의 범위 구하기	20 %

20 동호가 푼 이차방정식의 해는 $x=-3$ 또는 $x=4$이므로

$(x+3)(x-4)=0$, $x^2-x-12=0$

즉, 이차방정식의 상수항은 -12이다. …… ❶

한결이가 푼 이차방정식의 해는 $x=-7$ 또는 $x=3$이므로

$(x+7)(x-3)=0$, $x^2+4x-21=0$

즉, 이차방정식의 일차항의 계수는 4이다. …… ❷

따라서 처음에 주어진 이차방정식은 $x^2+4x-12=0$

$(x+6)(x-2)=0$ $\therefore x=-6$ 또는 $x=2$ …… ❸

채점 기준	배점
❶ 이차방정식의 상수항 구하기	40 %
❷ 이차방정식의 일차항의 계수 구하기	40 %
❸ 처음에 주어진 이차방정식의 해 구하기	20 %

21 두 근을 α, $\alpha+4$라 하면
두 근의 합은 $\alpha+(\alpha+4)=2a$, $\alpha=a-2$ $\cdots$ ㉠
두 근의 곱은 $\alpha(\alpha+4)=10a-4$ $\cdots$ ㉡
㉠을 ㉡에 대입하면
$(a-2)(a-2+4)=10a-4$
$a^2-4=10a-4$, $a^2-10a=0$
$a(a-10)=0$ $\quad \therefore a=10$ $(\because a>0)$

22 $40t-5t^2=60$이므로 $5t^2-40t+60=0$
$t^2-8t+12=0$, $(t-2)(t-6)=0$
$\therefore t=2$ 또는 $t=6$
따라서 2초부터 6초까지이므로 4초 동안이다.

23 지름이 $\overline{AC}$인 반원의 반지름의 길이를 x cm라 하면 지름이 $\overline{BC}$인 반원의 반지름의 길이는 $(5-x)$ cm이므로
(색칠한 부분의 넓이)=(지름이 $\overline{AB}$인 반원의 넓이)
−(지름이 $\overline{AC}$인 반원의 넓이)
−(지름이 $\overline{BC}$인 반원의 넓이)
$6\pi=\frac{1}{2}\pi\times5^2-\frac{1}{2}\pi x^2-\frac{1}{2}\pi(5-x)^2$ ...... ❶
$x^2-5x+6=0$, $(x-2)(x-3)=0$
$\therefore x=2$ 또는 $x=3$ ...... ❷
$x>2.5$이므로 $x=3$
$\therefore \overline{AC}=2x=2\times3=6$(cm) ...... ❸

채점 기준	배점
❶ 이차방정식 세우기	40 %
❷ 이차방정식의 해 구하기	30 %
❸ $\overline{AC}$의 길이 구하기	30 %

24 x초 후에 $\overline{PB}$, $\overline{BQ}$의 길이를 구해 보면
$\overline{PB}=(12-2x)$ cm, $\overline{BQ}=3x$ cm이므로
$\frac{1}{2}\times(12-2x)\times3x=27$, $x^2-6x+9=0$
$(x-3)^2=0$ $\quad \therefore x=3$
따라서 출발한 지 3초 후에 삼각형 PBQ의 넓이가 27 cm^2가 된다.

13. 이차함수의 뜻과 이차함수 $y=ax^2$의 그래프

134~135쪽

01 ④	02 ②	03 ①	04 ⑤
05 ②	06 ④	07 ⑤	08 ④
09 ④	10 ①	11 ③	12 ③
13 ④	14 −2	15 $\frac{1}{12}$	

01 ① $y=2x$ (일차함수)
② $y=x-1$ (일차함수)
③ $y=x^2+2x+1-x^2=2x+1$ (일차함수)
④ $y=1-x^2=-x^2+1$ (이차함수)
⑤ $y=x^2(x-1)=x^3-x^2$ (이차함수가 아니다.)

02 ① $y=\frac{1}{2}\times4\times x$ $\quad \therefore y=2x$ (일차함수)
② $y=\pi x^2$ (이차함수)
③ $y=4x$ (일차함수)
④ $y=2(x+1)+2x$ $\quad \therefore y=4x+2$ (일차함수)
⑤ $y=\frac{1}{2}\times(x+2x)\times6$ $\quad \therefore y=9x$ (일차함수)

03 $f(x)=x^2+2x-3$에서
$f(-1)=(-1)^2+2\times(-1)-3$
$=-4$

04 $f(x)=2x^2-5x-3$에서
$f(a)=2a^2-5a-3=-5$, $2a^2-5a+2=0$
$(2a-1)(a-2)=0$ $\quad \therefore a=\frac{1}{2}$ 또는 $a=2$
그런데 a는 정수이므로 $a=2$

05 $f(-1)=1-a+b=4$, $-a+b=3$ ...... ㉠
$f(2)=4+2a+b=1$, $2a+b=-3$ ...... ㉡
㉠, ㉡을 연립하여 풀면 $a=-2$, $b=1$
$\therefore a+b=-2+1=-1$

06 ① $x=-4$를 대입하면 $y=-\frac{3}{2}\times(-4)^2=-24$
따라서 점 $(-4, -24)$는 그래프 위의 점이다.
② $x=-2$를 대입하면 $y=-\frac{3}{2}\times(-2)^2=-6$
따라서 점 $(-2, -6)$은 그래프 위의 점이다.
③ $x=0$을 대입하면 $y=-\frac{3}{2}\times0^2=0$
따라서 점 $(0, 0)$은 그래프 위의 점이다.

④ $x=-1$을 대입하면 $y=-\frac{3}{2}\times(-1)^2=-\frac{3}{2}$

따라서 점 $\left(-1, \frac{3}{2}\right)$은 그래프 위의 점이 아니다.

⑤ $x=2$를 대입하면 $y=-\frac{3}{2}\times 2^2=-6$

따라서 점 $(2, -6)$은 그래프 위의 점이다.

07 이차함수의 식을 $y=ax^2$으로 놓으면 점 $(-2, 3)$을 지나므로

$3=a\times(-2)^2$, $a=\frac{3}{4}$ $\therefore y=\frac{3}{4}x^2$

08 ① 위로 볼록한 포물선이다.

② 점 $(-2, -2)$를 지난다.

③ $y=\frac{1}{2}x^2$의 그래프와 x축에 대칭이다.

⑤ $x<0$일 때, x의 값이 증가하면 y의 값도 증가한다.

09 ④ a의 절댓값이 클수록 그래프의 폭이 좁다.

10 이차함수의 식을 $y=ax^2$으로 놓으면 점 $(2, -4)$를 지나므로

$-4=a\times 2^2$ $\therefore a=-1$

따라서 $y=-x^2$이므로 x축에 대칭인 이차함수의 식은 $y=x^2$이다.

11 $y=ax^2$의 그래프에서 아래로 볼록하므로 $a>0$

폭이 가장 넓은 것은 a의 절댓값이 가장 작은 것이므로

③ $y=\frac{1}{2}x^2$이다.

12 이차함수의 그래프가 원점을 꼭짓점으로 하고, 위로 볼록하므로 $y=ax^2$에서 $a<0$이다.

또, $y=-x^2$보다 그래프의 폭이 넓으므로 a의 절댓값이 1보다 작다.

따라서 a의 값이 될 수 있는 것은 ③ $-\frac{1}{2}$이다.

13 포물선이 아래로 볼록하므로 $a>0$이고, $y=2x^2$의 그래프보다 폭이 넓으므로 a의 절댓값이 2보다 작다.

$\therefore 0<a<2$

14 [단계 ❶] 이차함수 $y=ax^2$의 그래프가 점 $(-3, 6)$을 지나므로

$6=a\times(-3)^2$, $a=\frac{2}{3}$

$\therefore y=\frac{2}{3}x^2$

[단계 ❷] $y=\frac{2}{3}x^2$의 그래프와 x축에 대칭인 이차함수의 식은

$y=-\frac{2}{3}x^2$

[단계 ❸] 이차함수 $y=-\frac{2}{3}x^2$의 그래프가 점 $(2, k)$를 지나므로

$k=-\frac{2}{3}\times 2^2=-\frac{8}{3}$

$\therefore a+k=\frac{2}{3}+\left(-\frac{8}{3}\right)=-2$

채점 기준	배점
❶ 이차함수 $y=ax^2$의 그래프의 식 구하기	40 %
❷ x축에 대칭인 이차함수의 식 구하기	40 %
❸ $a+k$의 값 구하기	20 %

15 이차함수의 식을 $y=ax^2$로 놓으면 점 $(3, 3)$을 지나므로

$3=a\times 3^2$ $\therefore a=\frac{1}{3}$

$\therefore y=f(x)=\frac{1}{3}x^2$ …… ❶

$\therefore f\left(-\frac{1}{2}\right)=\frac{1}{3}\times\left(-\frac{1}{2}\right)^2=\frac{1}{12}$ …… ❷

채점 기준	배점
❶ 이차함수의 식 구하기	50 %
❷ $f\left(-\frac{1}{2}\right)$의 값 구하기	50 %

14. 이차함수의 그래프

136~137쪽

01 ④	02 ③	03 ②	04 ①
05 ⑤	06 ①	07 ⑤	08 ②
09 ⑤	10 ②	11 ④	12 제1 사분면
13 10	14 5		

01 $y=-\frac{5}{2}x^2$의 그래프를 y축의 방향으로 q만큼 평행이동하면

$y=-\frac{5}{2}x^2+q$

이 그래프가 점 $(-2, -8)$을 지나므로

$-8=-\frac{5}{2}\times(-2)^2+q$ $\therefore q=2$

02 $y=\frac{1}{3}(x-1)^2$의 그래프는 아래로 볼록하고, 축의 방정식이 $x=1$이다.

따라서 $x>1$에서 x의 값이 증가할 때, y의 값도 증가한다.

03 $y=-2x^2$의 그래프를 x축의 방향으로 3만큼 평행이동하면
$y=-2(x-3)^2$
이 그래프가 점 $(2, k)$를 지나므로
$k=-2\times(2-3)^2=-2$

04 축의 방정식이 $x=-2$이므로
$y=a(x+2)^2-1 \quad \therefore p=-2$
$y=a(x+2)^2-1$의 그래프가 점 $(-1, -4)$를 지나므로
$-4=a(-1+2)^2-1 \quad \therefore a=-3$
$\therefore a+p=-3+(-2)=-5$

05 꼭짓점의 좌표가 $(2, -1)$이므로 이차함수의 식을
$y=a(x-2)^2-1$로 놓을 수 있다.
$\therefore p=2,\ q=-1$
$y=a(x-2)^2-1$의 그래프가 점 $(0, 2)$를 지나므로
$2=a(0-2)^2-1 \quad \therefore a=\frac{3}{4}$
$\therefore a+p+q=\frac{3}{4}+2+(-1)=\frac{7}{4}$

06 $y=-\frac{2}{3}(x+1)^2+4$의 그래프를 x축의 방향으로 m만큼, y축의 방향으로 n만큼 평행이동한 그래프의 식은
$y=-\frac{2}{3}(x+1-m)^2+4+n$
$1-m=0,\ 4+n=0$에서 $m=1,\ n=-4$
$\therefore m+n=-3$

07 평행이동한 그래프의 식은
$y=3(x-1+2)^2+2-4=3(x+1)^2-2$
이 그래프가 점 $(1, a)$를 지나므로
$a=3\times(1+1)^2-2=10$

08 $y=-2(x+1)^2+3$의 그래프를 x축에 대하여 대칭이동한 그래프의 식은
$y=2(x+1)^2-3$

09 ① $y=3x^2$의 그래프를 x축의 방향으로 -1만큼, y축의 방향으로 -2만큼 평행이동한 그래프이다.
② $y=3x^2$의 그래프와 포물선의 폭이 같다.
③ 꼭짓점의 좌표는 $(-1, -2)$이다.
④ 축의 방정식은 $x=-1$이다.

10 ② 폭이 가장 좁은 것은 ㄹ이다.

11 주어진 $y=ax+b$의 그래프에서 $a>0,\ b<0$
즉, $y=bx^2+a$의 그래프로 적당한 것은 ④이다.

12 $a<0,\ p>0,\ q>0$
이때 $y=(x+a)^2+p$의 그래프의 꼭짓점의 좌표는 $(-a, p)$이고 $-a>0,\ p>0$이므로 꼭짓점은 제 1사분면 위에 있다.

13 [단계 ❶] 두 이차함수의 그래프가 모두 점 $B(-2, 0)$을 지나므로
$0=-\frac{1}{4}\times(-2)^2+m,\ 0=(-2)^2+n$
$\therefore m=1,\ n=-4$
[단계 ❷] $y=-\frac{1}{4}x^2+1,\ y=x^2-4$이므로 $A(0, 1),\ C(0, -4)$
이때 두 점 B, D는 y축에 대칭이므로
$D(2, 0)$
[단계 ❸] $\therefore \square ABCD=\frac{1}{2}\times4\times1+\frac{1}{2}\times4\times4=10$

채점 기준	배점
❶ m, n의 값 각각 구하기	40 %
❷ 점 A, C, D의 좌표 각각 구하기	30 %
❸ □ABCD의 넓이 구하기	30 %

14 $y=-3x^2+12$의 그래프가 x축과 만나는 점의 x좌표는
$0=-3x^2+12 \quad \therefore x=\pm2$
이때 $p>0$이므로 $p=2$ …… ❶
따라서 $y=a(x-2)^2$의 그래프가 점 $(0, 12)$를 지나므로
$12=a(0-2)^2 \quad \therefore a=3$ …… ❷
$\therefore a+p=3+2=5$ …… ❸

채점 기준	배점
❶ p의 값 구하기	40 %
❷ a의 값 구하기	40 %
❸ $a+p$의 값 구하기	20 %

15. 이차함수의 활용

138~139쪽

01 ②	02 ②	03 ⑤	04 ⑤
05 ③	06 ⑤	07 ②	08 $(0, -7)$
09 ③	10 ③	11 ⑤	12 ③
13 $(-1, 2)$	14 27		

01 $y=-\frac{1}{2}x^2-2x+6$에 $y=0$을 대입하면

$0=-\frac{1}{2}x^2-2x+6$, $x^2+4x-12=0$, $(x+6)(x-2)=0$

$\therefore x=-6$ 또는 $x=2$

$\therefore p=-6, q=2$ 또는 $p=2, q=-6$

또 $y=-\frac{1}{2}x^2-2x+6$에 $x=0$을 대입하면 $y=6$ $\quad\therefore r=6$

$\therefore p+q+r=2+(-6)+6=2$

02 $y=-3x^2+12x+k=-3(x-2)^2+12+k$

따라서 이 그래프의 꼭짓점의 좌표가 $(2, 12+k)=(2, 8)$이므로

$12+k=8 \quad \therefore k=-4$

03 $y=-2x^2-2x+a-3=-2\left(x+\frac{1}{2}\right)^2+a-\frac{5}{2}$

이 그래프가 x축과 만나지 않으려면

$a-\frac{5}{2}<0 \quad \therefore a<\frac{5}{2}$

04 ① $y=(x+1)^2-1$ ⇨ 제1, 2, 3사분면

② $y=(x-2)^2+2$ ⇨ 제1, 2사분면

③ $y=-3(x-1)^2+1$ ⇨ 제1, 3, 4사분면

④ $y=\frac{1}{2}(x-4)^2-3$ ⇨ 제1, 2, 4사분면

⑤ $y=-\frac{1}{3}x^2+2x+1=-\frac{1}{3}(x-3)^2+4$

의 그래프의 꼭짓점의 좌표는 (3, 4)이고 y축과의 교점의 좌표는 (0, 1)이므로 모든 사분면을 지난다.

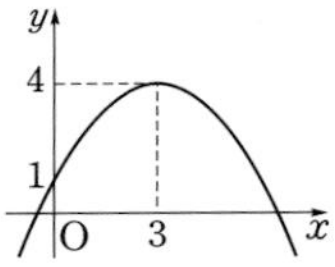

05 $y=-x^2+4x-3=-(x-2)^2+1$

③ 제2사분면을 지나지 않는다.

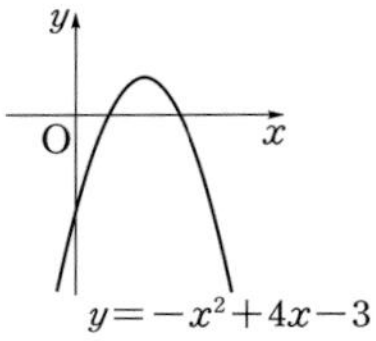

06 꼭짓점의 좌표가 (−1, −3)이므로 이차함수의 식을

$y=a(x+1)^2-3$으로 놓으면

점 (1, −11)을 지나므로

$-11=a\times(1+1)^2-3 \quad \therefore a=-2$

$y=-2(x+1)^2-3=-2x^2-4x-5$

$\therefore a=-2, b=-4, c=-5$

$\therefore a+b-c=-2+(-4)-(-5)=-1$

07 꼭짓점의 좌표가 (2, −1)이므로 이차함수의 식을

$y=a(x-2)^2-1$로 놓으면 $y=x^2-x+3$의 그래프와 y축에서 만나므로 점 (0, 3)을 지난다.

$y=a(x-2)^2-1$의 그래프가 점 (0, 3)을 지나므로

$3=a(0-2)^2-1 \quad \therefore a=1$

$\therefore y=(x-2)^2-1=x^2-4x+3$

08 이차함수 $y=-x^2$의 그래프와 모양과 폭이 같고, 축의 방정식이 $x=-2$인 이차함수의 식을 $y=-(x+2)^2+q$로 놓자.

이 그래프가 점 (−1, −4)를 지나므로

$-4=-(-1+2)^2+q \quad \therefore q=-3$

$\therefore y=-(x+2)^2-3=-x^2-4x-7$

따라서 이 포물선이 y축과 만나는 점의 좌표는 (0, −7)이다.

09 축의 방정식이 $x=-1$이므로 이차함수의 식을

$y=a(x+1)^2+q$로 놓으면

점 (−2, −1)을 지나므로

$-1=a(-2+1)^2+q$, $a+q=-1$

점 (1, 5)를 지나므로

$5=a(1+1)^2+q$, $4a+q=5$

연립하여 풀면 $a=2$, $q=-3$

$\therefore y=2(x+1)^2-3=2x^2+4x-1$

10 이차함수의 식을 $y=ax^2+bx+c$로 놓으면

점 (0, 1)을 지나므로 $c=1$

점 (−1, 6)을 지나므로 $5=a-b$

점 (1, 2)를 지나므로 $1=a+b$

연립하여 풀면 $a=3, b=-2$

$\therefore y=3x^2-2x+1$

11 x축과의 두 교점이 (−2, 0), (1, 0)이므로 이차함수의 식을

$y=a(x+2)(x-1)$로 놓으면

점 (2, −12)를 지나므로

$-12=a(2+2)(2-1) \quad \therefore a=-3$

$\therefore y=-3(x+2)(x-1)=-3x^2-3x+6$

12 x축과의 교점이 (−1, 0), (5, 0)이므로 이차함수의 식을

$y=a(x+1)(x-5)$로 놓으면

점 (0, 5)를 지나므로

$5=a(0+1)(0-5) \quad \therefore a=-1$

$\therefore y=-(x+1)(x-5)=-x^2+4x+5$

$=-(x^2-4x+4-4)+5=-(x-2)^2+9$

따라서 꼭짓점의 좌표는 (2, 9)이다.

13 [단계 ❶] $y=-2x^2+8x-3$

$\therefore y=-2(x-2)^2+5$

[단계 ❷] x축의 방향으로 −3만큼, y축의 방향으로 −3만큼 평행이동하면

$y=-2(x-2+3)^2+5-3$

$\therefore y=-2(x+1)^2+2$

[단계 ❸] 따라서 꼭짓점의 좌표는 $(-1, 2)$이다.

채점 기준	배점
❶ $y=a(x-p)^2+q$의 꼴로 나타내기	40 %
❷ 평행이동한 그래프의 식 구하기	40 %
❸ 꼭짓점의 좌표 구하기	20 %

14 $y=x^2-4x-5$에서 $y=(x-2)^2-9$이므로 꼭짓점의 좌표는 A$(2, -9)$이다. …… ❶

$y=x^2-4x-5$에 $y=0$을 대입하면

$x^2-4x-5=0$, $(x+1)(x-5)=0$

$\therefore x=-1$ 또는 $x=5$

따라서 두 점 B, C의 좌표는 B$(-1, 0)$, C$(5, 0)$이다. …… ❷

$\therefore \triangle ABC=\frac{1}{2}\times6\times9=27$ …… ❸

채점 기준	배점
❶ 점 A의 좌표 구하기	40 %
❷ 두 점 B, C의 좌표 구하기	40 %
❸ △ABC의 넓이 구하기	20 %

Ⅳ. 이차함수 내·신·만·점·도·전·하·기

140~143쪽

01 ①, ③	02 ①	03 ④	04 ①
05 ②	06 ②	07 ②	08 ②
09 ②	10 ④	11 ②	12 ③
13 ②	14 ⑤	15 ④	16 $\frac{1}{3}\le a\le4$
17 $\frac{8}{3}$	18 12 m	19 4	20 5
21 8	22 제4사분면	23 1 : 1	

01 ① $y=x^2$ (이차함수)

② $y=\frac{1}{x}$ (이차함수가 아니다.)

③ $y=x^2+5x$ (이차함수)

④ $y=-x^2+x^2-x=-x$ (일차함수)

⑤ $y=x^2+6x+9-(x^2-6x+9)=12x$ (일차함수)

02 그래프가 색칠한 부분에 있는 이차함수의 식을 $y=ax^2$으로 놓으면

$-1<a<0$ 또는 $0<a<\frac{1}{2}$

따라서 색칠한 부분에 있지 않은 이차함수는 ①이다.

03 ④ $y=\frac{4}{3}x^2$의 그래프와 x축에 대칭이다.

04 점 $(-2, -5)$를 지나므로 $-5=4a+q$

점 $(1, 1)$을 지나므로 $1=a+q$

연립하여 풀면 $a=-2$, $q=3$

$\therefore a-q=-2-3=-5$

05 꼭짓점의 좌표가 $(2, 0)$이므로 $y=a(x-2)^2$으로 놓으면

점 $(3, 1)$을 지나므로 $1=a(3-2)^2$

$\therefore a=1$

$\therefore y=(x-2)^2$

06 ㄴ. 꼭짓점의 좌표는 $(p, 0)$이다.

ㅁ. $y=ax^2$의 그래프를 x축의 방향으로 p만큼 평행이동한 것이다.

따라서 옳은 것은 ㄱ, ㄷ, ㄹ이다.

07 평행이동한 그래프의 식은 $y=-2(x+3)^2+1$

이 그래프가 점 $(-2, k)$를 지나므로

$k=-2(-2+3)^2+1=-1$

08 꼭짓점의 좌표가 (a, b)이므로 $b=a$

이를 만족하는 점 (a, b)는 $(1, 1)$, $(2, 2)$, $(3, 3)$, $(4, 4)$, $(5, 5)$, $(6, 6)$의 6개이다.

따라서 구하는 확률은 $\frac{6}{36}=\frac{1}{6}$

09 포물선이 아래로 볼록하므로 $a>0$

꼭짓점이 제4사분면에 있으므로 $p>0$, $q<0$

10 ③ ㄱ, ㄴ의 그래프는 축의 방정식이 $x=0$이다.

④ ㄴ과 ㄹ의 x^2의 계수의 절댓값이 같지 않으므로 ㄴ의 그래프를 대칭이동 또는 평행이동하여 ㄹ의 그래프와 완전히 포갤 수 없다.

⑤ ㄷ, ㄹ의 그래프는 제3, 4사분면을 지난다.

11 $y=-3x^2-6x+1=-3(x^2+2x+1-1)+1$

$=-3(x+1)^2+4$

이므로 x의 값이 증가할 때, y의 값도 증가하는 x의 값의 범위는 $x<-1$이다.

12 $y=\frac{3}{2}x^2-3x+\frac{7}{2}$

$=\frac{3}{2}(x^2-2x+1-1)+\frac{7}{2}$

$=\frac{3}{2}(x-1)^2+2$

③ 꼭짓점의 좌표는 (1, 2)이다.

13 $y=x^2+2ax+4a+5=(x+a)^2-a^2+4a+5$

조건 (가)에서 $-a^2+4a+5=0$, $a^2-4a-5=0$

$(a-5)(a+1)=0$ $\quad\therefore a=5$ 또는 $a=-1$ ······ ㉠

또 조건 (나)에서 $-a>0$ $\quad\therefore a<0$ ······ ㉡

㉠, ㉡에서 $a=-1$

14 꼭짓점의 좌표가 (1, 2)인 이차함수의 식을

$y=a(x-1)^2+2$로 놓으면

점 (0, −1)을 지나므로 $-1=a(0-1)^2+2$

$\therefore a=-3$

$\therefore y=-3(x-1)^2+2$

15 x축과의 교점이 (−3, 0), (1, 0)이므로 이차함수의 식을

$y=a(x+3)(x-1)$로 놓으면

점 (0, −6)을 지나므로 $-6=a(0+3)(0-1)$

$\therefore a=2$

$\therefore y=2(x+3)(x-1)=2(x^2+2x-3)$

$=2(x^2+2x+1-1)-6$

$=2(x+1)^2-8$

따라서 꼭짓점의 좌표는 (−1, −8)이다.

16 점 B(3, 3)을 지날 때 $3=a\times3^2$ $\quad\therefore a=\frac{1}{3}$

점 D(1, 4)를 지날 때 $4=a\times1^2$ $\quad\therefore a=4$

따라서 $y=ax^2$의 그래프가 직사각형 ABCD의 둘레 위의 점과 만나기 위한 상수 a의 값의 범위는 $\frac{1}{3}\le a\le4$

17 점 D의 좌표를 $(a, a^2)(a>0)$이라 하면

$A(-a, a^2)$, $B\left(-a, -\frac{1}{2}a^2\right)$, $C\left(a, -\frac{1}{2}a^2\right)$ ······ ❶

$\overline{AD}=\overline{CD}$에서 $2a=\frac{3}{2}a^2$ $\quad\therefore a=0$ 또는 $a=\frac{4}{3}$

그런데 $a>0$이므로 $a=\frac{4}{3}$ ······ ❷

따라서 정사각형의 한 변의 길이는

$\overline{AD}=2a=2\times\frac{4}{3}=\frac{8}{3}$ ······ ❸

채점 기준	배점
❶ 점 A, B, C의 좌표 구하기	40 %
❷ a의 값 구하기	30 %
❸ 정사각형의 한 변의 길이 구하기	30 %

18 다음 그림과 같이 점 A를 원점으로 하는 좌표평면을 이용한다.

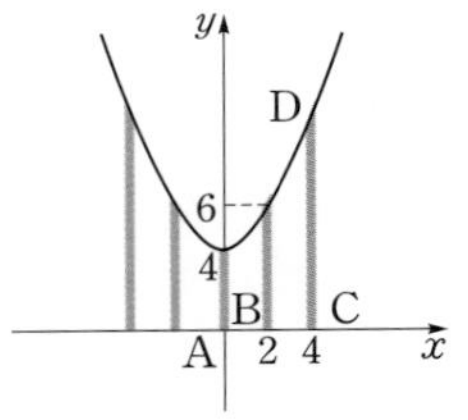

이 그래프는 아래로 볼록하고 점 (0, 4)를 지나므로

$y=ax^2+4$로 놓는다. 이 그래프가 점 (2, 6)을 지나므로

$6=4a+4$ $\quad\therefore a=\frac{1}{2}$

$\therefore y=\frac{1}{2}x^2+4$

따라서 점 D의 좌표는 (4, 12)이므로 C지점에서의 기둥의 높이는 12 m이다.

19 두 이차함수의 그래프의 폭이 같으므로 빗금친 ㉠의 넓이와 ㉡의 넓이는 같다.

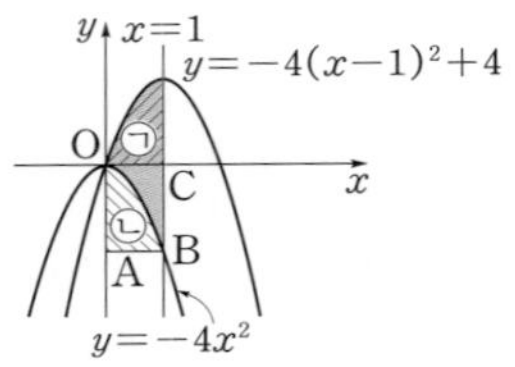

따라서 색칠한 부분의 넓이는

□OABC의 넓이와 같다.

이때 B(1, −4), C(1, 0)이므로

□OABC$=\overline{OA}\times\overline{OC}=4\times1=4$

20 $y=-x^2-4x+k=-(x^2+4x+4-4)+k$

$=-(x+2)^2+k+4$

축의 방정식이 $x=-2$이고, x축과의 교점 사이의 거리가 6이므로 x축과의 교점의 좌표는 (−5, 0), (1, 0)이다.

$y=-x^2-4x+k$의 그래프가 점 (1, 0)을 지나므로

$0=-1^2-4\times1+k$

$\therefore k=5$

21 축의 방정식이 $x=2$이므로 점 B의 좌표는 B(4, 0)이다. ······ ❶

이 그래프가 x축 위의 점 (0, 0)과 (4, 0)을 각각 지나므로

$y=x(x-4)=x^2-4x$

$=x^2-4x+4-4$

$=(x-2)^2-4$

$\therefore A(2, -4)$ ······ ❷

$\therefore \triangle OAB=\frac{1}{2}\times4\times4=8$ ······ ❸

채점 기준	배점
❶ 점 B의 좌표 구하기	20 %
❷ 점 A의 좌표 구하기	40 %
❸ △OAB의 넓이 구하기	40 %

22 이차함수의 식을 $y=a(x+2)^2+4$로 놓자.

이 그래프가 점 $(0, 2)$를 지나므로 $2=4a+4$ $\quad\therefore a=-\frac{1}{2}$

$y=-\frac{1}{2}(x+2)^2+4=-\frac{1}{2}x^2-2x+2$이므로 $b=-2$, $c=2$

이때 이차함수 $y=cx^2+bx+a$는

$y=2x^2-2x-\frac{1}{2}=2\left(x-\frac{1}{2}\right)^2-1$

이 그래프의 꼭짓점의 좌표는 $\left(\frac{1}{2}, -1\right)$이므로 꼭짓점은 제4 사분면 위에 있다.

23 $y=-x^2+4x+5=-(x-2)^2+9$이므로 꼭짓점의 좌표는 $\mathrm{A}(2, 9)$이다.

$y=-x^2+4x+5$에 $y=0$을 대입하면 $0=-x^2+4x+5$

$x^2-4x-5=0$, $(x+1)(x-5)=0$

$\therefore x=-1$ 또는 $x=5$ $\quad\therefore \mathrm{C}(-1, 0)$, $\mathrm{D}(5, 0)$

$y=-x^2+4x+5$에 $x=0$을 대입하면 $y=5$

$\therefore \mathrm{B}(0, 5)$

$\therefore \triangle\mathrm{ABD}=\square\mathrm{ABOH}+\triangle\mathrm{AHD}-\triangle\mathrm{BOD}$

$=\frac{1}{2}\times(5+9)\times2+\frac{1}{2}\times9\times3-\frac{1}{2}\times5\times5$

$=14+\frac{27}{2}-\frac{25}{2}=15$

$\triangle\mathrm{BCD}=\frac{1}{2}\times6\times5=15$

$\therefore \triangle\mathrm{ABD} : \triangle\mathrm{BCD}=15 : 15=1 : 1$

SUMMA CUM LAUDE
MIDDLE SCHOOL MATHEMATICS